大学・大学院
留学生の日本語

⑤ 漢字・語彙編
Kanji and Vocabulary

Japanese
for
International College / Graduate Students

稲村真理子 著
アカデミック・ジャパニーズ研究会 監修

はじめに

　本書『大学・大学院 留学生の日本語 ⑤漢字・語彙(ごい)編』は、『大学・大学院 留学生の日本語』シリーズ教材の中の漢字語彙教材です。

　『大学・大学院 留学生の日本語』は、日本の高等教育機関で専門分野の勉強をしようとする留学生などのために作成されたシリーズ教材で、本書のほかに、①読解編、②作文編、③論文読解編、④論文作成編があります。これから日本の大学に入る人、高等専門学校や大学で学んでいる留学生、大学院入学を目指す研究生、大学院で研究している留学生や外国人研究者など、学術的な専門分野で勉学・研究をしようとするすべての日本語学習者が対象です。このシリーズ教材は、各専門分野にほぼ共通する専門日本語の土台の部分を扱っていますので、文科系、理科系を問わず、どの分野の学習者にも役に立つ内容になっています。

　また、各分野に共通して必要な漢字語彙を扱っています。日本語の学習段階でいうと中級から上級までに対応しています。

　本書は、『大学・大学院 留学生の日本語』シリーズの編者であるアカデミック・ジャパニーズ研究会の稲村が執筆し、アカデミック・ジャパニーズ研究会が監修しました。東北大学留学生センター特別課程、研修コース等の漢字クラスで、数年にわたる試用を経ています。作成の過程で、ご試用いただいた東北大学の先生方、学生の皆様から、貴重なご指摘、ご助言をいただきました。英訳は留学生 Katherine Wilde さんに見ていただきました。今回出版の運びとなったのは、ひとえに株式会社アルク日本語書籍編集部のご理解とご支援のたまものです。協力者の方々に心から感謝の意を表します。

2007年4月

　　　　　　　　　　　　　　　　　　　稲村真理子
　　　　　　　　　　　　　　　　　　　アカデミック・ジャパニーズ研究会

本書をお使いになる方へ

1．本書の目的
　本書は専門書、論文、レポート、レジュメ等の読解、作成に必要な、各分野に共通する漢字語彙の習得を目的とし、それらを効率的に習得し、未知の漢字語彙の読みや意味を推測する力が付くように作られています。500字程度の漢字を習得した中級前半から上級の日本語学習者が対象です。

2．本書の特徴
1）専門書・論文・レポート・レジュメ等の、読解、作成に必要な漢字語彙（以後、語彙）を学習します。語彙の選定に当たっては受容語彙、表現語彙の両方の必要性を備えたものを取り上げました。講義を聞く、討論に参加する、発表するなどの活動も視野に入れ、語彙のアクセントと音変化を学習項目にしています。学習する漢字は388字（1級125字、2級259字、3級4字）、語彙は1072語です。

2）授業での使用を意図していますが、全問題に解答が付いていますので独習用にも使えます。

3）漢字圏と非漢字圏の両方の学習者を想定しています。学習漢字に、英語訳、中国語の簡体字と繁体字、ハングルの意味、韓国語の音読みを付けました。用例には英訳を付けました。例文中の未習と思われる語彙に「＊」を付け、英訳を付けました。

4）各課にテーマ（目次参照）を設定し、そのテーマに関する語彙を「テーマの語彙」として提出しています。一つ一つの語彙を、テーマに沿った文脈の中で他の「テーマの語彙」と互いに関連させながら学習することによって、語彙の意味と用法をより深く理解し、記憶することを目指しています。「テーマの語彙」を構成する漢字を「学習漢字」とし、「テーマの語彙」以外の使用頻度の高い用例を、例文と共に提出しています。

5）学習者にとってコンピューターを使う必要性が極めて高いことを考慮に入れ、日本語ワープロの課を設けました。また、全体にコンピューターに関する話題を多く取り入れて、それがコンピューターに関する話題であることを付記しました。

6）この学習段階の学習者は、授業や研究室など、様々な場において何らかの形で未習の語彙に接しており、それらが未定着の形で蓄積していると思われます。本書はそれらを活性化する課題を設け、語彙を効率的に習得する手がかりにしています。

7）表外漢字には振り仮名を付けました。また、その段階で未習の漢字あるいは語彙は振り仮名を付けました。

3．本書の構成

1）全体の構成

第Ⅰ部（第1課～第27課）：語彙をテーマ別に学習します。
　・「学習の要点」（第7、12、17、21課）：接辞、語構成、音変化、和語複合語を学びます。
第Ⅱ部（第28課～35課）：論文、レポートなどで各分野に共通して使われる語彙を学習します。
第Ⅲ部（第36課～40課）：同音異義語、形声文字、同訓語、対義語、和語・漢語によって、学習した語彙を整理します。
　・「コラム」（1～6）：読み替え漢字、3字漢語、助詞相当語、日本語ワープロの効率的な入力方法、助数詞、複数訓の漢字を学習します。

2）各課の構成

| Ⅰ　ウォーミングアップ |

学習の方法：テーマに関連する既習の語彙を読みます。
ねらい：既習語を復習しながら、テーマに関連する他の語彙を、日本語あるいは母語で想起することで、「テーマの語彙」の導入を容易にします。

| Ⅱ　テーマの語彙 |

学習の方法：この課で学習する「テーマの語彙」を見て、見たことがあるかどうかをチェックします。次に、ひらがなを読んで、聞いたことがあるかどうかをチェックします。授業では、フラッシュカードや、先生の音読を聞いて学習者にチェックさせるなどの方法があります。
ねらい：「テーマの語彙」の中には、学習者にとって、未習だが見たことがあるものや聞いたことがあるものが含まれていると思われます。見たこと、聞いたことがあるかどうかをチェックすることで、新しい語彙への関心が高まり、動機付けになります。

Ⅲ 学習漢字

読みの欄
ひらがなは訓読み、カタカナは音読み（ただし、頻度の高い読み方を中心に載せている）
〈　〉は常用漢字表にない読み方
読み方に下線（ex. 達 だち）は用例が限られるもの

漢字１字の意味の欄
英語訳、中国語の簡体字と繁体字、ハングルの意味、韓国語の音読み

級・部首の欄
日本語能力試験出題基準の級別、下は部首

筆順の欄
右下の数字は画数
筆順（画数の多いものは一部省略）

　　　　　　　　　↓　　　　　　　　↓ ＊は対応する語なし　↓　　　　　　　　↓

3	描	えが・く ビョウ 〈か・く〉	draw 描 描 그릴（묘）	1級 扌	扌 扌 扌 描	
						11

1　描く（　　　く）　　　　　　　ツール＊を使ってグラフを描く。《コ》　　　　　tool
2　描写（　　　）スル describe　この小説は日本人の生活を描写した作品だ。

　　　　　　　　　　　　　　　　　　　　　　　１ えが・く　２ びょうしゃ
　　　　　　　　　　　　　　　　　　　　　　　　↑

用例・例文
最初の自立語の用例は１字の意味と同じであるから意味を示さない
《コ》はコンピューター関連（第25課は《コ》を省略）
《論》は論文に見られる例文

アクセント表記
上の横線〔⎺〕の部分は高く、横線のない部分は低く発音される
横線の最後が〔⎺⌐〕のように下がっている場合は、次の音が下がる
〔⎺〕で終わっている語は次に来る助詞も下がらない
〔⎺⌐〕で終わっている語は次に来る助詞が下がる
前の語によってアクセント型が変わる接辞などには、アクセントを表示しない

学習の方法：
　示された音訓を基に用例の読み方をひらがなで記入し、各欄の右下にある答えを参照して自分で確認します。間違いがあった場合はその原因を検討します。次いで、一緒に使う語に注目しながら例文を読みます。また、アクセントに注意しながら声に出して読む練習をします。

ねらい：
① パソコンで日本語の文書を作成する際、語彙の読み方をひらがなで正確に入力しなければ、目的の漢字に変換されません。
　本書試用の段階で多く見られた間違いは、連濁・促音・長音など音声に関するもの、音訓の混用です。自ら修正することによって、これらの点に注意を払うようになり、間違いが少なくなっていきます。
② 用例は、基底的な意味を持つ自立語を最初に挙げました。自立語の中には使用頻度が必ずしも高くないものもありますが、すべて提示してあります。自立語の知識は、講義、ゼミな

どにおける聞き取りに役立ちます。

　また、自立語の意味から熟語(compound word)の意味を考えていくことで、熟語が生成されるメカニズムを類推することができるようになります。未知語に出会ったときに意味を推測する力を付けることを目指しています。

③ 用例の読み方に共通語のアクセント記号が付けてあります。アクセント型が複数あるものは原則として辞典(NHK編『発音アクセント辞典』など)の1番目に記載されているものを付けました。適切なアクセントは、聞く・話すために大事な要素です。本書でアクセント型を付けたのは、共通語アクセント型を覚えることが目的ではなく、アクセント記号を見ながら音読するという練習を通じて、日本語のリズムに慣れることが目的です。

　アクセント型は、1語の場合と他の語と複合した場合では、変わることがあります。
(ex. 修士　しゅうし＋かてい→しゅうしかてい)

　音読練習を通じて、このようなルールを体得していくことを目指しています。

④ 本書の例文、練習問題は書き言葉になっており、文末表現など、中級文法の学習項目が多く含まれています。漢字・語彙と並行して、これらに慣れることがねらいです。

Ⅳ　練習問題

学習の方法：〔1〕細部を見て正しいほうを選択します。

ねらい：漢字を構成要素に分解し、細部を注意深く見て、識別し、それによって書き方を記憶することがねらいです。間違いやすい読み方を意識化することもできます。

〔2〕はテーマの語を読む練習、〔3〕以降は応用練習になっています。

Ⅳ　応用練習　(第28課〜第35課)

学習の方法：一緒に使う語と文脈に注意しながら文を読みます。

ねらい：実際の論文・レポートなどの文を基にした作例です。論文・レポートのどの部分にどのような語彙が用いられるか、どのような語と共に用いられるかを把握します。

Ⅴ　まとめ

学習の方法：「テーマの語彙」をもう一度読み、書く練習をします。

目 次

〔第Ⅰ部〕

第1課　テーマ　「進学」Proceeding to Higher Education・・・・・・・・16
　　　　テーマの語彙　志望　志願　募集　課程　募集要項　修士　博士　修了
　　　　学習漢字　志　望　募　程　項　修　士　博　了（9）

コラム1「よく使われる訓読みの動詞」Frequently Used *Kun*-reading-verbs・・・・・・22
　　　　行う　用いる　表す　増える　加える　足りる　指す　重ねる　分ける　学ぶ　得る

第2課　テーマ　「出願書類」Application Form・・・・・・・・・・23
　　　　テーマの語彙　証明書　成績　受付　保証書　提出　期限　事務室　係　奨学金　所属
　　　　学習漢字　証　績　付　保　提　限　務　係　奨　属（10）

第3課　テーマ　「授業科目」Subjects・・・・・・・・・・・30
　　　　テーマの語彙　授業　講義　教養　専門　基礎　応用　変更　指示
　　　　学習漢字　授　講　義　養　専　基　礎　応　更　示（10）

第4課　テーマ　「授業」In Class・・・・・・・・・・・・37
　　　　テーマの語彙　知識　内容　復習　獲得　疑問　興味　把握　理解　訓練　届
　　　　学習漢字　識　容　復　獲　疑　興　握　解　訓　届（10）

第5課　テーマ　「日本語の学習」Japanese Class・・・・・・・・45
　　　　テーマの語彙　言葉　中級　訳　例　録音　期末試験　記憶　既習　名詞　国際
　　　　学習漢字　葉　級　訳　例　録　末　憶　既　詞　際（10）

第6課　テーマ　「時間」Time ・・・・・・・・・52
　　　　テーマの語彙　現在　過去　未来　将来　昔　永久　世紀　瞬間　延期
　　　　学習漢字　　　在　去　未　将　昔　永　久　世　紀　瞬　延（11）

第7課　テーマ　「学習の要点1」・・・・・・・・・・59
　　　【Ⅰ】接辞　Affixes
　　　【Ⅱ】連続する漢字語句の区切り　Segmentation
　　　　テーマの語彙　副～　総～　諸～　各～　再～　～帯　～圏　～型　～系
　　　　　　　　　　　～層　～群
　　　　学習漢字　　　副　総　諸　各　再　帯　圏　型　系　層　群（11）

第8課　テーマ　「人間関係」Human Relations ・・・・・・・・66
　　　　テーマの語彙　助ける　支える　紹介　守る　謝る　感謝　頼る　頼む
　　　　　　　　　　　一緒　協力　互い
　　　　学習漢字　　　助　支　紹　介　守　謝　頼　緒　協　互（10）

第9課　テーマ　「環境」Environment ・・・・・・・・・・74
　　　　テーマの語彙　地球　世界　宇宙　自然　環境　対策　植物
　　　　学習漢字　　　球　界　宇　宙　然　環　境　策　植（9）

第10課　テーマ　「位置」Location・Position ・・・・・・・・81
　　　　テーマの語彙　隣　端　側　周り　周囲　角　中央　底　裏　頂上
　　　　学習漢字　　　隣　端　側　周　囲　角　央　底　裏　頂（10）

第11課　テーマ　「日本の自然」Japan's Natural World ・・・・・・・88
　　　　テーマの語彙　資源　乏しい　豊か　豊富　特徴　湿度　乾燥　分布
　　　　　　　　　　　山脈　盛ん
　　　　学習漢字　　　源　乏　豊　富　徴　湿　乾　布　脈　盛（10）

9

第12課 テーマ 「学習の要点2」・・・・・・・・・・・・・95
　【Ⅰ】動詞の語構成① Structure of Verbs
　【Ⅱ】漢字熟語の音変化 Phonetic Changes in Compound Words
　　テーマの語彙　預金　着陸　愛用　共有　予防　激増　厳禁
　　学習漢字　　　預　陸　愛　共　防　激　厳　禁（8）

第13課 テーマ 「日本での生活」Life in Japan ・・・・・・103
　　テーマの語彙　滞在　慣れる　国籍　寮　健康　就職　職業　規則　規則的
　　学習漢字　　　滞　慣　籍　寮　健　康　就　職　規　則（10）

コラム 2「3字漢語」3-kanji-words ・・・・・・・・・・・109
　　青少年　動植物　輸出入　中高年　離着陸

第14課 テーマ 「手の動作」Hand Motions ・・・・・・・110
　　テーマの語彙　招く　探す　探る　描く　抱く　抱える　技術　触れる
　　　　　　　　　触る　捕らえる　操作　破る
　　学習漢字　　　招　探　描　抱　技　触　捕　操　破（9）

第15課 テーマ 「進歩」Progress ・・・・・・・・・・・118
　　テーマの語彙　伸びる　努力　目標　発達　上達　改める　改善　発展
　　　　　　　　　追い付く　追い越す
　　学習漢字　　　伸　努　標　達　改　善　展　追　越（9）

第16課 テーマ 「修飾語1」Modifiers ・・・・・・・・・126
　　テーマの語彙　役立つ　詳しい　優秀　優れた　劣る　極めて　可能
　　　　　　　　　有能　容易　ある種の
　　学習漢字　　　役　詳　優　秀　劣　極　可　能　易　種（10）

第17課 テーマ 「学習の要点3」・・・・・・・・・・・・134
　　動詞の語構成② Structure of Verbs

| テーマの語彙 | 救助　援助　支援　検査　調査　破壊　労働　疲労　雇用　停止　戦争
| 学習漢字 | 救　援　検　査　壊　労　雇　停　戦　争（10）

第18課　テーマ　「状態」States ・・・・・・・・・・・・・・・141
| テーマの語彙 | 状態　段階　異常　混乱　途中　普通　状況
| 学習漢字 | 状　態　段　異　常　混　乱　途　普　況（10）

第19課　テーマ　「二者の関係」Relationships between Two Things ・・・148
| テーマの語彙 | 影響　与える　及ぼす　似る　その他　片方　要素　含む　伴う
| 学習漢字 | 影　響　与　及　似　他　片　素　含　伴（10）

コラム 3 「助詞相当語」Particle Equivalents ・・・・・・・・・・・154
応じて　関して　比べて　加えて　対して　伴って　基づいて　通じて　通して

第20課　テーマ　「広がり」Extent ・・・・・・・・・・・・・・・155
| テーマの語彙 | 面積　規模　範囲　量　領域　距離　拡大　取り巻く
| 学習漢字 | 積　模　範　量　領　域　距　拡　巻（9）

第21課　テーマ　「学習の要点 4」
和語複合語 Compounds of Japanese-origin Words ・・・・・・・162
| テーマの語彙 | 申し込む　埋め込む　詰め込む　掘り下げる　取り扱う　使い尽くす　立ち寄る
| 学習漢字 | 申　込　埋　詰　掘　扱　尽　寄（8）

第22課　テーマ　「ゼミ」Seminars ・・・・・・・・・・・・・・170
| テーマの語彙 | 演習　指導　分担　反省　補足　参考文献　参加　責任　討論
| 学習漢字 | 演　導　担　省　補　参　献　責　任　討（10）

第23課　テーマ　「読む・書く」Reading・Writing ・・・・・・・・・・ 178
　　　　　テーマの語彙　文章　推測　構造　構成　出典　要旨　筆者　参照　述べる
　　　　　学習漢字　章　推　測　構　造　典　旨　筆　照　述（10）

第24課　テーマ　「原稿の作成」Preparing a Manuscript ・・・・・・・ 185
　　　　　テーマの語彙　原稿　整理　確かめる　確認　簡潔　訂正　箇所　印刷　出版
　　　　　学習漢字　稿　整　確　認　潔　訂　箇　印　刷　版（10）

第25課　テーマ　「日本語ワープロ」Word Processing in Japanese ・・・ 192
　　　　　テーマの語彙　変換　編集　検索　設定　戻す　画像　飾り　添付
　　　　　学習漢字　換　編　索　設　戻　像　飾　添（8）

　　コラム　4　「効率的なローマ字入力」Efficient Input Methods Using *Romaji* ・・・・・・ 198

第26課　テーマ　「意見・評価」Comments・Evaluation ・・・・・・・ 199
　　　　　テーマの語彙　感想　批評　批判　評価　主張　指摘　核心　肯定　否定
　　　　　学習漢字　想　批　評　判　張　摘　核　肯　否（9）

第27課　テーマ　「修飾語2」Modifiers ・・・・・・・・・・・・・・ 206
　　　　　テーマの語彙　貴重　賢明　独特　独自　新鮮　独創的　一般的　単純
　　　　　　　　　　　鋭い　根本的　意欲的
　　　　　学習漢字　貴　賢　独　鮮　創　般　純　鋭　根　欲（10）

〔第Ⅱ部〕

第28課　テーマ　「序論」Introduction ・・・・・・・・・・・・・・ 214
　　　　　テーマの語彙　序論　視点　考察　背景　焦点　枠組み　従来　略す　方針
　　　　　学習漢字　序　視　察　背　景　焦　枠　従　略　針（10）

第29課　テーマ　「実験・観察」Experiments・Observations ・・・・・・ 222
　　　　　テーマの語彙　手順　観察　材料　装置　機械　分析　条件　被験者　実施

|学習漢字| 順 観 材 装 械 析 条 件 被 施（10）

第30課 |テーマ|「調査」Surveys ・・・・・・・・・・・229
|テーマの語彙| 概要 対象 仮説 無作為 抽出 考慮 質問票 該当 欄 回収
|学習漢字| 概 象 仮 為 抽 慮 票 該 欄 収（10）

第31課 |テーマ|「数値」Numeral Values ・・・・・・・・236
|テーマの語彙| 差 数値 複数 計算 倍率 等しい 平均 余り
|学習漢字| 差 値 複 算 倍 率 等 均 余（9）

|コラム|5 「助数詞」Counters ・・・・・・・・・・・・243
冊 部 枚 巻 編 章 件 歳 秒 匹 軒

第32課 |テーマ|「図表」Figure and Table ・・・・・・・244
|テーマの語彙| 占める 軸 満たない 未満 除く 上昇 大幅 斜線 超える 鈍化
|学習漢字| 占 軸 満 除 昇 幅 斜 超 鈍（9）

第33課 |テーマ|「結果・考察1」Results・Discussion ・・・・・・252
|テーマの語彙| 挙げる 統計 処理 存在 誤差 一致 傾向 列挙 特殊
|学習漢字| 挙 統 処 存 誤 致 傾 列 殊（9）

第34課 |テーマ|「結果・考察2」Results・Discussion ・・・・・・259
|テーマの語彙| 根拠 要因 判断 著しい 解釈 矛盾 示唆 妥当
|学習漢字| 拠 因 断 著 釈 矛 盾 唆 妥（9）

第35課 |テーマ|「修飾語3」Modifiers ・・・・・・・・266
|テーマの語彙| 危険 逆 徐々に 有益 密接 厳密 圧倒的 組織的 深刻
|学習漢字| 危 険 逆 徐 益 密 圧 倒 織 刻（10）

〔第Ⅲ部〕

第36課　テーマ　「対義語」Antonyms ・・・・・・・・・・・・・ 274
　　　　テーマの語彙　勝つ　負ける　敗れる　許す　浮く　沈む　縮む　需要　供給
　　　　学習漢字　勝　負　敗　許　浮　沈　縮　需　供　給（10）

第37課　テーマ　「形容詞の対義語」Adjectival Pairs ・・・・・・・ 281
　　　　テーマの語彙　浅い　厚い　薄い　濃い　汚い　貧しい　精神　幸福
　　　　学習漢字　浅　厚　薄　濃　汚　貧　精　神　幸　福（10）

第38課　テーマ　「同訓語」Words with the Same Kun-reading ・・・・・ 289
　　　　テーマの語彙　鳴く　登る　勤める　固い　硬い　替える　納める　贈る
　　　　　　　　　　柔らかい　軟らかい
　　　　学習漢字　鳴　登　勤　固　硬　替　納　贈　柔　軟（10）

第39課　テーマ　「漢字の音読み」・・・・・・・・・・・・・・・ 297
　　　　テーマの語彙　郊外　公害　家庭　金額　通貨　姿勢　死亡
　　　　学習漢字　郊　害　庭　額　貨　姿　勢　死　亡（9）

コラム 6 「複数の音読みがある漢字」Kanji with Plural On-readings ・・・・・・・・ 304

第40課　テーマ　「和語・漢語」Japanese-origin Words・Chinese-origin Words ・・ 305
　　　　テーマの語彙　建築　製造　休息　拝見　治療　診察　採用　撮影
　　　　学習漢字　築　製　息　拝　療　診　採　撮（8）

学習漢字索引・・・・・・・・・・・・・・・・・・・・・・・・・313

第Ⅰ部

語彙をテーマ別に学習します。
「学習の要点」（第7、12、17、21課）では、
接辞、語構成、音変化、和語複合語を学びます。

第1課　進学

I　ウォーミングアップ

◇　次の文を読みなさい。下線部はこの課のテーマ*に関する語彙です。　　　theme

1．私は留学生で、国の大学を卒業して日本へ来た。今は青葉大学の研究生だ。この大学の大学院を受験するつもりだ。

2．大学院に合格した後、2年勉強し、さらに*上に進んで研究を続けたいと考えている。　　　still more

3．大学院の入学試験には、書く試験と面接試験がある。試験のために日本語の準備をしている。

4．試験についての情報はホームページ*で見ることができる。　　　web site

5．まず、受験する学科の願書を手に入れ*なければならない。　　　get

II　テーマの語彙

〔1〕この課のテーマの語彙です。見たことがあるものに✓を付けなさい。

☐ 志願　　☐ 志望　　☐ 募集　　☐ 課程

☐ 募集要項　　☐ 修士　　☐ 博士　　☐ 修了

〔2〕声に出して読み、聞いたことがあるものに✓を付けなさい。

☐ しがん　　☐ しぼう　　☐ ぼしゅう　　☐ かてい

☐ ぼしゅうようこう　☐ しゅうし　☐ はくし（☐ はかせ）　☐ しゅうりょう

第1課　進学

III　学習漢字

◇ まず、（　）に読み方を考えて書きなさい。次に、下の答えを見て確かめなさい。
間違っていた場合は、その原因を考えましょう。（太字はテーマの語彙）

1

| 志 | こころざし
こころざ・す
シ | intention / aim
志　志
뜻 (지) | 1級
心 | 十　士　志
7 |

1　志す（　　　　す）　　　　高校生のときから、研究者を志していた。
2　**志願**（　　　　）スル apply for　大学院に入学を志願する。
3　意志（　　　　）will　　　3年前から、日本へ留学する強い意志を持っていた。

　　　　　　　　　　　　　　　1　こころざ・す　2　しがん　3　いし

2

| 望 | のぞ・み
のぞ・む
ボウ　モウ | hope / wish
望　望
바랄 (망) | 2級
月 | 亠　セ　切　切　望
11 |

1　望む（　　　　む）　　　　国の家族は私が早く帰国することを望んでいる。
2　**志望**（　　　　）スル wish to enter　青葉大学の日本語研究科を志望している。
3　希望（　　　　）スル hope　　希望する大学院に入学することができた。

　　　　　　　　　　　　　　　1　のぞ・む　2　しぼう　3　きぼう

3

| 募 | つの・る
ボ | raise / collect
募　募
모을 (모) | 2級
力 | 艹　苩　苴　莫　募
12 |

1　募る（　　　　る）　　　　博物館見学の希望者を募っている。
2　**募集**（　　　　）スル recruit　工学研究科では学生を20名募集している。
3　応募（　　　　）スル apply　大学図書館でアルバイトを募集していたので応募した。

　　　　　　　　　　　　　　　1　つのる　2　ぼしゅう　3　おうぼ

17

第I部

| 4 | 程 | ほど
テイ | extent
程 程
법(정) | 2級
禾 | 禾 利 程 | 12 |

1 課程（　　）course/program　　日本語特別課程には、様々なクラスがある。
2 日程（　　）schedule　　入学試験の日程はホームページで見ることができる。
3 程度（　　）① about　　研究計画書を200字程度で書く。
　　　　　　　② level　　授業が分かる程度の日本語の力がある。
4 過程（　　）process　　実験の過程をレポートに書く。

　　　　　　　　　　1 かてい　2 にってい　3 ていど　4 かてい

| 5 | 項 | コウ | clause
項 項
조목(항) | 1級
頁 | エ エ エ 項 項 | 12 |

1 募集要項（　　）application guidebook　　入学志望者は、まず、募集要項を手に入れる。
2 項目（　　）item　　募集要項のすべて*の項目を読む。　　　　　all
3 事項（　　）matters　　募集要項の注意事項をよく読む。

　　　　　　　　　1 ぼしゅうようこう　2 こうもく　3 じこう

| 6 | 修 | おさ・まる
おさ・める
シュウ | master
修 修
닦을(수) | 1級
イ | イ 仁 攸 修 | 10 |

1 修める（　　める）　　大学院前期の課程を修める。
2 修士（　　）master's degree　　大学院修士課程で2年勉強する。
3 研修（　　）スル train　　日本語研修コースで日本語を勉強する。
4 修理（　　）スル repair　　パソコンは、修理するより新しいのを買ったほうが安い。

　　　　　　1 おさ・める　2 しゅうし　3 けんしゅう　4 しゅうり

第1課　進学

7 | 士 | シ | man　士　士　선비(사) | 1級 士 | 十士　3

1　弁護士（　　　）lawyer　　　法学部で学んで弁護士になりたい。
2　武士（　　　）samurai　　　大学院で武士の社会について研究したい。

1　べんごし　2　ぶし

8 | 博 | ハク | extensive　博　博　넓을(박) | 1級 十 | 十 忄 忄 恒 博 博 博　12

1　博士（　　　）doctor　　　理学研究科で学んで、博士号*を取りたい。　doctorate
2　博士課程（　　　）doctoral course　　博士課程に進学したい。
3　博物館（　　　）museum　　　町の博物館を見学した。

1　はくし / はかせ　2　はくしかてい / はかせかてい　3　はくぶつかん

9 | 了 | リョウ | finish　了　了　마칠(료) | 2級 亅 | フ 了　2

1　修了（　　　）スル complete　２年後に修士課程を修了する予定だ。
2　終了（　　　）スル finish　　午前の授業は12時に終了する。
3　完了（　　　）スル complete　実験の準備が完了した。

1　しゅうりょう　2　しゅうりょう　3　かんりょう

19

IV 練習問題

〔1〕異なる部分に注目して、下線部の言葉の書き方、あるいは読み方を選びなさい。
　　（一方の語には、実際に使われていないものもあります。）

1．工学研究科を<u>しぼう</u>している。　　　　　　　｛a. 仕望　　b. 志望｝

2．修士<u>かてい</u>で勉強したいと思っている。　　　｛a. 課程　　b. 果程｝

3．大学のホームページで募集<u>ようこう</u>を見る。　｛a. 要工　　b. 要項｝

4．林先生は工学<u>はくし</u>だ。　　　　　　　　　　｛a. 博士　　b. 博士｝

5．2月に日本語研修コースを<u>しゅうりょう</u>する。｛a. 終了　　b. 修了｝

6．経済学研究科で学生を30名<u>募集</u>している。　｛a. ほうしゅう　b. ほしゅう｝

〔2〕下線部の言葉の読み方を書きなさい。

1．青葉大学大学院を<u>志望</u>している。　　　　　　_____

2．入学を<u>志願</u>する者は以下の書類を<u>提出</u>すること。_____

3．理工学研究科では学生を35名<u>募集</u>している。　_____

4．<u>修士課程</u>で勉強したい。　　　　　　　　　　_____

5．志望する大学に<u>募集要項</u>を<u>請求</u>*する。request　_____

6．2年後に大学院を<u>修了</u>する。　　　　　　　　_____

7．<u>博士課程</u>を修了し、博士号を<u>取得</u>する。　　_____

〔3〕下線部の言葉の読み方を書き、意味を考えなさい。

1．私の<u>第1志望</u>は経営学科だ。　　　　　　　　_____

2．理工科大学院の入学志願者は毎年多くなっている。　_____

3．今年度の志願者数は60名、合格者数は30名である。　_____

4．意志が強い人は成功*する。succeed　_____
（せいこう）

5．大学が学生に望むことは、第一に勉強である。　_____

6．募集案内はホームページで公開している。　_____

7．質問用紙のすべての項目に記入すること。　_____

8．大学院で研究したいことを4000字程度で書く。　_____

9．大学院の試験日程は学科によって違う。　_____

10．実験の準備が完了した。　_____

11．博士論文のテーマを考えている。　_____

〔4〕筆順に注意して、学習漢字を何度も書いて練習しなさい。
（ひつじゅん）

V　まとめ

〔1〕この課のテーマの語彙です。声に出して読みなさい。
（ごい）

1．志望　　2．志願　　3．募集　　4．課程

5．募集要項　6．修士　　7．博士　　8．修了

〔2〕最も適当なものを選びなさい。

{a. 修了　b. 志願　c. 博士課程　d. 要項　e. 募集} に進学したいと思っている。

第Ⅰ部

〔3〕下線部の言葉を漢字で書きなさい。

1. 第2<u>しほう</u>の学科まで<u>しがん</u>することができる。

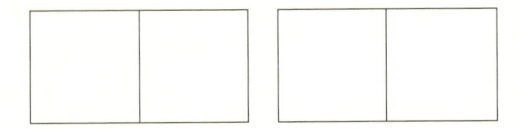

2. まず、<u>ぼしゅうようこう</u>を手に入れる。

3. <u>しゅうしかてい</u>に入学し、2年後に<u>しゅうりょう</u>した。

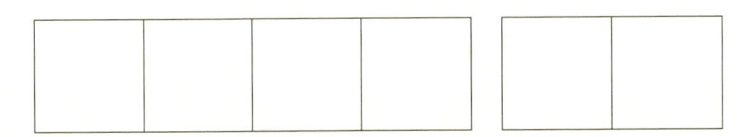

4. <u>はくし（はかせ）かてい</u>に進みたい。

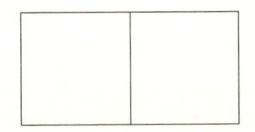

コラム1：よく使われる訓読みの動詞

1. 行う（おこなう）　　入学試験は2月に行われる。
2. 用いる（もちいる）　外来語を表すのにカタカナが用いられる。
3. 表す（あらわす）　　地震(じしん)の大きさはマグニチュード*で表される。　　magnitude
4. 増える（ふえる）　　人口は増えたり減ったりする。
5. 加える（くわえる）　学生の発表に、先生が説明を加える*。　　add
6. 足りる（たりる）　　毎月、お金が足りない。
7. 指す（さす）　　　　「ぼく」、「わたし」などは、自分を指す言葉である。
8. 重ねる（かさねる）　本とノートを重ねて机(つくえ)の上に置く。
9. 分ける（わける）　　大学の1年は前期と後期に分けられる。
10. 学ぶ（まなぶ）　　　日本語を学ぶ。
11. 得る（える／うる）　働いて収入(しゅうにゅう)*を得る。　　income

第2課　出願書類(しゅつがんしょるい)

Ⅰ　ウォーミングアップ

◇　次の文を読みなさい。下線部はこの課のテーマに関する語彙(ごい)です。

1．「出願」というのは、入学試験を受けるために願書を出すことである。

2．学生募集について、大学のホームページで見る。

3．博士課程前期を志望する学生の出願の手続(てつづ)き*は、次のとおりである。　procedures

4．募集要項を手に入れる。

5．出願期間は2月20日から2月28日までである。

6．様々な書類を準備する。

Ⅱ　テーマの語彙(ごい)

〔1〕この課のテーマの語彙(ごい)です。見たことがあるものに レ を付けなさい。

□ 証明書　　□ 成績　　□ 受付　　□ 保証書　　□ 提出

□ 期限　　□ 事務室　　□ 係　　□ 奨学金　　□ 所属

〔2〕声に出して読み、聞いたことがあるものに レ を付けなさい。

□ しょうめいしょ　□ せいせき　□ うけつけ　□ ほしょうしょ　□ ていしゅつ

□ きげん　　□ じむしつ　　□ かかり　　□ しょうがくきん　　□ しょぞく

Ⅲ 学習漢字

◇ まず、（　）に読み方を考えて書きなさい。次に、下の答えを見て確かめなさい。
間違っていた場合は、その原因を考えましょう。（太字はテーマの語彙）

1

| 証 | ショウ | certification / proof
証　證
증거 (증) | 1級
言 | 言 言 訂 訂 訂 証 証　12 |

1　証明（　　　　）スル ① prove　博士課程前期の課程を修了したことを証明する。
　　　　　　　　　　② demonstrate　フェルマーの定理*が証明された。　Fermat's theorem
2　証明書（　　　　）certificate　出願には日本語能力*証明書が必要だ。　proficiency

　　　　　　　　　　　　　　　　　　　　1 しょうめい　2 しょうめいしょ

2

| 績 | セキ | achievement
绩　績
길쌈할 (적) | 2級
糸 | 糸 糸＋ 絆 績　17 |

1　成績（　　　　）grade　試験で良い成績を取る。
2　実績（　　　　）record of achievement　博士課程の出願書類に、これまでの研究実績を書く。

　　　　　　　　　　　　　　　　　　　　1 せいせき　2 じっせき

3

| 付 | つ・く
つ・ける
フ | attach
付　付
줄 (부) | 2級
イ | イ 付 付　5 |

1　付ける（　　　ける）　願書に最近の写真を付ける。
2　**受付**（　　　　）reception　願書を受付に出す。
3　受け付ける（　　け　　ける）accept　願書は２月１日から受け付ける。
4　**日付**（　　　　）date　書類には必ず記入した日の日付を書く。

　　　　　　　　　　　　1 つける　2 うけつけ　3 うけつ・ける　4 ひづけ

第2課　出願書類

4 保 — たも・つ / ホ — keep 保保 보호할(보) — 1級 イ — イ 仔 仔 保 — 9

1. 保つ（　　つ）　　　　　　　　　　室内の温度を20度に保つ。
2. 保証（　　　）スル guarantee　　このパソコンは、品質を1年間保証されている。
3. **保証書**（　　　）letter of reference　**大学院に出願するため、保証書を用意する。**
4. 保険（　　　）insurance　　　　　国民健康保険※に加入した。　　　National Health Insurance
5. 保存（　　　）スル ① preserve　冷蔵庫で肉を保存する。
　　　　　　　　　　② save　　　文書に名前を付けて保存してからファイルを閉じる。《コ》

1 たもﾞ・つ　2 ほしょう　3 ほしょうしょﾞ　4 ほけん　5 ほぞん

覚えるためのヒント
ひらがな「ほ」の元になった漢字です。　保→ほ→ほ→ほ

5 提 — さ・げる / テイ — propose / put forward 提提 끌(제) — 1級 扌 — 扌 押 捍 捍 提 — 12

1. 提げる（　　げる）carry　　　重いかばんを提げて大学へ通っている。
2. **提出**（　　　）スル submit　**宿題を提出する。**
3. 提案（　　　）スル propose　本研究は、漢字学習の新しい方法を提案する。《論》

1 さ・げる　2 ていしゅつ　3 ていあん

6 限 — かぎ・る / ゲン — limit 限限 한정(한) — 2級 阝 — 阝 阝ヨ 阳 限 限 — 9

1. 限る（　　る）　　　　　　　この授業に出席する学生は外国人留学生に限る。
2. **期限**（　　　）deadline　**書類の提出期限は3月31日である。**
3. 限度（　　　）limit　　　　このクラスの定員は20名が限度である。

1 かぎﾞ・る　2 きげん　3 げんど

第Ⅰ部

7 務 つと・める / ム — work 务 務 힘쓸(무) — 2級 力 — マ ヌ マ ヌ 矛 矛 教 務 11

1 務める（　　　める）act as～　　学会で受付係を務めた。
2 事務室（　　　　）office　　わからないことは各学部の事務室に問い合わせる*。 inquire

　　　　　　　　　　　　　　　　　　　　1 つと・める　2 じむしつ

8 係 かかり / ケイ — person in charge 系 係 걸릴(계) — 2級 イ — イ 仁 係 9

1 係（　　　　）　　　　　　　願書は事務室の入試の係に提出する。
2 関係（　　　　）スル be related　日本の文化は、韓国、中国と深い関係がある。

　　　　　　　　　　　　　　　　　　　　1 かかり　2 かんけい

9 奨 ショウ — encourage 奨 獎 장려할(장) — 1級 大 — 丨 丬 丬 坍 将 将 奨 13

1 奨学金（　　　　）scholarship　奨学金を申請*する。 apply

　　　　　　　　　　　　　　　　　　　　1 しょうがくきん

10 属 ゾク — belong 属 屬 붙을(속) — 1級 尸 — 尸 尸 居 属 属 属 12

1 属する（　　　する）　　　　イルカ*は魚類ではなく、哺乳類*に属している。
　　　　　　　　　　　　　　　　　　　　　　　　　　　　　　　dolphin, mammals
2 所属（　　　　）スル belong to　私は工学部に所属している。
3 金属（　　　　）metal　　　　金属工学研究科を志望している。

　　　　　　　　　　　　　　　　　　1 ぞく・する　2 しょぞく　3 きんぞく

第2課　出願書類

Ⅳ　練習問題

〔1〕異なる部分に注目して、下線部の言葉の書き方、あるいは読み方を選びなさい。
　　（一方の語には、実際に使われていないものもあります。）

1．願書を<u>ていしゅつ</u>する。　　　　　　　　　{a．題出　　b．提出}

2．試験の<u>せいせき</u>が良い。　　　　　　　　　{a．成績　　b．成積}

3．提出<u>きげん</u>は2月28日だ。　　　　　　　　{a．期眼　　b．期限}

4．<u>しょうがくきん</u>を申請する。　　　　　　　{a．将学金　b．奨学金}

5．卒業<u>しょうめいしょ</u>を出す。　　　　　　　{a．正明書　b．証明書}

6．経済学研究科に<u>しょぞく</u>している。　　　　{a．所属　　b．所屋}

7．事務室の<u>にゅうしがかり</u>。　　　　　　　　{a．入試係　b．入試位}

8．<u>うけつけ</u>はこの建物の2階にある。　　　　{a．受村　　b．受付}

9．<u>保証書</u>が必要だ。　　{a．ほしょうしょ　b．ほうしょうしょ}

〔2〕下線部の言葉の読み方を書きなさい。

1．レポートの<u>提出期限</u>は1月31日だ。　　　　　＿＿＿＿＿＿＿＿

2．期限を過ぎた書類は<u>受け付け</u>ない。　　　　　＿＿＿＿＿＿＿＿

3．<u>身分</u>＊<u>証明書</u>をいつも持っている。　status　＿＿＿＿＿＿＿＿

4．アパートに入るために、<u>保証人</u>が必要だ。　　＿＿＿＿＿＿＿＿

5．書類に<u>所属</u>学科を書く。　　　　　　　　　　＿＿＿＿＿＿＿＿

6．書類は学科の<u>事務室</u>に提出する。　　　　　　＿＿＿＿＿＿＿＿

7．<u>奨学金</u>を申請する。　　　　　　　　　　　　＿＿＿＿＿＿＿＿

第Ⅰ部

8．入試に関する問い合わせは入試の係まで。　　　　　＿＿＿＿＿＿＿＿＿＿

9．大学の成績証明書が必要だ。　　　　　　　　　　　＿＿＿＿＿＿＿＿＿＿

〔3〕a.～e. は「大学院の出願書類」についての注意書き*です。1.～5.の質問に答えなさい。

instruction

---

a．出願者は次の出願書類を提出してください。
　　① 願書　② 卒業証明書　③ 成績証明書　④ 日本語能力（のうりょく）証明書　⑤ 保証書

b．出願書類の提出期限は12月10日です。

c．期限を過ぎた書類は受け付けません。

d．出願は郵送（ゆうそう）に限ります。

e．不明の場合は係に問い合わせてください。

【質問】

1．必要な証明書に○を付けなさい。

　　ア．成績証明書　イ．日本語能力証明書　ウ．出生証明書　エ．卒業証明書

2．いつまでに提出しなければなりませんか。　　　　　＿＿＿＿＿＿＿＿＿＿

3．期限を過ぎても提出できますか。　　　　　　　　　＿＿＿＿＿＿＿＿＿＿

4．どうやって提出しますか。　　　　　　　　　　　　＿＿＿＿＿＿＿＿＿＿

5．わからないことがあったら、どうしたらいいですか。
　　　　　　　　　　　　　　　　　　　　　　　　　＿＿＿＿＿＿＿＿＿＿

〔4〕筆順（ひつじゅん）に注意して、学習漢字を何度も書いて練習しなさい。

第2課　出願書類

V　まとめ

〔1〕この課のテーマの語彙です。声に出して読みなさい。

1．証明書　2．成績　3．受付　4．保証書　5．提出
6．期限　7．事務室　8．係　9．奨学金　10．所属

〔2〕最も適当なものを選びなさい。

出願書類を事務室に ｛a．期限　b．所属　c．受付　d．提出｝ する。

〔3〕下線部の言葉を漢字で書きなさい。

1．願書、卒業しょうめい書、せいせきしょうめい書、身元ほしょう書が必要だ。

2．出願書類は、きげんまでに入試のかかりにていしゅつする。

3．しょうがく金の申し込みは、しょぞくする学科のじむしつでうけつける。

第Ⅰ部

第3課　授業科目(じゅぎょうかもく)

Ⅰ　ウォーミングアップ

◇　次の文を読みなさい。下線部はこの課のテーマに関する語彙(ごい)です。

1. 青葉(あおば)大学には留学生のための特別課程がある。

2. 特別課程には日本語、日本事情、日本文化などの科目がある。

3. どの科目も、60パーセント以上出席しなければならない。

4. 必修科目*というのは、必ず履修(りしゅう)*しなければならない科目である。

    required subjects, take

5. 時間割*を見て、履修する科目を選ぶ。　　　　　　schedule/timetable

Ⅱ　テーマの語彙(ごい)

〔1〕この課のテーマの語彙(ごい)です。見たことがあるものに レ を付けなさい。

- □ 授業　　□ 講義　　□ 教養　　□ 専門
- □ 基礎　　□ 応用　　□ 変更　　□ 指示

〔2〕声に出して読み、聞いたことがあるものに レ を付けなさい。

- □ じゅぎょう　　□ こうぎ　　□ きょうよう　　□ せんもん
- □ きそ　　□ おうよう　　□ へんこう　　□ しじ

第3課　授業科目

Ⅲ　学習漢字

◇ まず、（　）に読み方を考えて書きなさい。次に、下の答えを見て確かめなさい。
　間違っていた場合は、その原因を考えましょう。(太字はテーマの語彙)

1 授 　さず・かる／さず・ける／ジュ　　grant / award　授 授　줄(수)　1級 扌　扌 扩 护 授　11

1　授ける（　　　　ける）　　大学院修了後、修士または博士の学位が授けられる。
2　**授業**（　　　　）class　　**日本語の授業を受ける。**
3　教授（　　　　）professor　　山田教授の授業に出席する。

　　　　　　　　　　　　　　　　1 さず・ける　2 じゅぎょう　3 きょうじゅ

2 講　コウ　lecture　讲 講　익힐(강)　2級 言　言 計 詳 諾 講 講　17

1　**講義**（　　　　）スル give a lecture　**講義は講義棟*の教室で行われる。**　lecture building
2　**受講**（　　　　）スル attend a lecture　**留学生は日本語の全科目を受講することができる。**
3　講演（こうえん）スル deliver a special lecture　アインシュタイン*が日本の大学で講演した。
　　　　　　　　　　　　　　　　　　　　　　　　　　　　　　　　　Albert Einstein

　　　　　　　　　　　　　　　　1 こうぎ　2 じゅこう　3 こうえん

3 義　ギ　meaning　义 義　옳을(의)　1級 羊　羊 羊 羊 羊 義 義　13

1　意義（　　　　）significance　　若いときに留学することは、意義があることだ。
2　定義（　　　　）スル define　　酒の定義は「アルコール分1度以上の飲み物」である。
3　～主義（　　　　）～ism　　資本主義経済*を勉強している。　capitalist economy
4　**義務**（　　　　）obligation　　**日本の義務教育は9年間である。**

　　　　　　　　　　　　　　1 いぎ　2 ていぎ　3 ～しゅぎ　4 ぎむ

第Ⅰ部

4 養

| | やしな・う / ヨウ | foster / cultivate 养養 기를(양) | 1級 食 | 羊 美 養 15 |

1. 養う（　　　う）　留学は広い視野*を養う機会である。　outlook
2. **教養**（　　　）culture　**留学は外国の文化を知り、広い教養を身に付ける*良い機会だ。**　acquire
3. 教養科目（　　　）Liberal Arts Course　本大学には多様な教養科目がある。

1 やしな・う　2 きょうよう　3 きょうようかもく

覚えるためのヒント
羊(ひつじ)に草を食べさせて養う。

5 専

| | セン | exclusively 专專 오로지(전) | 2級 寸 | 一 百 車 専 専 9 |

1. **専門**（　　　）speciality　**私の専門は電子工学だ。**
2. 専門分野（　　　）specialized field　大学は様々な専門分野に分かれている。
3. 専門書（　　　）technical book　専門書を読む。
4. 専門科目（　　　）specialized subject　学部1年生から専門科目を勉強する。
5. 専攻（　　　）スル major/specialize　私は物理学を専攻している。

1 せんもん　2 せんもんぶんや　3 せんもんしょ　4 せんもんかもく　5 せんこう

6 基

| | もと / もと・づく / キ | base 基基 터(기) | 1級 土 | 一 卄 壮 其 基 11 |

1. 基（　　　）　この報告書は最新のデータを基にしている。
2. 基本（　　　）base/basic　日本に来る前に漢字の基本を勉強した。
3. 基づく（　　　づく）be based on　この映画は事実に基づいている。
4. ～に基づいて（　　　づいて）based on　彼は留学経験に基づいて、数々の小説を書いた。

1 もと　2 きほん　3 もと・づく　4 もとづいて

第3課　授業科目

7 礎

ソ / foundation 础 礎 / 주춧돌(초) / 1級

1　基礎（　　　）basics/foundation　初級クラスで漢字の基礎を学習した。

1 きそ

8 応

こた・える / オウ / respond 応 應 / 응할(응) / 1級

1　応じる（　　じる）　授業中、先生が学生の質問に応じる。
2　応用（　　　）スル apply　心理学*の理論を教育に応用する。　psychology
3　応募（　　　）スル apply for　日本語スピーチコンテストに応募する。
4　反応（　　　）スル react　目は光*に反応する。　light

1 おう・じる　2 おうよう　3 おうぼ　4 はんのう

9 更

ふ・ける / さら・に / コウ / renew 更 更 / 고칠(경) / 2級

1　更ける（　　ける）grow late　夜が更けるまで友人と話し続けた。
2　変更（　　　）スル change　教室が変更になった。
3　更新（　　　）スル renew　ビザを更新するために、出入国在留管理局へ行った。

1 ふ・ける　2 へんこう　3 こうしん

10 示

しめ・す / ジ / シ / show 示 示 / 보일(시) / 2級

1　示す（　　す）　先生は指で黒板*の字を示した。　blackboard
2　指示（　　　）スル instruct　先生が、資料を読んでおくように指示した。
3　暗示（　　　）スル hint at/suggest　夢*は何かを暗示しているといわれている。　dream

1 しめ・す　2 しじ　3 あんじ

33

IV 練習問題

〔1〕異なる部分に注目して、下線部の言葉の書き方、あるいは読み方を選びなさい。
（一方の語には、実際に使われていないものもあります。）

1. <u>じゅぎょう</u>に出席する。　　　　　　　{a. 授業　　b. 受業}

2. <u>こうぎ</u>を聴く。　　　　　　　　　　　{a. 講議　　b. 講義}

3. 私の<u>せんもん</u>は経済学だ。　　　　　　{a. 専門　　b. 博門}

4. 予定を<u>へんこう</u>する。　　　　　　　　{a. 変更　　b. 変便}

5. <u>しじ</u>された教科書を買う。　　　　　　{a. 指示　　b. 指木}

6. <u>きょうよう</u>科目を取る。　　　　　　　{a. 教食　　b. 教養}

7. 国で漢字の<u>きそ</u>を勉強した。　　　　　{a. 基礎　　b. 期礎}

8. <u>応用</u>科目　　　　　　　　　　　{a. おうよう　　b. おんよう}

〔2〕下線部の言葉の読み方を書きなさい。

1. <u>教養科目</u>を受講する。　　　　　　　　　＿＿＿＿＿＿＿

2. 日本語の<u>授業</u>を5科目取っている。　　　＿＿＿＿＿＿＿

3. 学部で<u>基礎</u>科目を勉強する。　　　　　　＿＿＿＿＿＿＿

4. <u>専門</u>科目の授業に出席する。　　　　　　＿＿＿＿＿＿＿

5. <u>応用</u>経済学を受講する。　　　　　　　　＿＿＿＿＿＿＿

6. これは留学生のための専門教員による<u>講義</u>である。　＿＿＿＿＿＿＿

7. 教室が<u>変更</u>になった。　　　　　　　　　＿＿＿＿＿＿＿

8. 先生の<u>指示</u>に従って*資料を読む。 follow　＿＿＿＿＿＿＿

第3課　授業科目

〔3〕a.～e.は大学の「授業科目について」の文です。質問1.～5.の答えになる部分に線を引きなさい。<u>答えは書かなくてもいいです。</u>（知らない言葉は推測*しましょう。）　infer

「授業科目について」

a．授業科目の案内は事務室で配付します。

b．学部留学生は基礎専門科目のほかに、日本語科目を受講することができます。

c．日本語科目では出席率（りつ）が70%を下回（したまわ）ると受験資格を失います。

d．教養科目は4月15日に開講します。

e．教室変更・休講のお知らせは、本学のホームページで見ることができます。

【質問】

1．授業科目の案内はどこで手に入りますか。

2．留学生は基礎専門科目のほかに、どんな科目を受講することができますか。

3．日本語科目で試験を受けるために、何%以上の出席が必要ですか。

4．教養科目はいつ始まりますか。

5．教室の変更や休講はどうやって知ることができますか。

〔4〕正しいほうを選びなさい。

1．日本語の講義を｛a. 受け取る　b. 聞く｝。

2．先生が病気のため、今週は｛a. 休講　b. 休課｝だ。

3．知らない言葉の｛a. 意義　b. 意味｝を辞書で調べる。

〔5〕筆順（ひつじゅん）に注意して、学習漢字を何度も書いて練習しなさい。

Ⅴ　まとめ

〔1〕この課のテーマの語彙（ごい）です。声に出して読みなさい。

1．授業　　2．講義　　3．教養　　4．専門

5．基礎　　6．応用　　7．変更　　8．指示

〔2〕最も適当なものを選びなさい。

授業科目には、教養科目、応用科目、{ a．変更　b．基礎　c．指示 } 科目などがある。

〔3〕下線部の言葉を漢字で書きなさい。

1．きょうよう科目、せんもん科目など、様々なじゅぎょうを取っている。

2．きそ科目からおうよう科目まで、様々な科目を履修（りしゅう）する。

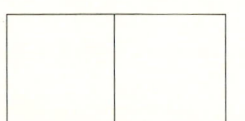

3．こうぎの教室がへんこうになる。

4．先生は、授業の初めに宿題の提出をしじする。

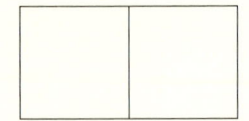

第4課　授業(じゅぎょう)

I　ウォーミングアップ

◇　次の文を読みなさい。下線部はこの課のテーマに関する語彙(ごい)です。

1．専門科目の授業に出席する。

2．知らなかったことを知るのは、楽しいことだ。

3．専門科目の講義は、難しいが面白い。

4．授業の前に資料を読んで予習しておくと、先生の話していることがよく分かる。

5．分からないときは、友達(ともだち)か先生に質問する。

6．授業が休講の場合は、掲示板(けいじばん)*に示される。　　　　　　　　notice board

II　テーマの語彙(ごい)

〔1〕この課のテーマの語彙(ごい)です。見たことがあるものに レ を付けなさい。

□ 知識　　□ 内容　　□ 復習　　□ 獲得　　□ 疑問

□ 興味　　□ 把握　　□ 理解　　□ 訓練　　□ 届け

〔2〕声に出して読み、聞いたことがあるものに レ を付けなさい。

□ ちしき　　□ ないよう　　□ ふくしゅう　　□ かくとく　　□ ぎもん

□ きょうみ　　□ はあく　　□ りかい　　□ くんれん　　□ とどけ

37

III 学習漢字

◇ まず、（　）に読み方を考えて書きなさい。次に、下の答えを見て確かめなさい。
　間違っていた場合は、その原因(げんいん)を考えましょう。(太字はテーマの語彙(ごい))

1 識　シキ　know　识 識　알(식)　2級　言　言 訂 許 詳 識 識　19

1　知識（　　　）knowledge　　　日本についての知識を得る。
2　意識（　　　）スル be conscious of　人は健康(けんこう)*なときは、それを意識しない。　healthy
3　識別（　　　）スル distinguish　このロボットは人の声を識別することができる。

1 ちしき　2 いしき　3 しきべつ

2 容　ヨウ　content　容 容　얼굴(용)　2級　宀 宀 灾 容　10

1　内容（　　　）contents　　授業の内容がよく分からない。
2　容器（　　　）container　ガラスの容器に水を入れる。

1 ないよう　2 ようき

3 復　フク　repeat　复 復　다시(부/복)　2級　イ　彳 彳 彳 彳 復 復　12

1　復習（　　　）スル review　授業の後で復習する。
2　反復（　　　）スル repeat　覚えた言葉を反復して練習する。
3　回復（　　　）スル recover　病気が治って健康(けんこう)を回復する。　health

1 ふくしゅう　2 はんぷく　3 かいふく

第4課　授業

4 獲　え・る / カク　catch / gain　获 獲　얻을 (획)　1級　扌　オ ヤ ヤ ヤ 犭 獲 獲　16

1 獲物（　　　）game/prey　この草は、葉*で獲物をつかまえ、養分にする。　leaf
2 獲得（　　　）スル acquire　オリンピックで金メダルを獲得した。

　　　　　　　　　　　　　　　　　　　　　1 えもの　2 かくとく

覚えるためのヒント

手(又)で動物(犭)と草(艹)と鳥(隹)をつかまえる。
漢字語彙(ごい)もつかまえ(獲得し)よう。

---

5 疑　うたが・う / ギ　doubt / suspect　疑 疑　의심할 (의)　2級　疋　ヒ 炱 炱 疑 疑 疑　14

1 疑う（　　　う）　科学は常識*を疑うことから出発する。　common sense
2 疑い（　　　い）suspicion　このファイルはウイルス*の疑いがある。《コ》　virus
3 疑問（　　　）question　疑問に思っていることを質問する。
4 質疑応答（　　　）question-and-answer session　発表の後で質疑応答を行う。

　　　　　　　1 うたが・う　2 うたが・い　3 ぎもん　4 しつぎおうとう

---

6 興　おこ・る / キョウ / コウ　arise / amusement　兴 興　일어날 (흥)　1級　八　亻 ㇆ 冂 冋 卸 興　16

1 興る（　　　る）　仏教*は、約2500年前にインドで興った。　Buddhism
2 興味（　　　）interest　興味がある内容の授業は理解しやすい。
3 興味深い（　　　い）interesting　この授業の内容は興味深い。
4 興奮（　　　）スル be excited　試験に合格した晩は、興奮して眠れなかった。

　　　　　　　1 おこ・る　2 きょうみ　3 きょうみぶか・い　4 こうふん

第Ⅰ部

7 握 — にぎ・る / アク — grasp / grip — 握 握 / 잡을(악) — 1級 扌 — 扌 扩 护 护 捉 握 — 12

1 握る（　　る）　このボールペンは、握る部分がゴムでできている。
2 把握（　　）スル understand　講義を聞いて、内容を把握する。

1 にぎ・る　2 はあく

8 解 — と・ける / と・く / カイ — solve / dissolve — 解 解 / 풀(해) — 2級 角 — ク 有 角 解 解 — 13

1 解く（　　く）　数学の問題を解く。
2 解ける（　　ける）be solved　長い時間考えて、やっと問題が解けた。
3 理解（　　）スル understand　授業の内容を理解することができる。
4 解決（　　）スル solve, settle　問題を解決する。
5 解答（　　）スル answer　解答は解答用紙に書く。
6 解説（　　）スル explain　この本は、問題を分かりやすく解説している。
7 分解（　　）スル deconstruct　漢字の形を分解して覚える。

1 と・く　2 と・ける　3 りかい　4 かいけつ　5 かいとう　6 かいせつ　7 ぶんかい

覚えるためのヒント

牛の角をナイフ（刀）で切り、それから牛を小さく切って分ける。
難しい問題も、小さく分けると解ける。

9 訓 — クン — instruction — 訓 訓 / 가르칠(훈) — 2級 言 — 言 訓 — 10

1 訓練（　　）スル train　日本語の発音を訓練する。
2 訓読み（　　み）kun-reading　漢字には訓読みと音読みがある。

1 くんれん　2 くんよ・み

第4課　授業

| 10 | 届 | とど・く
とど・ける | reach / deliver
届　届
이를 (계) | 2級
尸 | 尸 尸 屌 届 | 8 |

1　届く（　　　く）　　　　　国から小包*が届いた。　　　　　　　parcel
2　届ける（　　　ける）report　一時帰国の場合は、事務室に届けること。
3　届(け)（　　　）report　　授業を休む場合は届(け)を提出する。

1 とど・く　2 とど・ける　3 とどけ

Ⅳ　練習問題

〔1〕異なる部分に注目して、下線部の言葉の書き方、あるいは読み方を選びなさい。
　　（一方の語には、実際に使われていないものもあります。）

1．来日するまで、日本についてちしきがなかった。　　{a. 知職　　b. 知識}

2．日本語クラスで学んで、多くの言葉をかくとくした。　{a. 獲得　　b. 穫得}

3．今日の授業は難しくてりかいできない。　　　　　　{a. 理解　　b. 理触}

4．ぎもんを持つことは、研究する上で大切なことだ。　　{a. 疑問　　b. 疑門}

5．日本の文化にきょうみがある。　　　　　　　　　　{a. 興知　　b. 興味}

6．予習とふくしゅうをすると授業がよくわかる。　　　{a. 復習　　b. 複習}

7．必要な情報をはあくする。　　　　　　　　　　　　{a. 把握　　b. 把屋}

8．言葉が不自由な人の言語くんれん法を勉強したい。　{a. 訓練　　b. 川練}

9．一時帰国する場合は、大学にとどける。　　　　　　{a. 属ける　b. 届ける}

10．欠席した友人に、授業の内容を説明する。　　　　　{a. ねいよう　b. ないよう}

第Ⅰ部

〔2〕下線部の言葉の読み方を書きなさい。

1. 学ぶ目的は、<u>知識</u>を得ることだけではない。　　　　＿＿＿＿＿＿＿＿

2. 子供(こども)が言葉を<u>獲得</u>する過程を研究したい。　　　　＿＿＿＿＿＿＿＿

3. <u>疑問</u>に思ったことは、すぐ質問したほうがいい。　　　　＿＿＿＿＿＿＿＿

4. 予習をすると授業の<u>内容</u>が分かる。　　　　＿＿＿＿＿＿＿＿

5. 何回も文を読んだら、内容が<u>把握</u>できた。　　　　＿＿＿＿＿＿＿＿

6. 覚えることでなく、考えることによって<u>理解力</u>が養われる。

　　　　＿＿＿＿＿＿＿＿

7. 教員養成コースで、専門的な<u>訓練</u>を受ける。　　　　＿＿＿＿＿＿＿＿

8. まず基礎を<u>復習</u>してから専門的なことを学ぶ。　　　　＿＿＿＿＿＿＿＿

9. 日本の若者がどんなことに<u>興味</u>を持っているか、聞いてみたい。

　　　　＿＿＿＿＿＿＿＿

10. 住所を変更した場合は、「<u>住所変更届</u>」を出す。　　　　＿＿＿＿＿＿＿＿

〔3〕a.～e.は、ある研究室のゼミ*の説明です。1.～5.を読んで、内容が正しければ（　）に○、正しくなければ×を付けなさい。
　　　　　　　　　　　　　　　　　　　　　　　　　　　　　　　　　seminar

a. ゼミの目的は、自主的に課題を発見する力や、問題解決の力を獲得することである。
b. ゼミはレジュメ*作成、発表など、すべて学生が中心になって行う。　summary
c. 基礎経済理論の論文を読み、グループ*で発表する。　　　　group
d. 発表のレジュメは前もってメンバーに配っておく。
e. 発表の後、発表の内容について質疑応答を行う。

（　）1．ゼミの目的は日本語の訓練のためである。

（　）2．ゼミは教員が中心になって行う。

（　）3．資料は応用経済理論の論文である。

（　）4．レジュメは前もってメンバーに配付しておく。

（　）5．発表の後で内容について質問し、発表者はそれに答える。

〔4〕正しいほうを選びなさい。

　分からないときは、「｛a．質問　b．問題｝があります」と言って先生に聞く。

〔5〕筆順(ひつじゅん)に注意して、学習漢字を何度も書いて練習しなさい。

Ⅴ　まとめ

〔1〕この課のテーマの語彙(ごい)です。声に出して読みなさい。

1．知識　　2．内容　　3．復習　　4．獲得　　5．疑問

6．興味　　7．把握　　8．理解　　9．訓練　　10．届け

〔2〕最も適当なものを選びなさい。

　授業を｛a．知識　b．疑問　c．理解　d．内容｝する。

〔3〕下線部の言葉を漢字で書きなさい。

1．大学で学んで、ちしきをかくとくする。

2．<u>ぎもん</u>を持つこと、<u>きょうみ</u>を感じることが、科学の出発点である。

3．授業の後で<u>ふくしゅう</u>すると、授業の<u>ないよう</u>がよく<u>りかい</u>できる。

4．日本語の発音のルールを<u>はあく</u>して、<u>くんれん</u>をする。

5．授業を休む場合は欠席<u>とどけ</u>を提出する。

第5課　日本語の学習

Ⅰ　ウォーミングアップ

◇　次の文を読みなさい。下線部はこの課のテーマに関する語彙です。

1．日本語の科目には<u>文法</u>、<u>会話</u>、<u>漢字</u>、<u>読解</u>、<u>作文</u>、<u>聞き取り</u>などがある。

2．テープレコーダーやCDを使って日本語の<u>発音</u>を訓練する。

3．<u>辞書</u>や<u>電子辞書</u>を使って、知らない言葉の<u>読み方</u>と<u>意味</u>を調べる。

4．<u>専門語</u>を覚えるために、<u>単語</u>ノートを作っている。

5．日本語の<u>授業</u>の<u>内容</u>が理解できるようになった。

Ⅱ　テーマの語彙

〔1〕この課のテーマの語彙です。見たことがあるものに☑を付けなさい。

□ 言葉　　　□ 中級　　　□ 訳　　　□ 例　　　□ 録音

□ 期末試験　□ 記憶　　　□ 既習　　□ 名詞　　□ 国際

〔2〕声に出して読み、聞いたことがあるものに☑を付けなさい。

□ ことば　　□ ちゅうきゅう　□ やく　　□ れい　　□ ろくおん

□ きまつしけん　□ きおく　　□ きしゅう　□ めいし　□ こくさい

III 学習漢字

◇ まず、（　）に読み方を考えて書きなさい。次に、下の答えを見て確かめなさい。
間違っていた場合は、その原因を考えましょう。（太字はテーマの語彙）

1

| 葉 | は
ヨウ | leaf
叶 葉
잎(엽) | 2級
艹 | 艹 艹 荁 苩 笹 葉　12 |

1　葉（　　　　）　　　　　　話し言葉では、葉を「葉っぱ」という。
2　言葉（　　　　）language/word　外国の言葉を学ぶことは面白い。
3　紅葉（　　　　）スル turn red　秋になると、葉が紅葉する。

　　　　　　　　　　　　　　　　　　　　1　は　2　ことば　3　こうよう

2

| 級 | キュウ | class
级 級
등급(급) | 2級
糸 | 糸 糹 紏 級　9 |

1　中級（　　　　）　　　　　　今、中級漢字を勉強している。
2　進級（　　　　）スル move up　1年生から2年生に進級する。
3　高級（　　　　）ナ high grade　バブル*経済の時代には高級品が売れた。　bubble

　　　　　　　　　　　　　　　　1　ちゅうきゅう　2　しんきゅう　3　こうきゅう

3

| 訳 | わけ
ヤク | reason / translation
译 譯
통변할(역) | 1級
言 | 言 訁 訳 訳　11 |

1　訳（　　　　）translation　漢字語彙の意味と英語の訳は、まったく同じではない。
2　訳す（　　す）translate　例文を母語*に訳して意味を考える。　native language
3　通訳（　　　　）スル interpret　国際会議で通訳をした。
4　通訳（　　　　）interpreter　将来、日本語の通訳になりたい。
5　申し訳（　　し　　）excuse　「申し訳ありません」は、謝る*ときの言葉だ。　apologize

　　　　　　1　やく　2　やく・す　3　つうやく　4　つうやく　5　もう・し・わけ

第5課　日本語の学習

| 4 | 例 | たと・える
レイ | example
例　例
법식(례) | 2級
イ | イ イ 仍 仍 例　8 |

1　例（　　　）　　　　　　　例を挙げて*説明する。　　　　　　　give an example
2　例文（　　　）example sentence　日本語の学習のためには、例文の多い辞書が良い。
3　例外（　　　）exception　　　規則*には例外がある。　　　　　　rule
4　例えば（　　えば）for example　アジアの言語、例えば、中国語、日本語などを学習する。

1 れい　2 れいぶん　3 れいがい　4 たと・えば

| 5 | 録 | ロク | record
录　録
기록할(록) | 2級
金 | 金 鈩 鈩 鈩 録　16 |

1　録音（　　　）スル record　　　好きな音楽を CD に録音した。
2　録画（　　　）スル record on video　テレビ番組を録画する。
3　記録（　　　）スル record　　　実験の過程をノートに記録する。
4　登録（　　　）スル register　　受講登録

1 ろくおん　2 ろくが　3 きろく　4 とうろく

| 6 | 末 | すえ
マツ | end / last
末　末
끝(말) | 2級
木 | 二 十 末　5 |

1　期末試験（　　　）end-of-term exam　前期の期末試験は 7 月に行われる。
2　末（　　　）end　　　この寺は 10 世紀*の末にできたといわれている。century

1 きまつしけん　2 すえ

覚えるためのヒント

ひらがな「ま」の元になった漢字です。　末→末→ま→ま

7

| 憶 | オク | remember 忆 憶 생각할 (억) | 1級 忄 | 丨 忄 忄 忤 憶 憶 16 |

1　記憶（　　　　）スル memorize　物の形からできた漢字は記憶しやすい。

1　きおく

8

| 既 | すで・に キ | already 既 既 이미 (기) | 1級 旡 | ヨ ㅌ 旡 旣 旣 既 10 |

1　既に（　　　に）　　　　　　教室に入ったとき、授業は既に始まっていた。
2　既習（　　　　）already learned　既習の漢字と未習漢字を学ぶ。
3　既婚（　　　　）married　　　　留学生寮*には既婚者用の部屋も用意されている。
　　　　　　　　　　　　　　　　　　　　　　　　　　　　　　　　　　　dormitory

1　すでに　2　きしゅう　3　きこん

9

| 詞 | シ | words 词 詞 말 (사) | 2級 言 | 言 訂 訂 詞 12 |

1　名詞（　　　　）noun　　　「復習」「理解」などの2字漢語は、名詞、動詞の両方
　　　　　　　　　　　　　　　に用いられる。
2　形容詞（　　　　）adjective　形容詞と動詞の使い方を練習する。

1　めいし　2　けいようし

10

| 際 | きわ サイ | occasion 际 際 가 (제) | 2級 阝 | 阝 阝 阝 阡 陘 際 14 |

1　際（　　　　）when　　　　『図書館を利用する際の注意事項』というパンフレッ
　　　　　　　　　　　　　　　トが配られた。
2　国際（　　　　）international　日本語のクラスは様々な国の学生がいて、国際的だ。
3　実際（　　　　）reality　　　録音した声*は、実際の声と違って聞こえる。　voice

1　さい　2　こくさい　3　じっさい

Ⅳ　練習問題

〔1〕異なる部分に注目して、下線部の言葉の書き方、あるいは読み方を選びなさい。
　　（一方の語には、実際に使われていないものもあります。）

1．英語の<u>やく</u>を見ながら日本語を読む。　　　　　　　｛a. 約　　b. 訳｝

2．コンピューターの<u>きおく</u>の仕組み*を勉強する。mechanism
　　　　　　　　　　　　　　　　　　　　　　　　　　｛a. 記億　　b. 記憶｝

3．<u>どうし</u>をグループ別に覚える。　　　　　　　　　｛a. 動詩　　b. 動詞｝

4．新しい漢字の<u>れいぶん</u>を覚える。　　　　　　　　｛a. 例文　　b. 列文｝

5．東京は<u>こくさい</u>的な都市だ。　　　　　　　　　　｛a. 国祭　　b. 国際｝

6．<u>きしゅう</u>漢字を忘れた。　　　　　　　　　　　　｛a. 既習　　b. 概習｝

7．<u>きまつ</u>試験を受ける。　　　　　　　　　　　　　｛a. 期未　　b. 期末｝

8．<u>しょきゅう</u>の課程を修了した。　　　　　　　　　｛a. 初級　　b. 初組｝

9．講義を録<u>音</u>して復習する。　　　　　　　　｛a. るくおん　　b. ろくおん｝

〔2〕下線部の言葉の読み方を書きなさい。

1．2、3歳の子供は、毎日5〜10語の<u>言葉</u>を獲得する。　＿＿＿＿＿＿＿

2．日本語のクラスは<u>国際</u>的だ。　　　　　　　　　　＿＿＿＿＿＿＿

3．講義をビデオに<u>録画</u>する。　　　　　　　　　　　＿＿＿＿＿＿＿

4．新しい言葉を母語に<u>訳す</u>。　　　　　　　　　　　＿＿＿＿＿＿＿

5．カタカナで書かれた外来語の<u>名詞</u>は、意味が分かりにくい。＿＿＿＿＿＿＿

6．日本語のクラスは、初級、<u>中級</u>、上級に分かれている。　＿＿＿＿＿＿＿

第Ⅰ部

7．期末試験の前に復習する。　　　　　　　＿＿＿＿＿＿＿＿＿＿

8．例文を読んで漢字語彙(ごい)の意味を理解する。　＿＿＿＿＿＿＿＿＿＿

9．「漢字Ⅲ」は既習の学生のためのクラスだ。　＿＿＿＿＿＿＿＿＿＿

10．記憶には短期記憶と長期記憶がある。　　　＿＿＿＿＿＿＿＿＿＿

〔3〕下線部と意味が似(に)ている言葉を下のa.～h.から選び（　）に入れなさい。

1．実験結果をノートに記録する。（　）

2．例を挙(あ)げると、次のようなものがある。（　）

3．これは実際にあった話だ。（　）

4．聞いたことをすべて記憶することはできない。（　）

5．図書館の本を借りる際はカードを示すこと。（　）

6．授業の内容はもう習ったことばかりだった。（　）

7．「たくさんの」は話すときに使う言葉で、「多くの」は書き言葉である。（　）

8．シェークスピア*の作品のほとんどに日本語の訳がある。（　）　　Shakespeare

　　a．とき／場合　　b．覚える　　c．和訳　　d．本当に
　　e．たとえば　　f．既習の　　g．話し言葉　　h．書く

〔4〕正しいほうを選びなさい。

1．中級クラスを修了して、｛a．高級クラス　b．上級クラス｝に進む。

2．｛a．本　b．スピーチ｝を通訳する。

〔5〕筆順(ひつじゅん)に注意して、学習漢字を何度も書いて練習しなさい。

V まとめ

〔1〕この課のテーマの語彙です。声に出して読みなさい。

1. 言葉　　2. 中級　　3. 訳　　4. 例　　5. 録音
6. 期末試験　　7. 記憶　　8. 既習　　9. 名詞　　10. 国際

〔2〕最も適当なものを選びなさい。

{a. 名詞　b. 期末　c. 中級　d. 録音　e. 記憶} クラスで日本語の学習をしている。

〔3〕下線部の言葉を漢字で書きなさい。

1. 自分の声を<u>ろくおん</u>して発音を訓練する。

2. <u>ちゅうきゅう</u>クラスは様々な国の<u>ことば</u>が聞こえ、<u>こくさい</u>的だ。

3. 新しい漢字の英<u>やく</u>を覚え、<u>れいぶん</u>を読み、<u>きおく</u>する。

4. 7月と2月に<u>きまつ</u>試験があるので<u>きしゅう</u>の<u>めいし</u>を復習する。

第Ⅰ部

第6課　時間

Ⅰ　ウォーミングアップ

◇　次の文を読みなさい。下線部はこの課のテーマに関する語彙です。

1．図書館の開館時間は9時から21時である。ただし、試験期間中は例外である。

2．図書館の資料室には800年以前の古文書*や、1900年以降の記録が保存されている。　　　　　　　　　　　　　　　　　　　　　　　　　　　ancient documents

3．図書館から借りた本は3週間以内に返さなければならない。

4．発行*から3カ月を経過*した本は、図書館内でコピーを取ることができる。
　　　　　　　　　　　　　　　　　　　　　　　　　　　　　publication, pass

5．図書館のコピー機を利用する際は、用紙に記入した上*で使うこと。　　after

6．図書館のパスワードは、登録した翌日*から有効で、当日は使えない。　next day

Ⅱ　テーマの語彙

〔1〕この課のテーマの語彙です。見たことがあるものに☑を付けなさい。

□ 現在　　□ 過去　　□ 未来　　□ 将来　　□ 昔

□ 永久　　□ 世紀　　□ 瞬間　　□ 延期

〔2〕声に出して読み、聞いたことがあるものに☑を付けなさい。

□ げんざい　　□ かこ　　□ みらい　　□ しょうらい　　□ むかし

□ えいきゅう　　□ せいき　　□ しゅんかん　　□ えんき

第6課　時間

III　学習漢字

◇ まず、（　）に読み方を考えて書きなさい。次に、下の答えを見て確かめなさい。
間違っていた場合は、その原因を考えましょう。（太字はテーマの語彙）

1

| 在 | ザイ | exist / stay 在　在 있을(재) | 2級 土 | ナ　ナ　在　6 |

1　**現在**（　　　）present　　10年前、この町は現在より小さかった。

2　在学（　　　）スル be at school　現在、研究生として大学に在学している。

3　存在（　　　）スル exist　　NASAは、火星に氷が存在していることが分かったと発表した。

1　げんざい　2　ざいがく　3　そんざい

2

| 去 | さ・る キョ コ | leave / last 去　去 갈(거) | 3級 ム | 十　土　去　去　5 |

1　去る（　　　る）　　① 日本を去る日まで日本語だけで話すつもりだ。
　　　　　　　　　　② 去る5月にシンポジウム*が行われた。　symposium

2　**過去**（　　　）past　過去10年間の研究論文をコンピューターで探す。

3　去年（　　　）last year　去年の4月に来日した。

1　さ・る　2　かこ　3　きょねん

3

| 未 | ミ | not yet 未　未 아닐(미) | 2級 木 | ニ　キ　未　5 |

1　**未来**（　　　）future　　人間の未来について考える。

2　未知（　　　）unknown　日本に来る前は、日本語はまったく未知の言葉だった。

1　みらい　2　みち

53

第 I 部

4 将 — ショウ — be about to 将 将 / 장수(장) — 2級 寸 — 丬 丬ヶ 将 将 — 10

1 将来（　　　）future　　将来、国際的な仕事をしたい。

1 しょうらい

5 昔 — むかし — former times 昔 昔 / 옛(석) — 2級 日 — 一 サ 丗 昔 — 8

1 昔（　　　）　　祖母*は昔のことをよく記憶している。　grandmother

1 むかし

6 永 — なが・い／エイ — eternal 永 永 / 길(영) — 2級 水 — 丶 ュ 方 永 — 5

1 永久（　　　）permanence　　人々は永久平和を求めている。
2 永遠（　　　）eternity　　「永遠の眠り」とは、死*のことである。　death
3 永住（　　　）スル live permanently　　日本に永住するためには、永住ビザが必要だ。

1 えいきゅう　2 えいえん　3 えいじゅう

7 久 — ひさ・しい／キュウ — long time 久 久 / 오랠(구) — 2級 ノ — ク 久 — 3

1 久しぶり（　　しぶり）after a long time　　病気が治って、久しぶりに授業に出席した。

1 ひさ・しぶり

第6課　時間

8 世

| 世 | よ / セ / セイ | world
世 世
인간 (세) | 2級
一 | 一 卄 卋 世 |

1　世の中（　の　）the world　　新聞を通じて世の中の出来事を知る。
2　**世紀**（　　　）century　　　**21世紀は「環境の世紀」といわれている。**
3　世代（　　　）generation　　私の家には、私、両親、祖父母の3世代が住んでいる。
4　世界（　　　）world　　　　世界には数千の言語があるといわれる。

1　よ￣のなか　2　せ￣いき　3　せ￣だい　4　せ￣かい

覚えるためのヒント

ひらがな「せ」の元になった漢字です。　世→世→せ→せ

9 紀

| 紀 | キ | era
纪 紀
벼리 (기) | 1級
糸 | 糸 紀 紀 紀 |

1　**世紀**（　　　）century　　　**20世紀は「発明*の世紀」といわれている。**　invention
2　紀元前（　　　）B.C.　　　紀元前1500年ごろの漢字が残っている。

1　せ￣いき　2　き￣げんぜん

10 瞬

| 瞬 | またた・く / シュン | blink / twinkle
瞬 瞬
눈깜짝할 (순) | 1級
目 | 目 瞬 瞬 瞬 瞬 瞬 |

1　瞬く（　　く）blink　　「瞬く間」とは、短い時間の意味である。
2　瞬間（　　　）moment　　彼を見た瞬間、昔の友人だとわかった。

1　またた￣く　2　しゅ￣んかん

特別な読み方

今日（きょう）（cf. 今日（こんにち）these days）　昨日（きのう）　明日（あす）　今年（ことし）

| 11 | 延 | の・びる
の・ばす
エン | postpone
延延
변을(연) | 2級
廴 | 一丁正延延 | 8 |

1　延びる（　　びる）　　　　雨のため、試合が来週に延びた。
2　延期（　　）スル postpone　雨のため、実験が来週に延期になった。

1 の・びる　2 えんき

Ⅳ　練習問題

〔1〕異なる部分に注目して、下線部の言葉の書き方、あるいは読み方を選びなさい。
　　（一方の語には、実際に使われていないものもあります。）

1．げんざいの自分は10年前の自分と違う。　　　{a. 現存　　b. 現在}

2．若者には大きなみらいがある。　　　　　　　{a. 末来　　b. 未来}

3．留学期間をえんちょうしたい。　　　　　　　{a. 建長　　b. 延長}

4．宇宙*はえいきゅうに続くだろうか。space　　{a. 永久　　b. 氷久}

5．この町はむかしは栄えて*いた。prosperous　　{a. 音　　b. 昔}

6．しょうらいは日本で働きたい。　　　　　　　{a. 奨来　　b. 将来}

7．コンピューターは20せいき最大の発明といわれる。{a. 世紀　　b. 世記}

8．事故の瞬間を写真に撮った。　　　　　　　　{a. しゅんかん　b. しゅうかん}

9．去年の9月に日本へ来た。　　　　　　　　　{a. きょねん　　b. きょうねん}

〔2〕下線部の言葉の読み方を書きなさい。

1．日本は1500万年前に現在の形になった。　　　＿＿＿＿＿＿

2．過去50年間の資料をCD-ROMに入れた。　　　＿＿＿＿＿＿

3．日本と中国の間には、昔から文化の交流があった。　＿＿＿＿＿＿

第 6 課　時間

4．日本人は<u>紀元前</u>に既に米を作っていた。　＿＿＿＿＿＿＿＿＿＿＿

5．近い<u>将来</u>、ロボットはもっと身近(みぢか)になるだろう。familiar　＿＿＿＿＿＿＿＿

6．<u>未来</u>の科学について考えている。　＿＿＿＿＿＿＿＿＿＿＿

7．石油生産は<u>永久</u>に続くわけではない。　＿＿＿＿＿＿＿＿＿＿＿

8．研究が終わらないため、滞在(たいざい)期間を<u>延長</u>する。stay　＿＿＿＿＿＿＿＿＿＿＿

〔3〕下線部の言葉の読み方を書き、意味を考えなさい。

1．入学後1年以内に大学を<u>去る</u>学生が少なくない。　＿＿＿＿＿＿＿＿＿＿＿

2．キーを間違って押したら、画面が<u>一瞬</u>で消えた。《コ》　＿＿＿＿＿＿＿＿＿＿＿

3．<u>未知</u>の言葉を勉強するのは興味深い。　＿＿＿＿＿＿＿＿＿＿＿

4．<u>在学</u>証明書　＿＿＿＿＿＿＿＿＿＿＿

5．直線ABの<u>延長線</u>　＿＿＿＿＿＿＿＿＿＿＿

6．この作品は<u>今世紀</u>になって初めて発見された。　＿＿＿＿＿＿＿＿＿＿＿

7．この町の人口は、2005年<u>現在</u>、約90万人である。　＿＿＿＿＿＿＿＿＿＿＿

〔4〕次の文を読んで、内容が正しければ○、正しくなければ×を書きなさい。

（　）1．江戸(えど)というのは現在の東京である。

（　）2．エジプトのピラミッドは紀元前に造(つく)られた。　　　Egypt, pyramid

（　）3．化石は昔の人が作った石である。　　　fossil

（　）4．「在学している」というのは、「大学がある」という意味である。

（　）5．寝ているときに見る夢(ゆめ)は、すべて過去の記憶に関係がある。　dream

（　）6．日本に1カ月住んでいれば、永住することができる。

〔5〕筆順(ひつじゅん)に注意して、学習漢字を何度も書いて練習しなさい。

V まとめ

〔1〕この課のテーマの語彙です。声に出して読みなさい。

1．現在　　2．過去　　3．未来　　4．将来　　5．昔
6．永久　　7．世紀　　8．瞬間　　9．延期

〔2〕最も適当なものを選びなさい。

2001年から2100年までを｛a. 永久　b. 昔　c. 21世紀　d. 未来｝という。

〔3〕下線部の言葉を漢字で書きなさい。

1．<u>かこ</u>と<u>げんざい</u>を考えることによって、<u>みらい</u>がわかる。

2．<u>しょうらい</u>、日本語を使う仕事をしたい。

3．『<u>むかし</u>の日本と20<u>せいき</u>の日本』という写真展*が<u>えんき</u>になった。　photo exhibition

4．人間は生まれた<u>しゅんかん</u>から呼吸*を始め、<u>えいみん</u>する直前までそれを続ける。　breathing

第7課　学習の要点1
【Ⅰ】接辞　【Ⅱ】連続する漢字語句の区切り

Ⅰ　ウォーミングアップ

◇　次の漢語は二つ以上の語から構成されています。例のように区切りなさい。

例）新|学期　　　事務|室

1．無意味　2．全課程　3．不自由　4．最重要　5．記憶力

6．世紀末　7．映画館　8．研究所　9．志願者　10．非科学的

Ⅱ　テーマの語彙

〔1〕この課のテーマの語彙です。見たことがあるものに レ を付けなさい。

□ 副～　　□ 総～　　□ 諸～　　□ 各～　　□ 再～

□ ～帯　　□ ～圏　　□ ～型　　□ ～系　　□ ～層　　□ ～群

〔2〕声に出して読み、聞いたことがあるものに レ を付けなさい。

□ ふく～　□ そう～　□ しょ～　□ かく～　□ さい～

□ ～たい　□ ～けん　□ ～がた　□ ～けい　□ ～そう　□ ～ぐん

【Ⅰ】接辞

「非科学」は　非＋科学、「日本的」は　日本＋的のように構成されています。「非」、「的」などを接辞といいます。

　3字以上の漢字から構成されている言葉は、区切って意味を考えましょう。

Ⅲ 学習漢字

◇ まず、(　)に読み方を考えて書きなさい。次に、下の答えを見て確かめなさい。間違っていた場合は、その原因(げんいん)を考えましょう。(太字はテーマの語彙(ごい))

1 副 — フク / secondary / vice / 副 副 / 버금(부) / 2級 刂 / 一 戸 畐 副　11

1　副～（　　　　　）vice　　病気の社長の代わりに副社長がスピーチをした。
2　副作用（　　　　）side effect　薬の説明書にはすべての副作用が書かれている。

1 ふく～　2 ふくさよう

2 総 — ソウ / total / general / 总 總 / 거느릴(총) / 2級 糸 / 糸 糸 紗 総　14

1　総～（　　　　　）　　2005年現在、日本の総人口の1.5パーセントが外国人である。
2　総合（　　　　）スル add up　試験の点数、出席などを総合して、成績をつける。

1 そう～　2 そうごう

3 諸 — ショ / various / 诸 諸 / 모든(제) / 2級 言 / 言 計 評 諸　15

1　諸～（　　　　　）　　教育学会総会で、留学生の教育に関する諸問題が話し合われた。
2　諸国（　　　　）various countries　首相(しゅしょう)*はアジア諸国を訪問した。　prime minister

1 しょ～　2 しょこく

第7課　学習の要点1

| 4 | 各 | カク | each / every
各　各
각각 (각) | 2級
夂 | ノ ク 夂 各　6 |

1　各～（　　　）　　　　　　　　講義棟には、各教室に1台ずつビデオがある。
2　各国（　　　）each country　アジア各国の代表*が会議に出席した。　　delegate

　　　　　　　　　　　　　　　　　　　　　　1 かく～　2 かっこく

| 5 | 再 | ふたた・び
サイ | again / re～
再　再
두 (재) | 2級
冂 | 一 丆 币 再 再　6 |

1　再～（　　　）　　　　　　　　学生証をなくしたので再発行の手続きをした。
2　再会（　　　）スル meet again　クラスの友人たちと10年後の再会を約束した。

　　　　　　　　　　　　　　　　　　　　　　1 さい～　2 さいかい

| 6 | 帯 | おび
お・びる
タイ | belt / carry
帯　帯
띠 (대) | 2級
巾 | 一 丗 丗 芇 帯 帯　10 |

1　帯（　　　）　　　　　　　　　和服の帯の長さは約4メートル30センチある。
2　～帯（　　　）　　　　　　　　日本は環太平洋*火山帯の一部である。　the Pacific rim
3　携帯（　　　）スル carry　　　携帯電話を持っている学生が多い。

　　　　　　　　　　　　　　　　　　　　1 おび　2 ～たい　3 けいたい

| 7 | 圏 | ケン | zone / area
圏　圏
우리 (권) | 1級
囗 | 冂 冂 冊 罘 圏 圏　12 |

1　～圏（　　　）　　　　　　　　漢字圏とは母語で漢字を使う国、すなわち、日本、韓
　　　　　　　　　　　　　　　　　国、中国を指す。
2　大気圏（　　　）the atmosphere　ロケットは秒速10キロで大気圏の外へ出た。

　　　　　　　　　　　　　　　　　　　　　1 ～けん　2 たいきけん

8 型

| | かた | type / model 型 型 거푸집(형) | 2級 土 | 一 二 开 刑 型 (9) |

1. 型（かた）　若者は古い型の自動車より新しい型の自動車を好む。
2. ～型（～がた）　郊外*に大型スーパーが増えている。　suburbs

1 かた　2 ～がた

9 系

| | ケイ | system 系 系 이을(계) | 1級 糸 | 一 系 (7) |

1. ～系（～けい）　女子学生は理工系より文系*に多い。　humanities course
2. 体系（たいけい）systematic　文法を学ぶと、日本語を体系的に理解できる。

1 ～けい　2 たいけい

10 層

| | ソウ | layer / stratum 层 層 층(층) | 2級 戸 | 尸 尸 屈 層 (14) |

1. 層（そう）　フロンガス*はオゾン*層を壊す。　CFC/ozone
2. 階層（かいそう）rank/class/strata　日本の社会階層について興味がある。

1 そう　2 かいそう

11 群

| | む・れ むら・がる グン | group / crowd 群 群 무리(군) | 1級 羊 | ヨ 尹 君 群 群 (13) |

1. 群れ（む・れ）group　カメラを向けた瞬間、鳥の群れは飛んで行った。
2. ～群（～ぐん）　イルカは超音波*を用いて魚群を見つける。　supersonic wave
3. 群集（ぐんしゅう）crowds　花火が開いた瞬間、群集は声を上げた。

1 む・れ　2 ～ぐん　3 ぐんしゅう

Ⅳ 練習問題

〔1〕異なる部分に注目して、下線部の言葉の書き方、あるいは読み方を選びなさい。
（一方の語には、実際に使われていないものもあります。）

1．日本には火山<u>たい</u>が多い。　　　　　　　　　　　　　　{a. 滞　b. 帯}
2．この雑誌の読者<u>そう</u>は主に女性だ。　　　　　　　　　{a. 層　b. 増}
3．ロケットは大気<u>けん</u>の外に出た。　　　　　　　　　　{a. 圏　b. 囲}
4．この本は理工学<u>けい</u>の学生に読まれている。　　　　　{a. 系　b. 糸}
5．日本の各地方に火山<u>ぐん</u>がある。　　　　　　　　　　{a. 郡　b. 群}
6．<u>かく</u>分野の研究内容はホームページで見ることができる。{a. 名　b. 各}
7．日本人がどこから来たかについては<u>しょ</u>説ある。　　　{a. 諸　b. 者}
8．<u>ふく</u>知事が知事になった。　　　　　　　　　　　　　{a. 福　b. 副}
9．去年は<u>大型</u>の台風が続いた。　　　　　　　{a. おおがた　b. おおかた}

〔2〕下線部の言葉の読み方を書きなさい。

1．漫画*の「ドラえもん」は<u>猫型</u>ロボットだ。comics　　＿＿＿＿＿＿＿
2．雪のために<u>首都圏</u>の交通が止まった。　　　　　　　　＿＿＿＿＿＿＿
3．この本の<u>読者層</u>は10代、20代の女性だ。　　　　　　＿＿＿＿＿＿＿
4．日本の国土の大部分は<u>温帯</u>に属している。　　　　　　＿＿＿＿＿＿＿
5．下の<u>語群</u>から正しいものを選びなさい。　　　　　　　＿＿＿＿＿＿＿
6．青葉大学には、<u>諸外国</u>の大学との交換*留学協定*がある。exchange, agreement
　　　　　　　　　　　　　　　　　　　　　　　　　　　　＿＿＿＿＿＿＿
7．日本語の<u>各科目</u>とも70%以上の出席が必要だ。　　　　＿＿＿＿＿＿＿
8．世界の<u>総人口</u>は増え続けている。　　　　　　　　　　＿＿＿＿＿＿＿
9．試験の成績が悪かった学生のために、<u>再試験</u>が行われる。
　　　　　　　　　　　　　　　　　　　　　　　　　　　　＿＿＿＿＿＿＿

第Ⅰ部

〔3〕次の文を読み、内容が正しければ○、正しくなければ×をつけなさい。

( ) 1．東京の大部分は森林地帯である。
( ) 2．オゾン層は地球*の中心にある。　　　　　　　　　　　the earth
( ) 3．漢字圏の各国で使われている漢字はすべて同じというわけではない。
( ) 4．デスクトップ型パソコンよりノート型パソコンのほうが大きい。
( ) 5．猫はいつも群れで行動している。
( ) 6．生物化学*は文系の分野である。　　　　　　　　　　　biochemistry
( ) 7．二つ以上の学部を持つ大学を総合大学という。
( ) 8．パスポートの再発行の手続きは大学でできる。
( ) 9．留学生が日本に再入国する際、パスポートが必要である。

【Ⅱ】連続する漢字語句の区切り

<u>来年国へ帰るつもりだ。</u>・・・文1

・文1の下線部は漢字が連続していますが、「来年」と「国」の間で区切れます。このように、漢字が連続している場合は、どこで区切れるか注意して読みましょう。

・連続して見える部分には、時間や数を表す語が多く見られます。

〔4〕漢字が連続している部分を、意味の切れるところで区切りなさい。

1．100年前の新聞に、当時活躍*していた50人の写真が出ている。　play an active role

2．2005年現在、留学生数は約11万人になっている。

3．来日当初は環境*の変化に適応*できなかった。　　　　　　environment, adapt to

4．今週末締め切り*のレポートを書いている。　　　　　　　deadline

5．将来通訳の仕事をしたい。

6．最近発見された石器*は、紀元前3000年ごろのものである。　stone tool

7．十数年来、学生が減り続けている。　　　　　　　for the last dozen years or so

8．筆順(ひつじゅん)*を間違っている学生が30％前後見られる。　　　stroke order

9．大学院入学1年目は基本的な科目を学ぶ。

10．この試合は国家*対国家でなく、個人*対個人のものである。　　nation, individual

11．海外の多くの大学と大学間交流を行っている。

12．辞書は学習上必要だ。

13．今回の発表は前回同様、日本語で行われる。

〔5〕筆順(ひつじゅん)に注意して、学習漢字を何度も書いて練習しなさい。

V まとめ

〔1〕この課のテーマの語彙(ごい)です。声に出して読みなさい。

1．副〜　　2．総〜　　3．諸〜　　4．各〜　　5．再〜　　6．〜帯
7．〜圏　　8．〜型　　9．〜系　　10．〜層　　11．〜群

〔2〕ひらがなの部分を漢字で書きなさい。

1．ふく学長　　2．そう人口　　3．しょ国　　4．かく分野

5．さい会　　6．時間たい　　7．大気けん　　8．大がた車

9．理工けい　　10．オゾンそう　　11．魚(ぎょ)ぐん

第Ⅰ部

第8課　人間関係

Ⅰ　ウォーミングアップ

◇　次の文を読みなさい。下線部はこの課のテーマに関する語彙(ごい)です。

1. 来日した直後(ちょくご)は、親しい友人がいなかった。しばらくして、永田(ながた)さんという友人ができ、今は親友だ。困ったときは永田さんに相談する。日本語も教えてもらう。宿題を手伝ってもらうこともある。永田さんは私を理解してくれ、私も永田さんを理解している。

2. 親は子供(こども)を生み、世話をし、育て、教え、学校へ行かせる。子供は成長して、年を取った親の世話をする*。それが以前の親子関係であった。　　　take care of
現在は、少子化や社会の変化とともに、家族関係が変化している。

Ⅱ　テーマの語彙(ごい)

〔1〕この課のテーマの語彙(ごい)です。見たことがあるものに☑を付けなさい。

☐ 助ける　　☐ 支える　　☐ 紹介　　☐ 守る　　☐ 謝る

☐ 感謝　　☐ 頼る　　☐ 頼む　　☐ 一緒　　☐ 協力　　☐ 互い

〔2〕声に出して読み、聞いたことがあるものに☑を付けなさい。

☐ たすける　☐ ささえる　☐ しょうかい　☐ まもる　☐ あやまる

☐ かんしゃ　☐ たよる　☐ たのむ　☐ いっしょ　☐ きょうりょく　☐ たがい

第8課　人間関係

Ⅲ　学習漢字

◇ まず、（　）に読み方を考えて書きなさい。次に、下の答えを見て確かめなさい。
間違っていた場合は、その原因を考えましょう。（太字はテーマの語彙）

1

助	たす・かる たす・ける ジョ	help / assist 助　助 도울 (조)	2級 力	冂 且 助

　　　　　　　　　　　　　　　　　　　　　　　　　　　　　7

1　助ける（　　　　ける）　　　困っている友達を助ける。
2　助言（　　　　）スル advise　先生に助言を求める*。　　　　　　　　　　　ask for
3　助手（　　　　）assistant　博士課程修了の後、研究室の助手になった。

　　　　　　　　　　　　　　　　　1　たす・ける　2　じょげん　3　じょしゅ

2

支	ささ・える シ	support / branch 支　支 지탱할 (지)	2級 支	十 支

　　　　　　　　　　　　　　　　　　　　　　　　　　　　　4

1　支える（　　　　える）　　　父親が家族を経済的に支えている。
2　支配（　　　　）スル rule　江戸時代*、武士が日本を支配していた。　the Edo period
3　支持（　　　　）スル support　国民は新しい首相を支持した。
4　支出（　　　　）スル spend　学生の毎月の支出の中で、電話料金が最も多い。

　　　　　　　　　　　　　1　ささ・える　2　しはい　3　しじ　4　ししゅつ

覚えるためのヒント

十人の人の手(又)が友達を支える。

3

紹	ショウ	introduce 紹　紹 이을 (소)	2級 糸	糸 糺 紹

　　　　　　　　　　　　　　　　　　　　　　　　　　　　　11

1　紹介（　　　　）スル introduce　私の国に旅行する友人に、国の知人を紹介した。

　　　　　　　　　　　　　　　　　　　　　　　　　1　しょうかい

第Ⅰ部

4 介 カイ / mediate / 介 介 / 끼일(개) / 2級 人 / 入 介 (4)

1. 介入（　　　）スル intervene　国内紛争*に国連が介入する。 dispute
2. 介助（　　　）スル assist　特別な介助を必要とする老人が増えている。
3. 介護（　　　）スル care for　将来、ロボットが老人を介護するだろう。

1 かいにゅう　2 かいじょ　3 かいご

覚えるためのヒント

人の間に入って（介入）、手伝ったり（介助）する。

5 守 まも・る / シュ / protect / guard / 守 守 / 지킬(수) / 2級 宀 / 宀 守 守 (6)

1. 守る（　る）① protect　親は子供を守る。
   　　　　　② keep　日本にいるときは日本の法律*を守らなければならない。 law
2. 厳守（　　　）スル keep strictly　「時間厳守」とは、時間を守れという意味である。

1 まも・る　2 げんしゅ

6 謝 あやま・る / シャ / apologize / thank / 謝 謝 / 사례할(사) / 1級 言 / 言 訁 訬 訬 謝 謝 (17)

1. 謝る（　る）apologize　約束の時間に遅れたことを、友人に謝る。
2. 感謝（　　　）スル thank　研究に協力してくれたことを、友人に感謝する。
3. 謝辞（　　　）acknowledgement　論文の最後に謝辞を書く。

1 あやま・る　2 かんしゃ　3 しゃじ

第8課　人間関係

7　頼

| 頼 | たよ・る / たの・む / ライ | rely on / trust　頼 頼　힘입을 (뢰) | 2級　頁 | 束 頼　16 |

1　頼る（　　る）　　　現在は生活費を両親に頼っているが、将来は自立するつもりだ。
2　頼む（　　む）ask　　友達に伝言*を頼む。　　　　　　　　　　　message
3　信頼（　　）スル trust　大学が作成した『大学案内』は、信頼できる情報である。

1　たよ・る　2　たの・む　3　しんらい

8　緒

| 緒 | ショ / チョ | beginning　緒 緒　실마리 (서) | 2級　糸 | 糸 紵 紵 緒　14 |

1　一緒（　　）together　現在、信頼する友人と一緒に住んでいる。
2　緒言（　　）introduction　論文の序論は緒言、前書きなどともいう。

1　いっしょ　2　しょげん

9　協

| 協 | キョウ | cooperate　协 協　화할 (협) | 2級　十 | 十 忄 协 協　8 |

1　協力（　　）スル cooperate　友人の研究に協力する。
2　協調（　　）スル cooperate　アジア経済の発展には、各国の協調が必要だ。

1　きょうりょく　2　きょうちょう

覚えるためのヒント

十人が力を合わせて、協力する。

| 10 | 互 | たが・い
ゴ | reciprocal
互　互
서로(호) | 2級
一 | 一ナ互互 | 4 |

1　互い（　　い）each other　　友人と互いに信頼し合っている。
2　相互（　　　）mutual　　言葉がわかると、相互の理解が深まる*。　deepen
3　交互（　　　）alternate　この授業は、講義と実習を交互に行う。

1　たが・い　2　そうご　3　こうご

Ⅳ　練習問題

〔1〕異なる部分に注目して、下線部の言葉の書き方、あるいは読み方を選びなさい。
　　（一方の語には、実際に使われていないものもあります。）

1．親は子供をまもる。　　　　　　　　　　　{a. 宇る　　b. 守る}
2．困っている人をたすける。　　　　　　　　{a. 組ける　b. 助ける}
3．両親に友人をしょうかいする。　　　　　　{a. 招介　　b. 紹介}
4．たがいに顔を見合わせる。　　　　　　　　{a. 互い　　b. 瓦い}
5．将来、両親といっしょに旅行したい。　　　{a. 一諸　　b. 一緒}
6．両親が私を経済的に支えてくれる。　　　　{a. しえて　b. ささえて}
7．友達をたよって日本に来た。　　　　　　　{a. 頼って　b. 願って}
8．友人の研究にきょうりょくする。　　　　　{a. 協力　　b. 力協}
9．遅れたことを友人にあやまる。　　　　　　{a. 謝る　　b. 射る}

第8課　人間関係

〔2〕下線部の言葉の読み方を書きなさい。

1．森が台風から町を守っている。　　　　　　　　＿＿＿＿＿＿＿＿＿＿

2．新しいワクチン*の開発によって100万人が助けられた。vaccine
　　　　　　　　　　　　　　　　　　　　　　　　＿＿＿＿＿＿＿＿＿＿

3．外国で暮らして*いるときは、家族が心の支えだ。live ＿＿＿＿＿＿＿＿＿＿

4．友人に、辞書を貸してくれるように頼んだ。　　＿＿＿＿＿＿＿＿＿＿

5．日本は、石油を外国からの輸入*に頼っている。import ＿＿＿＿＿＿＿＿＿＿

6．友人が私の研究に協力してくれた。　　　　　　＿＿＿＿＿＿＿＿＿＿

7．「どうもありがとうございます」と言って感謝した。＿＿＿＿＿＿＿＿＿＿

〔3〕下線部の読み方を書き、意味を考えなさい。

1．先生の助言によって研究テーマを決めた。　　　＿＿＿＿＿＿＿＿＿＿

2．首相は60パーセントの国民から支持されていた。＿＿＿＿＿＿＿＿＿＿

3．このデータは古くて、あまり信頼できない。　　＿＿＿＿＿＿＿＿＿＿

4．薬とアルコールには相互作用*がある。interaction ＿＿＿＿＿＿＿＿＿＿

5．日本人の感謝の言葉を研究している。　　　　　＿＿＿＿＿＿＿＿＿＿

6．一人一人、日本語で自己紹介した。　　　　　　＿＿＿＿＿＿＿＿＿＿

7．この学会の大会*は、首都圏と地方とで交互に行われる。conference
　　　　　　　　　　　　　　　　　　　　　　　　＿＿＿＿＿＿＿＿＿＿

第Ⅰ部

〔4〕下線部の言葉に注意して文を読みなさい。

1．男性は女性に比べ、将来、家族を<u>支え</u>ていくという気持ちが強い。

2．生活費の<u>支出</u>は、男子学生のほうが女子学生より多い。

3．授業では、学生と先生の間に<u>相互信頼</u>が必要だ。

4．留学生には、自分の国を<u>紹介</u>する義務がある。

5．<u>自然</u>*を<u>守る</u>のは人間の義務だ。　　　　　　　　　　　nature

6．その新聞の情報は極めて*<u>信頼性</u>が高い。　　　　　　　extremely

7．身振り*はコミュニケーションの<u>助け</u>になる。　　　　　gesture

8．研究には、先生や先輩*の<u>助言</u>がなくてはならない*。　senior student, indispensable

9．「すみません」は、あるときは<u>謝る</u>言葉、あるときは<u>感謝</u>する言葉である。

〔5〕筆順に注意して、学習漢字を何度も書いて練習しなさい。

Ⅴ　まとめ

〔1〕この課のテーマの語彙です。声に出して読みなさい。

1．助ける　　2．支える　　3．紹介　　4．守る　　5．謝る　　6．感謝

7．頼る　　　8．頼む　　　9．一緒　　10．協力　　11．互い

〔2〕最も適当なものを選びなさい。

互いに協力し、支え合い、{a．紹介して　b．助け合って}、良い人間関係ができている。

〔3〕下線部の言葉を漢字で書きなさい。

1. 親は子供をまもり、ささえる。子供は親をたよる。

   □ □ □

2. 友人を両親にしょうかいし、いっしょに食事した。

   □□   □□

3. 友人に研究のきょうりょくをたのまれたが、できなかったので、あやまった。

   □□   □ □

4. 同じ国の友人と、おたがいにたすけ合っている。

   □ □

第Ⅰ部

第9課　環境(かんきょう)

Ⅰ　ウォーミングアップ

◇　下線部に注意して次の文を読みなさい。

1. 自動車から出る CO_2 などのガスが大気圏*の中で増え過ぎると、気温が高くなる。これを地球温暖化*という。　　　　　　　the atmosphere, global warming

2. 温暖化ガスは酸性*の雨を降らせる。それによって森や林や木が減少し、その結果、そこに住む生物も減少する。　　　　　　　　　　　　　　　　acid

3. フロンガス(CFC)はオゾン層*を壊す。フロンガスは現在は作られていないが、まだ大気圏に残っている。　　　　　　　　　　　　　　　　the ozone layer

4. これらの問題の解決のために、様々な取り組み*が行われている。　　　effort
それは現在のためだけでなく*、人類の未来のためでも*ある。 not only ～ , but also

Ⅱ　テーマの語彙(ごい)

〔1〕この課のテーマの語彙です。見たことがあるものに☑を付けなさい。

☐ 地球　　　☐ 世界　　　☐ 宇宙　　　☐ 自然

☐ 環境　　　☐ 対策　　　☐ 植物

〔2〕声に出して読み、聞いたことがあるものに☑を付けなさい。

☐ ちきゅう　　☐ せかい　　☐ うちゅう　　☐ しぜん

☐ かんきょう　☐ たいさく　☐ しょくぶつ

第9課　環境

III　学習漢字

◇ まず、（　）に読み方を考えて書きなさい。次に、下の答えを見て確かめなさい。
　間違っていた場合は、その原因を考えましょう。（太字はテーマの語彙）

1

| 球 | たま / キュウ | sphere / ball
球　球
구슬 (구) | 2級
王 | 王 圹圹球球　11 |

1　球（　　／　　）ball　　世界最初の人工衛星*は球の形だった。　artificial satellite
2　**地球**（　　　　）the earth　　**地球は温暖化している。**
3　半球（　　　　）hemisphere　　赤道*より南を南半球、北を北半球という。　equator

　　　　　　　　　　　　　　　　　　1　たま / きゅう　2　ちきゅう　3　はんきゅう

2

| 界 | カイ | world / boundary
界　界
경계 (계) | 3級
田 | 田 界界　9 |

1　**世界**（　　　　）the world　　**世界で最も多くの人に話されている言語は中国語だ。**

　　　　　　　　　　　　　　　　　　1　せかい

3

| 宇 | ウ | universe
宇　宇
집 (우) | 2級
宀 | 宀 宇宇　6 |

1　**宇宙**（　　　　）space　　**宇宙の誕生*について研究している。**　birth

　　　　　　　　　　　　　　　　　　（1　うちゅう）

覚えるためのヒント

ひらがな「う」の元になった漢字です。宇→ 宇 → 㝍 → う

75

第Ⅰ部

4 宙 チュウ — space 宙宙 하늘(주) — 2級 宀 — 宀宀宙宙 — 8

1 宙（　　　）　無重力の所では物が宙に浮く*。　float

　　　　1 ちゅう

5 然 ゼン／ネン — state 然然 그럴(연) — 2級 灬 — クタ 外狄然 — 12

1 自然（　　　）ナ natural　自然は地球上から次第に*少なくなっていく。　gradually
2 当然（　　　）ナ natural　友達が困っているとき助けるのは当然である。
3 天然（　　　）nature　地球上にある天然資源は無限*ではない。　inexhaustible
4 突然（　　　）suddenly　地震は突然、起こる。
5 偶然（　　　）by chance　彼は実験中に偶然、新しい物質を発見した。

　　　　1 しぜん　2 とうぜん　3 てんねん　4 とつぜん　5 ぐうぜん

6 環 カン — ring 环環 고리(환) — 1級 王 — 王 珇珇環環環 — 17

1 環境（　　　）environment　環境問題は地球全体の問題である。
2 一環（　　　）link　市では国際交流事業の一環として、留学生ホームステイを行った。
3 環太平洋（　　　）Pacific Rim　日本は環太平洋諸国の一つである。

　　　　1 かんきょう　2 いっかん　3 かんたいへいよう

7 境 さかい／キョウ — boundary / situation 境境 경계(경) — 2級 土 — 土 坪境境 — 14

1 境（　　　）border　日本の社会は1945年を境に大きく変化した。
2 国境（　　　）border　国境は、しばしば*国際問題の原因になる。　often

　　　　1 さかい　2 こっきょう

第9課　環境

| 8 | 策 | サク | measures
策　策
凇(책) | 1級
竹 | 竹 竹 竹 竹 策 | 12 |

1　対策（　　　　）measures　　政府は地球温暖化に対して、様々な対策を立てた。
2　政策（　　　　）policy　　　日本の経済政策について研究している。

　　　　　　　　　　　　　　　　　　　　　　　　1 たいさく　2 せいさく

| 9 | 植 | う・える
ショク | plant
植　植
심을(식) | 2級
木 | 才 才 植 植 | 12 |

1　植える（　　える）　　　　木を植えることは、CO_2を減らすことにつながる*。　lead to
2　植物（　　　　）plant　　熱帯地方*の植物について調べている。　the tropics
3　植物学（　　　　）botany　植物学の立場*から環境問題を考える。　standpoint
4　植民地（　　　　）colony　20世紀になって、多くの植民地が独立*した。independent

　　　　　　　　　　　1 う・える　2 しょくぶつ　3 しょくぶつがく　4 しょくみんち

IV　練習問題

〔1〕異なる部分に注目して、下線部の言葉の書き方、あるいは読み方を選びなさい。
　　（一方の語には、実際に使われていないものもあります。）

1．うちゅう物理学を専攻している。　　　　　　　　　{a. 宇由　　b. 宇宙}
2．ちきゅうは24時間で1回転する。　　　　　　　　　{a. 地球　　b. 地求}
3．この音楽を聞くと、しぜんに眠くなる。　　　　　　{a. 自然　　b. 自燃}
4．地震のたいさくを立てる。　　　　　　　　　　　　{a. 対策　　b. 大策}

第Ⅰ部

5．日本の<u>しょくぶつ</u>について調べている。　　{a. 植物　　b. 直物}

6．<u>かんきょう</u>問題について考える。　　　　　　{a. 環意　　b. 環境}

7．<u>天然</u>ガス自動車が増えてきた。　　　　　　　{a. てんぜん　b. てんねん}

8．<u>世界</u>で最も高い山はエベレスト*である。Mt. Everest
　　　　　　　　　　　　　　　　　　　　　　　{a. せかい　　b. せいかい}

9．美しい<u>自然</u>を大事にする。　　　　　　　　　{a. しぜん　　b. じぜん}

〔2〕下線部の言葉の読み方を書きなさい。

1．<u>宇宙</u>は永久に広がり続ける。　　　　　　　　_____

2．<u>地球</u>の表面の70％は海である。　　　　　　　_____

3．<u>世界</u>各国から将来性のある留学生が集まっている。_____

4．<u>環境</u>と経済は両立*する。compatible　　　　　_____

5．眠くなると目が<u>自然</u>に閉じる。　　　　　　　_____

6．地球温暖化の<u>対策</u>を進める。　　　　　　　　_____

7．地上の<u>植物</u>の半分以上は熱帯林にある。　　　_____

8．木を1本切ったら、代わりに新しい木を<u>植える</u>べきだ。
　　　　　　　　　　　　　　　　　　　　　　　_____

〔3〕下線部の読み方を書き、意味を考えなさい。

1．<u>地球物理学</u>*を専攻している。geophysics　　　_____

2．<u>世界的</u>に有名な博士に紹介された。　　　　　_____

3．<u>環境経済学</u>の講義を聞く。　　　　　　　　　_____

4．将来は宇宙旅行も夢ではないだろう。　＿＿＿＿＿＿＿＿＿＿

5．アジア諸国との外交政策が政府の課題だ。　＿＿＿＿＿＿＿＿＿＿

6．天然資源を次の世代に残さ＊なければならない。leave　＿＿＿＿＿＿＿＿＿＿

7．時計が右回りなのは、北半球で発明されたからである。

　　＿＿＿＿＿＿＿＿＿＿

8．臓器移植＊は医学の最先端＊の分野である。organ transplants, cutting edge

　　＿＿＿＿＿＿＿＿＿＿

9．地震対策を立てる。　＿＿＿＿＿＿＿＿＿＿

10．世界環境問題対策会議が東京で開かれた。　＿＿＿＿＿＿＿＿＿＿

11．植民地政策の一つとして言語教育が行われたことがある。

　　＿＿＿＿＿＿＿＿＿＿

〔4〕次の文を読み、内容が正しければ○、正しくなければ×を書きなさい。

（　　）1．エベレストはフランスとイタリアの国境にある。

（　　）2．物理学、化学、生物学などを自然科学という。

（　　）3．日本の最大の環境問題は、水が少なくなっていることである。

（　　）4．世界で最初に宇宙へ行った女性宇宙飛行士はロシア人である。

（　　）5．北半球が6月のとき、南半球は12月である。

（　　）6．野球は1チーム9人で行うスポーツである。

（　　）7．海の中には植物がない。

〔5〕筆順に注意して、学習漢字を何度も書いて練習しなさい。

V まとめ

〔1〕この課のテーマの語彙です。声に出して読みなさい。

1．地球　　2．世界　　3．宇宙　　4．自然
5．環境　　6．対策　　7．植物

〔2〕最も適当なものを選びなさい。

地球の環境を守るために ｛a. 宇宙　b. 世界　c. 自然　d. 対策｝ を立てる。

〔3〕下線部の言葉を漢字で書きなさい。

1．<u>ちきゅう</u>は<u>うちゅう</u>の中の一つの惑星*である。　　　　the planet

2．<u>かんきょう</u>問題は<u>せかい</u>的な問題である。

3．かんきょうを守るために、様々な<u>たいさく</u>が行われている。

4．温暖化によって、<u>しぜん</u>が壊され、動物や<u>しょくぶつ</u>が減少している。

第10課　位置(いち)

Ⅰ　ウォーミングアップ

◇　次の文を読みなさい。下線部はこの課のテーマに関する語彙(ごい)です。

1. 青葉(あおば)大学は町のほぼ中心に位置している。

2. これは大学を真上から見た図である。

3. 大学の門を入ると、右手に講義棟、その横に図書館、奥に研究所がある。

4. まっすぐ行って、図書館を左に曲がると、50メートル先に体育館がある。

5. 体育館と食堂は向かい合っている。

6. 食堂は南に面している。

Ⅱ　テーマの語彙(ごい)

〔1〕この課のテーマの語彙(ごい)です。見たことがあるものに レ を付けなさい。

□ 隣　　□ 端　　□ 側　　□ 周り　　□ 周囲

□ 角　　□ 中央　□ 底　　□ 裏　　　□ 頂上

〔2〕声に出して読み、聞いたことがあるものに レ を付けなさい。

□ となり　□ はし　　　□ がわ　□ まわり　□ しゅうい

□ かど　　□ ちゅうおう　□ そこ　□ うら　　□ ちょうじょう

Ⅲ　学習漢字

◇ まず、（　）に読み方を考えて書きなさい。次に、下の答えを見て確かめなさい。
　間違っていた場合は、その原因(げんいん)を考えましょう。（太字はテーマの語彙(ごい)）

1

| 隣 | となり
とな・る
リン | neighbor
邻　鄰
이웃(린) | 1級 | 阝　阝´阡阡阡隣隣隣 　16 |

1　隣（　　　　　）　　　　　　　隣の部屋に同じ国の友人が住んでいる。
2　隣り合う（　　り　　う）adjoin each other　私の部屋は友人の部屋と隣り合っている。
3　隣接（　　　　　）スル adjoin　大学は公園に隣接している。

　　　　　　　　　　　　　　　　1 となり　2 となりあ・う　3 りんせつ

2

| 端 | はし
は
タン | edge
端　端
끝(단) | 1級 | 立　立 ``立``端端 　14 |

1　端（　　　　　）　　　　　　　画面の端の三角のボタンをクリックすると、画面が上
　　　　　　　　　　　　　　　　下に動く。《コ》
2　端数（　　　　　）fraction　　計算(けいさん)して端数を切り捨(す)てる。　　　　　calculate, drop
3　先端（　　　　　）tip　　　　　ロボットの手の先端にセンサーを取り付けた。　sensor
4　端的（　　　　　）ナ plain　　論文の題名は内容を端的に表す。

　　　　　　　　　　　　　　　1 はし　2 はすう　3 せんたん　4 たんてき

3

| 側 | がわ
ソク | side
侧　側
곁(측) | 2級 | イ　俱側 　11 |

1　側（　　　　　）　　　　　　　レポートで、図、表はページの右側に、本文は左側に
　　　　　　　　　　　　　　　　書くこと。
2　側面（　　　　　）side　　　　地球温暖化の問題には様々な側面がある。

　　　　　　　　　　　　　　　　　　　　　1 かわ　2 そくめん

第10課　位置

| 4 | 周 | まわ・り
シュウ | around / periphery
周　周
두루 (주) | 2級
口 | 冂　用　周 | 8 |

1　周り（　　　り）　　　　　　　　月は地球の周りを回っている。
2　一周（　　　）スル go round　　この映画は気球*で世界を一周する話だ。　　balloon
3　円周（　　　）circumference　　円周率をπ*で表す。　　pi
4　周辺（　　　）vicinity　　　　　10年にわたって、大学周辺の自然の変化を調べた。

　　　　　　　　　　　　　1　まわ・り　2　いっしゅう　3　えんしゅう　4　しゅうへん

| 5 | 囲 | かこ・む
イ | encircle
囲　圍
둘레 (위) | 2級
口 | 冂　月　囲　囲 | 7 |

1　囲む（　　　む）　　　　　　　　日本は周りを海に囲まれている。
2　周囲（　　　）circumference　　地球の周囲を人工衛星が回っている。

　　　　　　　　　　　　　　　　　　　　　　　1　かこ・む　2　しゅうい

| 6 | 角 | かど
つの
カク | corner / angle / horn
角　角
뿔 (각) | 2級
角 | ク　甪　角　角 | 7 |

1　角（　　　）corner　　　　　　　次の角を右に曲がると駅がある。
2　三角形（　　　）triangle　　　　四角形を二つの三角形に分ける。
3　角度（　　　）degree of angle　三角形の三つの角度の和*は180度である。　sum
4　直角（　　　）right angle　　　線ABと線CDは直角に交わって*いる。　intersect
5　角（　　　）horn　　　　　　　「角」という漢字は、牛の角の形からできた。

　　　　　　　　　1　かど　2　さんかっけい　3　かくど　4　ちょっかく　5　つの

| 7 | 央 | オウ | center
央　央
가운데 (앙) | 2級
大 | 冂　口　央 | 5 |

1　中央（　　　）center　　　　　　本州の中央に山脈*がある。　　mountain range

　　　　　　　　　　　　　　　　　　　　　　　　　　　1　ちゅうおう

8 底 — そこ / テイ — bottom — 底 底 / 밑 (저) — 2級 — 广 广 广 庐 底 底

1. 底（　　　） 海洋学研究室では、海の底にいる生物について調べている。
2. 海底（　　　）sea bed 海中工学研究室では、ロボットを使って海底火山を調べている。
3. 底辺（　　　）base 社会の底辺の人々のための政策を考える。

1 そこ　2 かいてい　3 ていへん

9 裏 — うら / リ — reverse / rear — 里 裏 / 속 (리) — 2級 — 亠 审 裏 裏 裏

1. 裏（　　　） 願書の裏に写真を貼る*こと。 stick

1 うら

覚えるためのヒント

裏には田がありますが、表(おもて)には田がありません。「表」の中に「田」を入れると「裏」になります。

10 頂 — いただき / いただ・く / チョウ — summit / receive — 頂 頂 / 정수리 (정) — 2級 — 丁 頂

1. 頂く（　　　く） 「頂く」は「もらう・食べる」の意味の敬語(けいご)である。
2. 頂点（　　　）tip 多角形の隣り合う辺の交点を頂点という。
3. 頂上（　　　）summit 山の頂上に宇宙科学研究所の望遠鏡(ぼうえんきょう)*がある。 telescope

1 いただ・く　2 ちょうてん　3 ちょうじょう

Ⅳ　練習問題

〔1〕異なる部分に注目して、下線部の言葉の書き方、あるいは読み方を選びなさい。
　　（一方の語には、実際に使われていないものもあります。）

1．辞書を忘れたので<u>となり</u>の人に借りた。　　　　　{a. 降　　b. 隣}

2．ページの<u>はし</u>を2cmあけて書く。　　　　　　　{a. 橋　　b. 端}

3．地球を<u>いっしゅう</u>する。　　　　　　　　　　　{a. 1週　　b. 1周}

4．表紙の<u>うら</u>に自分の名前を書く。　　　　　　　{a. 裏　　b. 表}

5．正しい答えを○で<u>かこむ</u>。　　　　　　　　　　{a. 囲む　　b. 田む}

6．家の<u>みなみがわ</u>に道路がある。　　　　　　　　{a. 南測　　b. 南側}

7．山の<u>ちょうじょう</u>から町を見下ろす。　　　　　{a. 頂上　　b. 項上}

8．本州と北海道の間に<u>かいてい</u>トンネルがある。　{a. 海低　　b. 海底}

9．ページの下の<u>ちゅうおう</u>にページ番号が書いてある。{a. 中央　　b. 中英}

10．教室の机は<u>角</u>が丸くなっている。　　　　　　　{a. かく　　b. かど}

〔2〕下線部の言葉の読み方を書きなさい。

1．図書館は講義棟の<u>隣</u>にある。　　　　　　　　　_____

2．ノートの<u>端</u>に漢字の読み方をメモする。　　　　_____

3．町の<u>中央</u>に公園がある。　　　　　　　　　　　_____

4．写真の<u>裏</u>に名前と日付を書く。　　　　　　　　_____

5．日本の<u>周囲</u>は海である。　　　　　　　　　　　_____

6．この町は周りを山に<u>囲</u>まれており、環境が良い。_____

第Ⅰ部

7．二つ目の角を右に曲がると自然公園がある。　　　_____

8．右端の下向きの三角をクリックすると次のページに進む。《コ》
　　　　　　　　　　　　　　　　　　　　　　　　　_____

9．「羊（ひつじ）」という字の上の部分は羊の角を表している。　_____

10．高い山の頂上で貝の化石が発見されることがある。　_____

11．昔、今の東京は海の底だった。　_____

12．日本では、自動車は道路の左側を走る。　_____

〔3〕下線部の読み方を書き、意味を考えなさい。

1．これは写真に基づいて作られた、月の裏側の地図である。
　　　　　　　　　　　　　　　　　　　　　　　　　_____

2．大学では各分野の最先端の研究を行っている。　_____

3．マウスはキーボードの右隣に置いて使う人が多い。《コ》
　　　　　　　　　　　　　　　　　　　　　　　　　_____

4．だれでも、自分自身の知らない側面がある。　_____

5．日本の太平洋側では、周期的に地震が起きている。　_____

6．地球1周は約4万キロメートルである。　_____

7．体育館はグラウンドに隣接している。　_____

8．地球の周りには大気（たいき）*がある。atmosphere　_____

〔4〕筆順（ひつじゅん）に注意して、学習漢字を何度も書いて練習しなさい。

V まとめ

〔1〕この課のテーマの語彙です。声に出して読みなさい。

1. 隣　2. 端　3. 側　4. 周り　5. 周囲
6. 角　7. 中央　8. 底　9. 裏　10. 頂上

〔2〕最も適当なものを選びなさい。

日本はアジアの東に位置し、{a. 端　b. 中央　c. 周囲　d. 頂上} を海に囲まれている。

〔3〕下線部の言葉を漢字で書きなさい。

1. 日本はアジア大陸*の東の<u>はし</u>に位置しており、<u>となり</u>は中国、韓国である。

   continent

2. 日本は何万年も昔、海の<u>そこ</u>だった。現在は<u>まわり</u>を海に<u>かこ</u>まれている。

3. 町の<u>ちゅうおう</u>に図書館があり、図書館の<u>かど</u>を曲がると、<u>うら</u>に公園がある。

4. 山の<u>ちょうじょう</u>の<u>みぎがわ</u>はスキーのゲレンデ、左がわは崖*になっている。

   cliff

第Ⅰ部

第11課　日本の自然

Ⅰ　ウォーミングアップ

◇　下線部に注意して次の文を読みなさい。

1．日本はユーラシア大陸*の東の端にある島国で、周囲を海に囲まれている。
　　　　　　　　　　　　　　　　　　　　　　　　　　　　　　　the Eurasian Continent

2．日本は北海道、本州、四国、九州の大きい島と、7000の小さい島々から成って*いる。
　　　　　　　　　　　　　　　　　　　　　　　　　　　　　　　consist

3．日本のほぼ中央に山地が続いており、国土を太平洋側と日本海側に分けている。

4．国土の約70％が山地で、平野部分は国土全体の約20％にすぎない。

5．日本は石油の生産がほとんどなく、99％を外国からの輸入*に頼っている。　import

6．日本には春、夏、秋、冬の四つの季節（四季）がある。

Ⅱ　テーマの語彙

〔1〕この課のテーマの語彙です。見たことがあるものに レ を付けなさい。

☐ 資源　　☐ 乏しい　　☐ 豊か　　☐ 豊富　　☐ 特徴

☐ 湿度　　☐ 乾燥　　☐ 分布　　☐ 山脈　　☐ 盛ん

〔2〕声に出して読み、聞いたことがあるものに レ を付けなさい。

☐ しげん　　☐ とぼしい　　☐ ゆたか　　☐ ほうふ　　☐ とくちょう

☐ しつど　　☐ かんそう　　☐ ぶんぷ　　☐ さんみゃく　　☐ さかん

第11課　日本の自然

Ⅲ　学習漢字

◇　まず、（　）に読み方を考えて書きなさい。次に、下の答えを見て確かめなさい。
間違っていた場合は、その原因を考えましょう。（太字はテーマの語彙）

1

| 源 | みなもと
ゲン | source
源　源
근원（원） | 1級
氵 | 氵 氵 氵 沪 沪 源
13 |

1　資源（　　　　）resource　　**日本はエネルギー資源のほとんどを輸入に頼っている。**

2　起源（　　　　）origin　　日本語の起源については諸説があり、明らかになっていない。

3　語源（　　　　）origin of the word　「バイト」の語源はドイツ語「Arbeit」である。

　　　　　　　　　　　　　　　　　　　　　1　しげん　2　きげん　3　ごげん

2

| 乏 | とぼ・しい
ボウ | scarce
乏　乏
모자랄（핍） | 1級
ノ | 一 ノ 乏
4 |

1　乏しい（　　　　しい）　　**日本には石油資源が乏しい。**

2　欠乏（　　　　）スル lack　　ビタミンが欠乏すると、病気になりやすくなる。

3　貧乏（　　　　）ナ poor　　彼は今は有名だが、昔は貧乏な画家志望の青年だった。

　　　　　　　　　　　　　　　　　　　　1　とぼ・しい　2　けつぼう　3　びんぼう

3

| 豊 | ゆた・か
ホウ | plentiful / rich
丰　豐
풍성할（풍） | 2級
豆 | 口 曲 曲 曹 豊 豊
13 |

1　豊か（　　　　か）ナ　　**青葉大学の周囲には、まだ豊かな自然が残っている。**

2　豊富（　　　　）ナ rich　「緑が豊富だ」というのは、「木が多い」という意味だ。

3　豊作（　　　　）good harvest　秋の祭りの起源の多くは、神*に豊作を感謝する行事*である。
God, event

　　　　　　　　　　　　　　　　　　　　1　ゆた・か　2　ほうふ　3　ほうさく

89

第Ⅰ部

覚えるためのヒント

曲がった豆*がたくさんできたので、生活が豊かになった。 bean

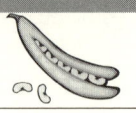

---

4 富 / と・む / フ / wealth / rich / 富 富 / 부자(부) / 2級 / 宀 宀 富 / 12

1 富（　　　　）　「富の分配*」は経済学のキーワードの一つである。 distribution

2 富む（　　む）be rich　この地方は鉱物*資源に富んでいる。 mineral

1 とみ　2 と・む

---

5 徴 / チョウ / sign / 征 徴 / 부를(징) / 1級 / 彳 彳 徨 徴 / 14

1 特徴（　　　　）characteristics　日本の地形の特徴は山地の割合が多いことである。

1 とくちょう

---

6 湿 / しめ・る / シツ / damp / 湿 濕 / 젖을(습) / 2級 / 氵 氵 沪 浔 湿 湿 / 12

1 湿る（　　　　る）　日本海を渡ってきた湿った空気が、日本海側に大雪を降らせる。

2 湿度（　　　　）humidity　日本の夏は雨期があり、湿度が高い。

1 しめ・る　2 しつど

---

7 乾 / かわ・く / かわ・かす / カン / dry / 干 乾 / 마를(건) / 2級 / 乙 卓 卓 乾 / 11

1 乾く（　　　　く）　長い間雨が降らないので、地面が乾いた。

2 乾燥（　　　　）スル dry　砂漠*は乾燥しており、植物が少ない。 desert

1 かわく　2 かんそう

90

第11課　日本の自然

8 布　ぬの／フ　cloth / spread　布布　베(포)　2級 巾　ノナ右布　5

1　布（　　　）　「ふろしき」は1枚の布でできており、物を包むのに用いられる。
2　**分布**（　　　）スル distribute　この植物は東日本に分布している。
3　**配布**（　　　）スル distribute　大学は学生に「受講案内」を配布する。

　　　　　　　　　　　　　　　　　　1　ぬの　2　ぶんぷ　3　はいふ

9 脈　ミャク　pulse / vein　脉脈　맥(맥)　1級 月　月肌肌脈脈　10

1　脈（　　　）　心臓*が脈を打つ。　heart
2　**山脈**（　　　）mountain range　本州には、山脈が東西南北に続いている。
3　**文脈**（　　　）context　文脈から未知の漢字の意味を考える。

　　　　　　　　　　　　　　　　1　みゃく　2　さんみゃく　3　ぶんみゃく

覚えるためのヒント

左の「月」は「肉」、つまり体。右は体の中の血管*を表している。　blood vessel

---

10 盛　さか・ん／も・る／セイ　prosperous / heap up　盛盛　성할(성)　1級 皿　厂厃成咸盛盛　11

1　**盛**（　　ん）ナ　日本は石油は乏しいが、石油化学産業は盛んだ。
2　**盛**（　　る）serve　食器に食べ物を入れることを「盛る」という。
3　**最盛期**（　　　）peak　江戸の最盛期の人口は130万人であったという*。

　　　　　　　　　　　　　　　　　　　　　　　　　　they say

　　　　　　　　　　　　　　　　　1　さか・ん　2　も・る　3　さいせいき

第Ⅰ部

Ⅳ　練習問題

〔1〕異なる部分に注目して、下線部の言葉の書き方、あるいは読み方を選びなさい。
　　（一方の語には、実際に使われていないものもあります。）

1．この町の<u>とくちょう</u>は森林が多いことだ。　　　｛a. 特徴　　b. 特微｝

2．夏は<u>しつど</u>が高い。　　　　　　　　　　　　　｛a. 温度　　b. 湿度｝

3．この布は洗濯してもすぐに<u>かわく</u>。　　　　　　｛a. 乾く　　b. 朝く｝

4．石油<u>しげん</u>が少ない。　　　　　　　　　　　　｛a. 資源　　b. 資原｝

5．日本は自動車産業が<u>さかん</u>だ。　　　　　　　　｛a. 盛ん　　b. 成ん｝

6．四国の中央に東西 250 キロにわたる<u>さんみゃく</u>がある。
　　　　　　　　　　　　　　　　　　　　　　　　｛a. 山派　　b. 山脈｝

7．経験が<u>ほうふ</u>な医者は信頼される。　　　　　　｛a. 農富　　b. 豊富｝

8．森林が少ない所は水が<u>とぼしい</u>。　　　　　　　｛a. 乏しい　b. 系しい｝

9．この植物は世界中に<u>分布</u>している。　　　　　　｛a. ぶんふ　b. ぶんぷ｝

〔2〕下線部の言葉の読み方を書きなさい。

1．太平洋側は、冬、空気が<u>乾燥</u>している。　　　　　_____

2．6月、7月は雨期で、<u>湿度</u>の高い日が続く。　　　_____

3．コケ*は<u>湿った</u>場所に生える植物である。　moss　_____

4．日本は火山が多いため、至る所*に温泉が<u>分布</u>している。　everywhere
　　　　　　　　　　　　　　　　　　　　　　　　　_____

5．日本の気候*の<u>特徴</u>は、四季*の変化がはっきりしていることだ。
　　　　　　　　　　　　　　climate, four seasons　_____

第11課　日本の自然

6．日本の山々は、高くはないが、森林が豊富である。＿＿＿＿＿＿＿

7．本州の中央にある木曽山脈は、中央アルプスと呼ばれている。
　　　　　　　　　　　　　　　　　　　　　　　　　＿＿＿＿＿＿＿

8．日本は天然資源に乏しい。　　　　　　　　　　　＿＿＿＿＿＿＿

9．日本は海に囲まれているため、漁業*が盛んである。 fishing industry
　　　　　　　　　　　　　　　　　　　　　　　　　＿＿＿＿＿＿＿

〔3〕下線部の読み方を書き、意味を考えなさい。

1．まず電源を入れ、アプリケーションを起動*する。《コ》 start
　　　　　　　　　　　　　　　　　　　　　　　　　＿＿＿＿＿＿＿

2．大部分の川の水源は山の中にある。　　　　　　　＿＿＿＿＿＿＿

3．この病気はビタミンCの欠乏によって起こる。　　＿＿＿＿＿＿＿

4．新型インフルエンザは高熱が出るのが特徴的だ。　＿＿＿＿＿＿＿

5．GPS*を利用して火山の分布図を作成した。 global positioning system
　　　　　　　　　　　　　　　　　　　　　　　　　＿＿＿＿＿＿＿

〔4〕次の文を読み、内容が正しければ○、正しくなければ×を書きなさい。

（　）1．東京は日本の都道府県の中で最も農業が盛んだ。
（　）2．日本の夏は高温多湿である。
（　）3．日本には砂漠のような乾燥地はない。
（　）4．日本は石油資源が乏しいので、大半*を輸入に頼っている。 greater part
（　）5．バナナ、パイナップル*などの熱帯植物が日本中に分布している。
　　　　　　　　　　　　　　　　　　　　　　　　　　　　　pineapple
（　）6．日本語の単語の語源はすべて中国語である。
（　）7．太平洋には海底山脈がある。
（　）8．外来語「ベテラン」は、「経験が豊富な人」を意味する。
（　）9．富士山は日本で最も高い山である。

第Ⅰ部

〔5〕正しいほうを選びなさい。

　　私は仕事の経験が｛a．貧乏だ　b．乏しい｝。

〔6〕筆順(ひつじゅん)に注意して、学習漢字を何度も書いて練習しなさい。

Ⅴ　まとめ

〔1〕この課のテーマの語彙(ごい)です。声に出して読みなさい。

　　1．資源　　2．乏しい　3．豊か　　4．豊富　　5．特徴
　　6．湿度　　7．乾燥　　8．分布　　9．山脈　　10．盛ん

〔2〕最も適当なものを選びなさい。

　　日本の自然の特徴の一つは｛a．湿度　b．山脈　c．天然資源｝が乏しいことだ。

〔3〕下線部の言葉を漢字で書きなさい。

　1．太平洋側は夏は気温と<u>しつど</u>が高く、冬は<u>かん</u>燥(そう)しているのが<u>とくちょう</u>だ。

　2．日本は天然<u>しげん</u>がとぼしいが、水は<u>ほうふ</u>である。

　3．昔から漁業(ぎょぎょう)が<u>さかん</u>で、海に沿って漁港(ぎょこう)が<u>ぶんぷ</u>している。

第12課　学習の要点2
【Ⅰ】動詞の語構成①【Ⅱ】漢字熟語の音変化

Ⅰ　テーマの語彙

〔1〕この課のテーマの語彙です。見たことがあるものに レ を付けなさい。

□ 預金　　□ 着陸　　□ 愛用　　□ 共有

□ 予防　　□ 激増　　□ 厳禁

〔2〕声に出して読み、聞いたことがあるものに レ を付けなさい。

□ よきん　□ ちゃくりく　□ あいよう　□ きょうゆう

□ よぼう　□ げきぞう　□ げんきん

【Ⅰ】動詞の語構成①

漢語動詞の構成には①〜④のタイプがあります。（N:名詞　V:動詞　AD:副詞）

① V + N〔Nを／に／へ + V〕　　例）開店：店を開く　　帰国：国へ帰る
② AD + V〔どのようにV〕　　　　例）速読：速く読む　　直行：まっすぐ行く
③ $V_1 + V_2$〔$V_1 ≒ V_2$〕　　　　例）学習：「学」と「習」（ほぼ同じ意味）
④ $V_1 + V_2$〔$V_1 \rightleftarrows V_2$〕　　　　例）開閉：「開」と「閉」（反対の意味）

第12課では①と②のタイプの漢語動詞を学習します。（③、④は第17課）

Ⅱ 学習漢字

◇ まず、（　）に読み方を考えて書きなさい。次に、下の答えを見て確かめなさい。
　間違っていた場合は、その原因を考えましょう。（太字はテーマの語彙）

1

| 預 | あず・かる
あず・ける
ヨ | entrust /deposit
预 預
미리 (예) | 2級
頁 | マ 予 預 | 13 |

1　預ける（　　　ける）　　　かばんをコインロッカー*に預ける。　coin-operated locker
2　預金（　　　）スル deposit　毎月、残った金を銀行に預金している。

　　　　　　　　　　　　　　　　　　　　　　　　　1 あず・ける　2 よきん

2

| 陸 | リク | land
陆 陸
뭍 (육) | 2級
阝 | 阝 阡 陕 陸 | 11 |

1　陸（　　　）land　　　　　陸は地球の表面の30％にすぎず、70％は海である。
2　着陸（　　　）スル land　　飛行機は時間どおりに着陸し、時間どおりに離陸した。
3　大陸（　　　）continent　　この植物はユーラシア大陸全体に分布している。

　　　　　　　　　　　　　　　　　　　1 りく　2 ちゃくりく　3 たいりく

3

| 愛 | アイ | love / affection
爱 愛
사랑 (애) | 2級
心 | 爫 恶 愛 愛 | 13 |

1　愛（　　　）　　　　　　　　子供に対する母の愛は世界共通*だ。　common
2　愛する（　　　する）love　　父は何よりも家族を愛している。
3　愛用（　　　）スル use habitually　日本で買った電子辞書を愛用している。
4　愛情（　　　）love　　　　　愛情の表現は国によって異なる。

　　　　　　　　　　　　　1 あい　2 あい・する　3 あいよう　4 あいじょう

第12課　学習の要点2

| 4 | 共 | とも / キョウ | together 共 共 함께(공) | 2級 八 | 一 十 共 |

1. 共に（　　に）　様々な国からの学生たちが共に学んでいる。
2. **共有**（　　）スル share　**3人で1台のパソコンを共有している。**
3. **共通**（　　）スル common　日本語のクラスでは日本語が共通語だ。
4. **共同**（　　）スル cooperate　いくつかの大学が共同して研究している。

　　　　　　1 とも・に　2 きょうゆう　3 きょうつう　4 きょうどう

| 5 | 防 | ふせ・ぐ / ボウ | prevent 防 防 막을(방) | 2級 阝 | 阝 阡 防 防 |

1. 防ぐ（　　ぐ）prevent　地震は防ぐことはできないが、予知することはできる。
2. **予防**（　　）スル prevent　風邪の予防には湿度を保つのがよい。

　　　　　　1 ふせ・ぐ　2 よぼう

| 6 | 激 | はげ・しい / ゲキ | intense 激 激 과격할(격) | 1級 氵 | 氵 泸 浿 滂 激 |

1. 激しい（　　しい）　のど*の激しい痛みが、この病気の特徴だ。　throat
2. **激増**（　　）スル increase suddenly　就職*しない若者が激増している。　get a job

　　　　　　1 はげ・しい　2 げきぞう

| 7 | 厳 | きび・しい / ゲン | severe / strict 严 嚴 엄할(엄) | 1級 ⺍ | ⺍ 严 严 岸 厳 |

1. 厳しい（　　しい）strict　父は子供にも自分にも厳しい人だ。
2. **厳守**（　　）スル keep strictly　時間を厳守する。

　　　　　　1 きび・しい　2 げんしゅ

| 8 | 禁 キン | prohibit / forbid 禁 禁 금할 (금) | 2級 示 | 林 禁 13 |

1 禁じる（　　　　じる）　　講義室では私語(しご)を禁じる。
2 厳禁（　　　　）スル strictly prohibit 「土足(どそく)厳禁」とは、くつを脱げという意味である。
3 禁止（　　　　）スル prohibit 大学内では学生の駐車(ちゅうしゃ)は禁止されている。

　　　　　　　　　　　　　　　　　1 きん・じる　2 げんきん　3 きんし

III 練習問題

〔1〕異(こと)なる部分に注目して、下線部の言葉の書き方、あるいは読み方を選びなさい。
（一方の語には、実際に使われていないものもあります。）

1. 地球上には海とりくがある。　　　　　　　{a. 陸　　b. 隣}
2. 子供(こども)を保育園(ほいくえん)*にあずける。 nursery school　{a. 予ける　b. 預ける}
3. 経験をきょうゆうする。　　　　　　　　　{a. 供有　b. 共有}
4. 人口がげきぞうした。　　　　　　　　　　{a. 激増　b. 厳増}
5. 家族をあいしている。　　　　　　　　　　{a. 愛　　b. 受}
6. 病気を予防する。　　　　　　　　　　　　{a. よほう　b. よぼう}
7. 時間を厳守する。　　　　　　　　　　　　{a. げんしゅ　b. げんしゅう}

〔2〕下線部は動詞の語構成の①のタイプです。読み方を書き、例のように書き換えなさい。

例）2年前に来日（らいにち）した。　　　　→〔日本へ〕来る

1. 大学院を受験（　　　　）する。　　　　→〔　　　　　〕受ける
2. 実験室を壁(かべ)で囲って防音（　　　　）にした。→〔　　　　　〕防ぐ
3. 銀行に預金（　　　　）する。　　　　　→〔　　　　　〕預ける

第12課　学習の要点2

4．台風が九州に<u>上陸</u>（　　　　　）した。　　　→〔　　　　　〕上がる

5．飛行機は時間どおりに<u>離陸</u>（　　　　　）した。→〔　　　　　〕離れる

〔3〕下線部は動詞の語構成の②のタイプです。読み方を書き、例のように書き換えなさい。

例）教室で<u>自習</u>（じしゅう）する。　　　　　　→自分で〔　学習する　〕

1．天気が<u>急変</u>（　　　　　）する。　　　　　　→急に〔　　　　　　〕

2．人口が<u>激増</u>（　　　　　）する。　　　　　　→激しく〔　　　　　〕

3．資源を<u>再利用</u>（　　　　　）する。　　　　　→再び〔　　　　　　〕

4．論文の初めに目的を<u>明示</u>（　　　　　）する。→明らかに〔　　　　　〕

5．動物と人間が<u>共生</u>（　　　　　）する世界を目指す。→共に〔　　　　　〕

6．<u>村上春樹</u>*を<u>愛読</u>（　　　　　）している。　→好んで〔　　　　　〕

　　　　　　　　　　　　　　　　　　　　　　　　　　　　作家（1949～　）

7．日本に<u>永住</u>（　　　　　）する。　　　　　　→永久に〔　　　　　〕

8．<u>先行</u>（　　　　　）研究をよく読む。　　　　→先に〔　　　　　　〕

【Ⅱ】　漢字熟語の音変化

二つ以上の漢字が熟語（compound word）になったとき、1字のときとは音が変わることがあります。これまで学習した熟語の読み方を復習しましょう。

1　△＋○○　→　△○゛○
　a. 後ろの漢字が訓読みの場合、後ろの漢字の最初の音に濁点（゛）が付きます。
　　例）入＋口→　入口（いりぐち）
　b. 後ろの漢字に濁点が含まれている場合は付きません。
　　例）北＋風→　北風（きたかぜ）（「＊きたがぜ」と読みません）
　c. 音読みでも濁点の付く場合があります。
　　例）自動車＋会社→　自動車会社（じどうしゃがいしゃ）

第Ⅰ部

〔4〕濁点(゛)に注意して、下線部の言葉の読み方を書きなさい。

1．アジアの<u>国々</u>へ旅行して、<u>人々</u>と知り合った。　_____　_____

2．ワープロを使わずに<u>手書き</u>で<u>手紙</u>を書く。　_____　_____

3．図書館の<u>右隣</u>に<u>大型</u>計算機（けいさんき）センターができた。　_____　_____

> 2　く＋k → っk
> 「く」で終わる音読みの漢字の後にkの音が続くとき、「く」は「っ」になります。
> 　　例）学校（がっこう）　楽器（がっき）　学会（がっかい）　各国（かっこく）

〔5〕「く」、「っ」に注意して、下線部の言葉の読み方を書きなさい。

1．<u>学生</u>が<u>学会</u>で発表する。　_____　_____

2．<u>悪性</u>の病気になり、<u>次第</u>（しだい）に<u>悪化</u>した。　_____　_____

3．<u>北海道大学</u>を<u>北大</u>と呼ぶ。　_____　_____

> 3　つ ＋ k, s, t → っk, s, t
> 「つ」で終わる漢字の後に「k, s, t」が続くとき、「つ」は「っ」になります。
> 　　例）実験（じっけん）　実際（じっさい）　実体（じったい）

〔6〕「つ」、「っ」に注意して、下線部の言葉の読み方を書きなさい。

1．19世紀は<u>発見</u>の世紀、20世紀は<u>発明</u>の世紀といわれる。

　_____　_____

2．<u>必修</u>科目を20<u>単位</u>取ることが<u>必要</u>だ。　_____　_____

3．竹は<u>温帯</u>から<u>熱帯</u>にかけて分布している。　_____　_____

> 4　つ＋h　→　っ＋p
> 「つ」で終わる音読みの漢字の後に「h」の音が続くとき、「つ」は「っ」になり、「h」の音は「p」の音になります。
> 　例）出発（しゅっぱつ）

〔7〕下線部の言葉の読み方を書きなさい。

1．オリンピックに<u>出場</u>するために、中国に<u>出発</u>した。　_____　_____

2．A自動車会社は新しい自動車の<u>発売</u>を<u>発表</u>した。　_____　_____

> 5　○ん＋h　→○ん＋p
> 「ん」で終わる音読みの漢字の後に「h」の音が続くとき、「h」は「p」になります。
> 　例）　新品（しんぴん）　分配（ぶんぱい）

〔8〕下線部の言葉の読み方を書きなさい。

1．市は市内の公園の<u>分布</u>図を作って市民に<u>配布</u>した。　_____　_____

2．図1を見ると、aとbは<u>比例</u>＊し、aとcは<u>反比例</u>している。　　be proportional
　_____　_____

〔9〕筆順(ひつじゅん)に注意して、学習漢字を何度も書いて練習しなさい。

Ⅳ　まとめ

〔1〕この課のテーマの語彙です。声に出して読みなさい。

1．預金　　2．着陸　　3．愛用　　4．共有

5．予防　　6．激増　　7．厳禁

〔2〕下線部の言葉を漢字で書きなさい。

1．金利*が上がって、よきんする人がげきぞうした。　　　　interest, rates

2．社長あいようの飛行機が空港にちゃくりくした。

3．ウイルスをよぼうするために、ファイルのきょうゆうをげんきんする。《コ》

第13課　日本での生活

Ⅰ　ウォーミングアップ

◇　下線部に注意して次の文を読みなさい。

1．アパートに<u>入居</u>する際、<u>保証人</u>が必要だ。

2．私は<u>奨学金</u>とアルバイトで生活を支えている。

3．物価が高くて<u>生活費</u>が大変だが、残った金は<u>預金</u>している。

4．帰宅してから予習、復習と宿題をするので、生活が<u>夜型</u>になった。

5．<u>愛用</u>の自転車で<u>通学</u>している。

6．生活は大変だが、<u>世界各国</u>の友人と<u>一緒</u>なので、心は<u>豊か</u>だ。

Ⅱ　テーマの語彙

〔1〕この課のテーマの語彙です。見たことがあるものに レ を付けなさい。

□ 滞在　　□ 慣れる　　□ 国籍　　□ 寮　　□ 健康

□ 就職　　□ 職業　　□ 規則　　□ 規則的

〔2〕声に出して読み、聞いたことがあるものに レ を付けなさい。

□ たいざい　　□ なれる　　□ こくせき　　□ りょう　　□ けんこう

□ しゅうしょく　□ しょくぎょう　□ きそく　　□ きそくてき

Ⅲ 学習漢字

◇ まず、（　）に読み方を考えて書きなさい。次に、下の答えを見て確かめなさい。間違っていた場合は、その原因（げんいん）を考えましょう。（太字はテーマの語彙（ごい））

1

| 滞 | とどこお・る
タイ | stagnate / delay
滞　滞
막힐(체) | 1級
氵 | 氵 氵 汁 沖 滞 滞 滞　13 |

1 滞る（　　　る）　　　　交通が滞ることを交通渋滞＊という。　traffic congestion
2 滞在（　　　）スル stay　日本に3年滞在している。
3 停滞（　　　）スル stagnate　経済が停滞している。

　　　　　　　　　　　　1 とどこお・る　2 たいざい　3 ていたい

2

| 慣 | な・れる
な・らす
カン | habit
慣　慣
익숙할(관) | 2級
忄 | 忄 忄 忄 忄 慣 慣　14 |

1 **慣れる**（　　　れる）get used to　日本の食べ物には、なかなか慣れることができない。
2 習慣（　　　）habit　日本人の習慣には、興味深いものがある。
3 慣習（　　　）custom　日本には、年に2回贈（おく）り物をする慣習がある。
4 慣用表現（　　　）idiom expression　「手」に関する慣用表現は世界各国にある。

　　　　　　　　1 な・れる　2 しゅうかん　3 かんしゅう　4 かんようひょうげん

3

| 籍 | セキ | register
籍　籍
서적(적) | 2級
竹 | 竹 竹 竹 竹 籍 籍　20 |

1 国籍（　　　）nationality　寮には様々な国籍の学生が住んでいる。
2 書籍（　　　）book　書籍というのは、本のことである。
3 学籍番号（　　　）student ID number　書類に、氏名・学籍番号を書く。

　　　　　　　　　　　　1 こくせき　2 しょせき　3 がくせきばんごう

第13課　日本での生活

4　寮　リョウ
dormitory
寮　寮
동관（료）
1級
宀
宀宊宊容寮
15

1　寮（　　　）　留学生の寮には、世界各国の学生が住んでいる。

1　りょう

5　健　すこ・やか／ケン
healthy
健　健
건강할（건）
1級
イ
イ　イヨ伊伊健
11

1　健やか（　　やか）ナ　子供の健やかな成長を願って、神社に参拝する*。
go and worship

1　すこ・やか

6　康　コウ
healthy
康　康
편안할（강）
1級
广
广庐庐庚康
11

1　健康（　　　）ナ　healthy　外国では特に、健康に注意しなくてはならない。

1　けんこう

7　就　つ・く／シュウ
set about
就　就
나아갈（취）
1級
尢
京　尌就就
12

1　就く（　　く）　将来は、好きな仕事に就いて、豊かな生活をしたい。
2　就職（　　　）スル　get a job　日系の自動車会社に就職したい。
3　就学（　　　）スル　enter school　日本の就学年齢は6歳である。

1　つ・く　2　しゅうしょく　3　しゅうがく

105

第Ⅰ部

8 職 ショク employment / job 职 職 직분(직) 2級 耳 耳 耴 聕 職 職 18

1. 職業（　　　　　）occupation　自分の専門を生かせる*職業に就きたい。　make use of
2. 転職（　　　　　）スル change job　就職後３年以内に転職する若者が多い。

1 しょくぎょう　2 てんしょく

9 規 キ regulation 規 規 법(규) 2級 見 二 夫 規 11

1. 規則（　　　　　）rule　寮の規則を守る。
2. 規則的（　　　　　）ナ regular　規則的な生活は健康に良い。
3. 規格（　　　　　）standards　大型コンピューターの国際規格が作られた。

1 きそく　2 きそくてき　3 きかく

10 則 ソク rule 則 則 법(칙) 2級 刂 貝 則 9

1. 法則（　　　　　）law　本研究室では、経済の法則や経済理論を学ぶ。

1 ほうそく

Ⅳ 練習問題

〔1〕異なる部分に注目して、下線部の言葉の書き方、あるいは読み方を選びなさい。
　　（一方の語には、実際に使われていないものもあります。）

1. 日本に５年たいざいする予定だ。　　　　　　　　　{a. 滞在　b. 帯在}
2. 氏名、住所、所属、こくせきを記入する。　　　　　{a. 国昔　b. 国籍}
3. このりょうは留学生のためのものだ。　　　　　　　{a. 瞭　b. 寮}
4. 東京の会社にしゅうしょくしたい。　　　　　　　　{a. 就職　b. 就識}

第13課　日本での生活

5．きそくを守る。　　　　　　　　　　　　　　　{a. 規側　　b. 規則}

6．けんこうに悪いことはすべきではない。　　　　{a. 建康　　b. 健康}

7．日本の生活になれた。　　　　　　　　　　　　{a. 慣れた　　b. 貫れた}

〔2〕下線部の言葉の読み方を書きなさい。

1．自分の健康は自分で守らなければならない。　_____

2．大学生は4年生になる前から就職の準備を始める。　_____

3．大学の規則では、学部学生は学内に駐車(ちゅうしゃ)することができない。　_____

4．当社の応募資格*は、日本の国籍を持っていることである。qualification
　_____

5．日本に滞在している間は、日本の法律(ほうりつ)*を守らなければならない。law
　_____

6．日本のコンピューターに慣れていないので、使いにくい。　_____

7．私は毎朝、30分散歩(さんぽ)することを習慣にしている。　_____

〔3〕下線部の読み方を書き、意味を考えなさい。

1．この書類に書いてある「在留期間」とは滞在期間の意味である。
　_____

2．不規則な生活は健康に良くない。　_____

3．教科書は、大学生協（生活協同組合）*の書籍売り場で売っている。cooperative
　_____

4．毎朝、パソコンでメールを見ることが習慣化した。　_____

107

5．本大学の国際交流会館には、留学生だけが入寮することができる。

6．就職活動のために会社の情報を集める。

7．不規則な生活は不健康だ。

8．若者の就職難は大きな社会問題である。

〔4〕次の文を読んで、内容が正しければ○、正しくなければ×を付けなさい。

（　）1．日本では職業を自由に選ぶことができる。

（　）2．日本に1カ月滞在すれば、日本国籍を取ることができる。

（　）3．日本には12月31日にそばを食べる慣習がある。

（　）4．牛乳（ぎゅうにゅう）は栄養（えいよう）＊が豊富で健康に良い。　　　　　nourishment

（　）5．日本の大学は、学生の健康のために、酒を飲むことを禁じている。

（　）6．留学生のアルバイトには就業時間に関する規則がある。

（　）7．ニュートンはバナナが落ちるのを見て、引力（いんりょく）＊の法則を考えたといわれる。　　　　　gravitation

〔5〕筆順（ひつじゅん）に注意して、学習漢字を何度も書いて練習しなさい。

Ⅴ　まとめ

〔1〕この課のテーマの語彙（ごい）です。声に出して読みなさい。

1．滞在　　2．慣れる　　3．寮　　4．国籍　　5．健康

6．就職　　7．職業　　　8．規則　9．規則的

〔2〕最も適当なものを選びなさい。

留学生として半年 ｛a. 滞在　b. 習慣　c. 就職｝ しているので、日本での生活に慣れてきた。

〔3〕下線部の言葉を漢字で書きなさい。

1. 日本に３年<u>たいざい</u>しているので、すっかり日本の生活に<u>な</u>れた。

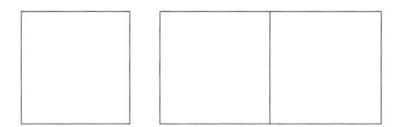

2. <u>りょう</u>には様々な<u>こくせき</u>の学生が住んでいる。

3. <u>しゅうしょく</u>してから、<u>けんこう</u>のために、<u>きそく</u>的な生活をするようにしている。

コラム２：３字漢語

次の言葉の構成を考えましょう。

例）　就職は<u>青少年</u>にとって大きい問題だ。　　　→〔青年〕＋〔少年〕

1. 地球の温暖化は<u>動植物</u>を減少させている。　　→〔動物〕＋〔　　〕
2. インターネットを通じて個人的な<u>輸出入</u>ができる。→〔　　〕＋〔　　〕
3. スポーツに興味を持つ<u>中高年</u>が増えている。　　→〔　　〕＋〔　　〕
4. 雪のため、飛行機が時間どおりに<u>離着陸</u>できない。→〔　　〕＋〔　　〕

第I部

第14課　手の動作(どうさ)

I　ウォーミングアップ

◇　次の文を読みなさい。下線部はこの課のテーマに関する語彙(ごい)です。

1．A型ロボットは、ボールを<u>投げる</u>、<u>打つ</u>、<u>転がす</u>、<u>受ける</u>などの動作ができる。

2．B型ロボットは、アームの先端で物を<u>握り</u>、<u>持ち上げる</u>ことができる。

3．C型ロボットは、アームの角度を変えて、<u>押す</u>、<u>引く</u>、<u>回す</u>などの動作を行う。

4．D型ロボットは、<u>親指</u>と<u>人差し指</u>で小さい物を<u>挟む</u>*ことができる。　　pick up

5．E型ロボットは、<u>指を折って</u> <u>数える</u>ことができる。

II　テーマの語彙(ごい)

〔1〕この課のテーマの語彙(ごい)です。見たことがあるものに☑を付けなさい。

□ 招く　　□ 探す　　□ 探る　　□ 描く　　□ 抱く　　□ 抱える

□ 技術　　□ 触れる　□ 触る　　□ 捕らえる　□ 操作　　□ 破る

〔2〕声に出して読み、聞いたことがあるものに☑を付けなさい。

□ まねく　□ さがす　□ さぐる　□ えがく　□ だく(□ いだく)　□ かかえる

□ ぎじゅつ　□ ふれる　□ さわる　□ とらえる　□ そうさ　□ やぶる

第14課　手の動作

III　学習漢字

◇ まず、（　）に読み方を考えて書きなさい。次に、下の答えを見て確かめなさい。
間違っていた場合は、その原因を考えましょう。（太字はテーマの語彙）

1

招	まね・く ショウ	invite 招　招 부를（초）	2級 扌	扌　扌　招

1　招く（　　　く）① invite　　　**友人を自分の部屋に招く。**
　　　　　　　　② bring about　二酸化炭素（CO_2）の増加が温暖化を招く。

2　招待（　　　）スル invite　　**友人を結婚式に招待する。**

　　　　　　　　　　　　　　　　　　　　1　まね・く　2　しょうたい

2

探	さが・す さぐ・る タン	look for / search 探　探 찾을（탐）	2級 扌	扌　扌　扌　探

1　探す（　　　す）　　　　　　　図書館で資料を探す。
2　探る（　　　る）investigate　　新しい研究方法を探る。
3　探求（　　　）スル search　　　**世界平和を探求する。**
4　探究（　　　）スル investigate　**日本語を通して日本文化を探究する。**

　　　　　　　　　1　さが・す　2　さぐ・る　3　たんきゅう　4　たんきゅう

3

描	えが・く ビョウ か・く	draw 描　描 그릴（묘）	1級 扌	扌　扌　描

1　描く（　　　く）　　　　　　　ツール*を使ってグラフを描く。《コ》　　　tool
2　描写（　　　）スル describe　**この小説は日本人の生活を描写した作品だ。**

　　　　　　　　　　　　　　　　　　　　1　えが・く　2　びょうしゃ

4 抱

だ・く いだ・く かか・える ホウ	hug / hold / carry 抱 抱 안을(포)	2級 扌	扌 扌 扚 拘 抱 8

1 抱く（　　く）　　母親が子供を抱いている。
2 抱く（　　く）　　夢*と希望*を心に抱いて日本へ来た。　　dream, hope
3 抱える（　　える）　　政府は多くの問題を抱えている。

　　　　　　　　　　　　　　1 だ・く　2 いだ・く　3 かか・える

5 技

わざ ギ	skill 技 技 재주(기)	2級 扌	扌 扌 技 7

1 技（　　）　　日本の相撲には約80の技があり、モンゴルの相撲には400の技がある。
2 技術（　　）technology　　20世紀は科学と技術の世紀といわれる。
3 特技（　　）special skill　　就職試験で、どんな特技があるか質問された。

　　　　　　　　　　　　　　1 わざ　2 ぎじゅつ　3 とくぎ

6 触

ふ・れる さわ・る ショク	touch 触 觸 닿을(촉)	2級 角	〃 勹 角 舮 触 13

1 触れる（　　れる）　　美術館の展示品*に手を触れることは禁じられている。　exhibit
2 触る（　　る）　　この博物館では、展示品に手で触ることができる。
3 接触（　　）スル contact　　この病気は接触によって感染*する。
4 手触り（　　り）touch　　この布は手触りが良い。

　　　　　　　　1 ふ・れる　2 さわ・る　3 せっしょく　4 てざわり

覚えるためのヒント

虫には、角のようなアンテナがある。
虫は手の代わりにそのアンテナで物に触る。

第14課　手の動作

7 捕　と・らえる／つか・まえる／と・る／ホ　catch　捕 捕　잡을(포)　2級　才　扌 扌 扚 捐 捕 捕　10

1 捕らえる（　　らえる）　犯人*を捕らえる。　criminal
2 捕まえる（　　まえる）　ネコはネズミを捕まえる。

1 と・らえる　2 つか・まえる

8 操　あやつ・る／ソウ　manipulate　操 操　잡을(조)　1級　才　扌 扩 护 挹 操　16

1 操る（　　る）　糸で人形を操る「操り人形」は、世界各国で見ることができる。
2 操作（　　）スル operate　初心者*でもパソコンを簡単に操作できる。　beginner
3 体操（　　）gymnastics　ラジオ体操は職場や学校で盛んに行われている。　職場

1 あやつ・る　2 そうさ　3 たいそう

9 破　やぶ・れる／ける／やぶ・る／く／ハ　break　破 破　깨뜨릴(파)　2級　石　石 石 矿 矿 破　10

1 破れる（　　れる）　紙の袋*はビニール*の袋より破れやすい。　bag, plastic
2 破る（　　る）　手で紙を破る。
3 破産（　　）スル go bankrupt　不況*のため、会社が破産した。　depression

1 やぶ・れる　2 やぶ・る　3 はさん

113

第Ⅰ部

Ⅳ 練習問題

〔1〕異なる部分に注目して、下線部の言葉の書き方、あるいは読み方を選びなさい。
　　（一方の語には実際に使われていないものもあります。）

1．自宅に友達を<u>まねく</u>。　　　　　　　　　　{a. 招く　　b. 紹く}

2．図書館で資料を<u>さがす</u>。　　　　　　　　　{a. 探す　　b. 深す}

3．母親が子供を<u>だく</u>。　　　　　　　　　　　{a. 包く　　b. 抱く}

4．<u>ぎじゅつ</u>が進歩する。　　　　　　　　　　{a. 折術　　b. 技術}

5．ボールは曲線を<u>えがいて</u>飛んでいった。　　{a. 描いて　b. 猫いて}

6．手を<u>ふれる</u>と危ない。　　　　　　　　　　{a. 触れる　b. 解れる}

7．虫＊を<u>つかまえる</u>。insect　　　　　　　　　{a. 補まえる　b. 捕まえる}

8．約束を<u>やぶる</u>。　　　　　　　　　　　　　{a. 披る　　b. 破る}

9．コンピューターを<u>操作</u>する。　　　　　　　{a. そうさ　b. そうさく}

〔2〕下線部の言葉の読み方を書きなさい。

1．日本人の友人を寮に<u>招いた</u>。　　　　　　　＿＿＿＿＿＿＿＿

2．図書館のパソコンを使って資料を<u>探した</u>。　＿＿＿＿＿＿＿＿

3．日本語の効果的な学習方法を<u>探って</u>いる。　＿＿＿＿＿＿＿＿

4．子供を<u>抱く</u>母親の絵が描かれている。　　　＿＿＿＿＿＿＿＿

5．疑問を<u>抱く</u>ことが科学の第一歩である。　　＿＿＿＿＿＿＿＿

6．日本に滞在する留学生たちは、様々な問題を<u>抱えて</u>いる。
　　　　　　　　　　　　　　　　　　　　　　＿＿＿＿＿＿＿＿

114

第14課　手の動作

7．オリンピックの新記録は次のオリンピックで破られる。

　　　　　　　　　　　　　　　　　　　　　　　　　　＿＿＿＿＿＿＿

8．パソコンを操作してレポートを書く。　　　　　　　＿＿＿＿＿＿＿

9．専門学校で、写真の知識と技術を身に付けた。　　　＿＿＿＿＿＿＿

10．山で珍しい*虫*を捕まえた。rare, insect　　　　　＿＿＿＿＿＿＿

11．警察*が泥棒*を捕らえた。police, thief　　　　　　＿＿＿＿＿＿＿

12．空気が乾燥しているとき金属に手を触れると、電気を感じる。

　　　　　　　　　　　　　　　　　　　　　　　　　　＿＿＿＿＿＿＿

13．同じ温度でも、木より金属のほうが、触ると冷たく感じる。

　　　　　　　　　　　　　　　　　　　　　　　　　　＿＿＿＿＿＿＿

14．彼は手が不自由なため、口に筆をくわえて*多くの絵を描いた。
　　　　　　　　　　　　　　　hold a brush in his mouth　＿＿＿＿＿＿＿

〔3〕下線部の読み方を書き、意味を考えなさい。

1．科学技術は20世紀に大きく進歩した。　　　　　　＿＿＿＿＿＿＿

2．不注意*が大きい事故を招く。carelessness　　　　＿＿＿＿＿＿＿

3．この布は手触りが良い。　　　　　　　　　　　　＿＿＿＿＿＿＿

4．自然科学の目的は自然の真理を探求（探究）することである。

　　　　　　　　　　　　　　　　　　　　　　　　　　＿＿＿＿＿＿＿

5．規則を破ることは悪いことだ。　　　　　　　　　＿＿＿＿＿＿＿

6．映画の招待券をもらった。free-ticket　　　　　　＿＿＿＿＿＿＿

第Ⅰ部

〔4〕次の文を読んで、内容が正しければ○、正しくなければ×を書きなさい。

（　）1．南極˚でペンギンを見たら、捕まえてもよい。　　　　the South Pole

（　）2．「先端技術」とは、古い技術のことである。

（　）3．過去の最高記録を破る記録を「新記録」という。

（　）4．自動車の増加は地球温暖化を招く。

（　）5．リモコンというのは、離れた所から操作するシステムである。

（　）6．日本の結婚式には、招待されていない人でも出席してよい。

（　）7．「招待する」というのは「ごちそうする」という意味である。

（　）8．点字というのは、目が不自由な人˚のための、手で触って読む文字である。

blind person

〔5〕正しいほうを選びなさい。

｛a．友人を結婚式に　　b．友人に料理を｝招待した。

〔6〕筆順に注意して、学習漢字を何度も書いて練習しなさい。

Ⅴ　まとめ

〔1〕この課のテーマの語彙です。声に出して読みなさい。

1．招く　2．探す　3．探る　4．描く　5．抱く　抱く　6．抱える

7．技術　8．捕らえる　9．捕まえる　10．操作　11．破る　12．触れる

13．触る

第14課　手の動作

〔２〕最も適当なものを選びなさい。

　手の動作には、破る、触れる、抱える、｛a．操る　b．技　c．招待する｝などがある。

〔３〕下線部の言葉を漢字で書きなさい。

1. 友人の家にまねかれたので、家をさがしながら行った。

2. 科学ぎじゅつが進歩した結果、環境問題をかかえるようになった。

3. パソコンのそうさに慣れた。マウスを動かして、画面に曲線をえがくこともできる。

4. ちょうをつかまえて、手をふれたら、羽(はね)がやぶれた。

第Ⅰ部

第15課　進歩(しんぽ)

Ⅰ　ウォーミングアップ

◇　次の文を読みなさい。下線部はこの課のテーマに関する語彙(ごい)です。

1．20世紀に科学技術が大きく<u>進歩</u>した。

2．コンピューターは20世紀の最も<u>画期的(かっきてき)</u>*な<u>発明</u>*である。　　epoch-making/invention

3．日本語学習の新しいプログラムの<u>開発</u>を<u>目指(めざ)して</u>*いる。　　　　aim

4．鳥は<u>恐竜(きょうりゅう)</u>*が<u>進化</u>*したものである。　　　　dinosaur, evolve

5．<u>必死(ひっし)に</u>*勉強した結果、成績が<u>向上</u>した。　　　　desperately

6．科学技術と社会的生産システムが<u>経済成長</u>を支えた。

Ⅱ　テーマの語彙(ごい)

〔1〕この課のテーマの語彙(ごい)です。見たことがあるものに☑を付けなさい。

□ 伸びる　　□ 努力　　□ 目標　　□ 発達　　□ 上達

□ 改める　　□ 改善　　□ 発展　　□ 追い付く　　□ 追い越す

〔2〕声に出して読み、聞いたことがあるものに☑を付けなさい。

□ のびる　　□ どりょく　　□ もくひょう　　□ はったつ　　□ じょうたつ

□ あらためる　　□ かいぜん　　□ はってん　　□ おいつく　　□ おいこす

118

第15課　進歩

III　学習漢字

◇ まず、(　)に読み方を考えて書きなさい。次に、下の答えを見て確かめなさい。
　間違っていた場合は、その原因を考えましょう。(太字はテーマの語彙)

1

| 伸 | の・びる
の・ばす
シン | improve / stretch
伸　伸
펼(신) | 2級
イ | イ　但　伸　　　7 |

1　伸びる(　　びる)　① grow　「背＊が伸びる」とは「身長＊が高くなる」という意味である。
　　　　　　　　　　　　　　　　　　　　　　　　　　　　　　　back, height
　　　　　　　　② improve　漢字の訓読みを覚えると、日本語を話す力が伸びる。
2　伸ばす(　　ばす) extend, develop　子供の才能を伸ばす。

　　　　　　　　　　　　　　　　　　　　　　1　の・びる　2　の・ばす

2

| 努 | つと・める
ド | endeavor
努　努
힘쓸(노) | 2級
力 | 女　奴　努　　　7 |

1　努める(　　める)　　　　　日本語で話すように努めている。
2　**努力**(　　　)スル make an effort　健康のために様々な努力をしている。

　　　　　　　　　　　　　　　　　　　　　　1　つと・める　2　どりょく

3

| 標 | ヒョウ | mark
标　標
표(표) | 1級
木 | 木　杧　標　標　標　　　15 |

1　**目標**(　　　) target　目標は日本語の専門書が読めるようになることだ。
2　標準(　　　) standard　身長(m)×身長(m)×22を標準体重としている。
3　座標(　　　) coordinate　P(a, b)で、aをPのx座標、bをPのy座標という。

　　　　　　　　　　　　　1　もくひょう　2　ひょうじゅん　3　ざひょう

第Ⅰ部

| 4 | 達 | タツ 〈たち〉 〈だち〉 | attain / arrive at 达 達 통달할 (달) | 2級 え | 土 幸 幸 達 | 12 |

1 達する（　　　する）　　平成13年に、留学生数は10万人に達した。
2 発達（　　　）スル develop　21世紀になって、情報技術が大きく発達した。
3 達成（　　　）スル attain　目標を達成するために努力する。
4 到達（　　　）スル reach　議論*の結果、同じ結論に到達した。　　argument
5 上達（　　　）スル improve　日本に来てから、日本語が上達した。
6 友達（　　　）friend　世界各国の留学生と友達になった。

1 たっ・する　2 はったつ　3 たっせい　4 とうたつ　5 じょうたつ　6 ともだち

覚えるためのヒント

羊が草をどんどん食べると、口が土に達する。

| 5 | 改 | あらた・まる あらた・める カイ | reform 改 改 고칠 (개) | 2級 攵 | コ 己 改 | 7 |

1 改める（　　　める）　　健康に悪い生活習慣を改める。
2 改良（　　　）スル improve　りんごの品種*を改良する。　species
3 改正（　　　）スル revise　憲法*の改正について議論が続いている。　constitution

1 あらた・める　2 かいりょう　3 かいせい

| 6 | 善 | よ・い ゼン | good 善 善 착할 (선) | 1級 口 | 羊 芏 羊 善 | 12 |

1 善（　　　）goodness　子供には善と悪を区別する*能力*がない。　distinguish, ability
2 改善（　　　）スル improve　教育制度を改善する。
3 善意（　　　）goodwill　善意から友達にアドバイスをしたが、怒らせてしまった。

1 ぜん　2 かいぜん　3 ぜんい

第15課　進歩

7 展　テン　stretch / develop　展 展　펼(전)　1級　尸 屛 屛 展 展　10

1. 発展（　　　　　）スル develop　鉄道ができてから、町が大きく発展した。
2. 展開（　　　　　）スル develop　本論文は漢字教育に関する議論を展開している。《論》
3. 進展（　　　　　）スル progress　ここ5年間に生物工学の分野に大きな進展があった。
4. 展示（　　　　　）スル exhibit　生物博物館には様々な標本が展示されている。

　　　　　　　　　　　　　　　1 はってん　2 てんかい　3 しんてん　4 てんじ

8 追　お・う　ツイ　chase　追 追　따를(추)　2級　亻 户 自 追　12

1. 追う（　　　う）　「時間に追われている」とは、忙しいという意味だ。
2. **追い付く**（　　い　　く） catch up　1回授業を休むと、追い付くのが大変だ。
3. 追加（　　　　　）スル add　試験を受けなかった学生のために、追加試験（追試）を行う。
4. 追求（　　　　　）スル pursue　資本主義は利益*を追求する。　　　　　profit

　　　　　　　　　　　　　　　1 お・う　2 お・いつく　3 ついか　4 ついきゅう

9 越　こ・す　こ・える　エツ　go beyond　越 越　넘을(월)　2級　走 走 赶 越 越　12

1. 越す（　　　す）　本論を書き終えれば、論文は山を越す*。　　　pass the peak
2. 越える（　　　える） overtake　国境を越えて隣の国へ行く。
3. **追い越す**（　　い　　す） get ahead　背が伸びて母を追い越した。
4. 引っ越し（　　　っ　　し）スル move　寮からアパートへ引っ越しする。

　　　　　　　　　　　　　　　1 こ・す　2 こ・える　3 おいこ・す　4 ひっこし

121

Ⅳ　練習問題

〔1〕異なる部分に注目して、下線部の言葉の書き方、あるいは読み方を選びなさい。
　　（一方の語には、実際に使われていないものもあります。）

1．予習、復習をしたら成績が<u>のびた</u>。　　　　{a. 信びた　　b. 伸びた}

2．犬が猫を<u>おう</u>。　　　　　　　　　　　　　{a. 追う　　b. 進う}

3．寮を出て、隣の町に<u>こした</u>。　　　　　　　{a. 超した　　b. 越した}

4．生活を<u>かいぜん</u>する。　　　　　　　　　　{a. 改善　　b. 改美}

5．町が<u>はってん</u>した。　　　　　　　　　　　{a. 発届　　b. 発展}

6．欠点を<u>改める</u>。　　　　　　　　　{a. あたらめる　　b. あらためる}

7．日本語だけで話すように<u>努力</u>している。　{a. どりょく　　b. どうりょく}

8．<u>目標</u>は、漢字を2000字覚えることだ。　　{a. めひょう　　b. もくひょう}

9．交通が<u>発達</u>する。　　　　　　　　　　　{a. はったつ　　b. はったち}

〔2〕下線部の言葉の読み方を書きなさい。

1．長期の<u>目標</u>と短期の目標を立てて勉強する。　　　＿＿＿＿＿＿＿

2．人は、目標があると<u>努力</u>することができる。　　　＿＿＿＿＿＿＿

3．努力すれば<u>上達</u>する。　　　　　　　　　　　　　＿＿＿＿＿＿＿

4．20世紀になって生化学の分野に大きな<u>進展</u>があった。
　　　　　　　　　　　　　　　　　　　　　　　　　　＿＿＿＿＿＿＿

5．今後、この研究分野は大きく<u>伸びる</u>だろう。　　　＿＿＿＿＿＿＿

6．19世紀末以来、日本は世界に<u>追い付く</u>ように努力した。
　　　　　　　　　　　　　　　　　　　　　　　　　　＿＿＿＿＿＿＿

7．技術を改善する。　　　　　　　　　　　＿＿＿＿＿＿＿＿＿＿

8．勉強方法を改める必要がある。　　　　　＿＿＿＿＿＿＿＿＿＿

9．飛行機は山脈を越えて飛んでいった。　　＿＿＿＿＿＿＿＿＿＿

10．世界人口は、21世紀半ばに93億人に達するだろう。　＿＿＿＿＿＿＿＿＿＿

〔3〕下線部の読み方を書き、意味を考えなさい。

1．レポートを完成したときは達成感がある。　　＿＿＿＿＿＿＿＿＿＿

2．漢字学習の到達目標を決める。　　　　　　　＿＿＿＿＿＿＿＿＿＿

3．カメ*は寝ているウサギ*を追い越して、山の頂上に先に到達した。 tortoise, hare
　　＿＿＿＿＿＿＿＿＿＿

4．標準体重は、健康のために良いとされる体重である。　＿＿＿＿＿＿＿＿＿＿

5．政府は、IT産業を日本の経済発展の中心にすると発表した。
　　＿＿＿＿＿＿＿＿＿＿

〔4〕次の文を読んで、内容が正しければ○、正しくなければ×を付けなさい。

（　）1．文法を覚えるだけでは日本語は上達しない。

（　）2．日本は島国なので、昔から船*による海上交通が発達していた。　　ship

（　）3．1969年に初めて月に到達したのは日本人だ。

（　）4．日本と中国の国境を歩いて越えることができる。

（　）5．人の身長は死ぬ*まで伸び続ける。　　die

（　）6．ライト兄弟*は自動車エンジンを改良して船を造った。
　　　　Wright brothers（1867-1912, 1871-1948）米

〔5〕正しいほうを選びなさい。

飛行機は時間どおりに空港に {a. 到達　b. 到着} した。

〔6〕筆順(ひつじゅん)に注意して、学習漢字を何度も書いて練習しなさい。

V　まとめ

〔1〕この課のテーマの語彙(ごい)です。声に出して読みなさい。

1．伸びる　　2．努力　　3．目標　　4．上達　　5．発達　　6．改善

7．改める　　8．発展　　9．追い付く　　10．追い越す

〔2〕最も適当なものを選びなさい。

{a. 到達　b. 達成　c. 目標　d. 進展} を立て、努力することによって、進歩する。

〔3〕下線部の言葉を漢字で書きなさい。

1．<u>もくひょう</u>に<u>とうたつ</u>することによって、<u>たっせい</u>感が得られる。

2．交通が<u>はったつ</u>することによって町が<u>はってん</u>する。

第15課　進歩

3．どりょくした結果、成績がのびた。

　　□□　□

4．IT産業の目標は、米国においつき、おいこすことだ。

　　□□

5．学生寮の古い制度をあらためるために、「かいぜん委員会*」を作った。
　　　　　　　　　　　　　　　　　　　　　　　　（い いんかい）
　　　　　　　　　　　　　　　　　　　　　　　　　　　committee

　　□□□

第Ⅰ部

第16課　修飾語1

Ⅰ　ウォーミングアップ

◇　次の文を読みなさい。下線部は修飾語です。

1．海底ケーブル*は、太いパイプの中に細い光ファイバー*が入っているケーブルである。
　　　　　　　　　　　　　　　　　　　　　submarine cable, optical fiber

2．センサーを用いて、魚群の細かい動きを知ることができる。

3．より軽い*ノートパソコンが開発された。　　　　　　　　　　　lighter

4．「科学」とは、狭い意味では自然科学を指し、広い意味では科学全体を指す。

5．留学生寮をさらに快適*な場所にするために、改善が必要だ。　comfortable

6．この手紙は今は重要ではないが、将来のために大切に取っておく。

Ⅱ　テーマの語彙

〔1〕　この課のテーマの語彙です。見たことがあるものにレを付けなさい。

　　□ 役立つ　　□ 詳しい　　□ 優秀　　□ 優れた　　□ 劣る

　　□ 極めて　　□ 可能　　　□ 有能　　□ 容易　　　□ ある種の

〔2〕声に出して読み、聞いたことがあるものにレを付けなさい。

　　□ やくだつ　□ くわしい　□ ゆうしゅう　□ すぐれた　□ おとる

　　□ きわめて　□ かのう　　□ ゆうのう　　□ようい　　□ あるしゅの

第16課　修飾語1

III　学習漢字

◇　まず、（　）に読み方を考えて書きなさい。次に、下の答えを見て確かめなさい。
　　間違っていた場合は、その原因を考えましょう。（太字はテーマの語彙）

1

| 役 | ヤク / エキ | role / service 役　役 부릴(역) | 2級 イ | 亻 彳 役役 7 |

1　役（　　　　）　　　　　　　　　国際祭のために、ポスターを作る役を引き受けた*。take on
2　役に立つ（　に　　つ）be helpful　パソコンの知識はすべての仕事の役に立つ。
3　**役立つ**（　　　　つ）useful　　**私の目標は、国の発展に役立つ研究をすることだ。**
4　役割（　　　　　）role　　　　　電気は生活の中で重要な役割を果たしている。
5　兵役（　　　　　）military service　日本には現在、兵役制度がない。

　　　　　　　　　　　1　やく　2　やく・に　た・つ　3　やくだ・つ　4　やくわり　5　へいえき

2

| 詳 | くわ・しい / ショウ | detailed 详　詳 자세할(상) | 1級 言 | 言 訁 詳詳 13 |

1　詳しい（　　　しい）　　　　　　**研究の詳しい内容はホームページに書いてある。**
2　詳細（　　　　　）ナ detailed　　この辞書は字源について詳細な説明がある。

　　　　　　　　　　　　　　　　　　　　　　　1　くわ・しい　2　しょうさい

3

| 優 | すぐ・れる / やさ・しい / ユウ | excel / gentle 优　優 넉넉할(우) | 2級 イ | 亻 亻 価 価 傊 優 17 |

1　優れる（　　　　れる）　　　　　AよりBのほうが優れている。
2　**優れた**（　　　　れた）excellent　**優れた論文に賞*が与えられる。** prize
3　優しい（　　　　しい）gentle　　母は心が優しく、だれにでも親切だ。

　　　　　　　　　　　　　　　1　すぐ・れる　2　すぐ・れた　3　やさ・しい

127

第Ⅰ部

4 秀 — ひい・でる / シュウ — excel — 1級 禾 — 禾秀秀 (7)

1 秀でる（　　でる）　この奨学金はスポーツに秀でている者に与えられる。
2 優秀（　　）ナ excellent　大学を優秀な成績で卒業した。

1 ひいでる　2 ゆうしゅう

5 劣 — おと・る / レツ — inferior — 1級 力 — 小少劣 (6)

1 劣る（　　る）　10年前のパソコンは、現在のものより性能が劣っていた。
2 優劣（　　）　この二つの方法は、どちらも優れていて優劣がつけられない。

1 おと・る　2 ゆうれつ

6 極 — きわ・まる / きわ・める / キョク — extreme / pole — 2級 木 — 木 杧 朽 柯 極 極 (12)

1 極めて（　　めて）extremely　この発見は医学の発展に極めて役に立つ。
2 極度（　　）ナ extreme　この地方は雨が少なく、極度に乾燥している。
3 南極（　　）the South Pole　南極大陸で低温科学の実験が行われた。

1 きわ・めて　2 きょくど　3 なんきょく

7 可 — カ — possible — 2級 口 — 一 口 可 (5)

1 可能（　　）ナ possible　実現が不可能な計画でなく、可能な計画を立てる。
2 不可欠（　　）ナ indispensable　人間には水が不可欠だ。

1 かのう　2 ふかけつ

第16課　修飾語1

8 能 ノウ | ability / Noh 能 能 능할(능) | 2級 月 | ム 肖 能 能　10

1. 能力（　　　）ability　この学生は、研究のために十分な日本語の能力がある。
2. **有能**（　　　）ナ talented　**優秀な研究室で有能な人材*が育つ。**　personnel
3. 知能（　　　）intelligence　イルカは動物の中でも知能が高いといわれる。
4. 機能（　　　）スル function　様々な機能を持つロボットが開発されている。
5. 能率（　　　）efficiency　電子メールを使うことによって調査の能率が上がる。
6. 才能（　　　）talent　音楽の才能がある人は踊りの才能もあるといわれる。
7. 能（　　　）Noh　能は日本の伝統芸能*の一種である。　traditional arts

1 のうりょく　2 ゆうのう　3 ちのう　4 きのう　5 のうりつ　6 さいのう　7 のう

9 易 やさ・しい イ エキ | easy 易 易 바꿀(역/이) | 2級 日 | 日 戸 号 易　8

1. 易しい（　　しい）　この問題は、易しそうに見えるが難しい。
2. **容易**（　　　）ナ easy　**漢字2000字という目標に到達するのは容易ではない。**
3. 安易（　　　）ナ easygoing　試験を安易に考えていると、失敗する*。　fail
4. 貿易（　　　）trade　日本は古くから中国との間で貿易を行ってきた。

1 やさしい　2 ようい　3 あんい　4 ぼうえき

10 種 たね シュ | seed /kind /species 种 種 씨(종) | 2級 禾 | 禾 稲 種 種　14

1. 種（　　　）seed　虫や鳥は、植物の種を運ぶ役割を果たしている。
2. **ある種の**（　　　）some species of　**ある種の植物は低温に強く、ある種の植物は弱い。**
3. 種類（　　　）a kind　植物園に、様々な種類の植物が植えられている。
4. 品種（　　　）species　米の品種をDNA分析*によって調べる。　analysis
5. 人種（　　　）race　社会学研究科で人種問題を研究している。

1 たね　2 あるしゅの　3 しゅるい　4 ひんしゅ　5 じんしゅ

Ⅳ　練習問題

〔1〕異(こと)なる部分に注目して、下線部の言葉の書き方、あるいは読み方を選びなさい。
　　（一方の語には、実際に使われていないものもあります。）

1．辞書は日本語の勉強にやくだつ。　　　　　　　　{a. 役立つ　　b. 投立つ}

2．くわしく述(の)べる。　　　　　　　　　　　　　　{a. 洋しく　　b. 詳しく}

3．AはBより品質がおとる。　　　　　　　　　　　　{a. 劣る　　　b. 努る}

4．やさしい問題を数多く解く。　　　　　　　　　　{a. 安しい　　b. 易しい}

5．将来、月旅行がかのうになるだろう。　　　　　　{a. 何能　　　b. 可能}

6．成績がゆうしゅうな学生に、奨学金が与(あた)えられる。　{a. 優秀　　　b. 優季}

7．この薬はあるしゅの植物から作られる。　　　　　{a. 種　　　　b. 重}

8．日本語が極めて早く上達した。　　　　　　　　　{a. きめて　　b. きわめて}

〔2〕下線部の言葉の読み方を書きなさい。

1．インターネットで研究の役に立つ情報を探した。　　　　＿＿＿＿＿＿＿

2．学校の成績は人間の優劣とは関係ない。　　　　　　　　＿＿＿＿＿＿＿

3．彼は優秀な研究者で、多くの賞を受賞(じゅしょう)した。　　＿＿＿＿＿＿＿

4．大学を優れた成績で卒業した。　　　　　　　　　　　　＿＿＿＿＿＿＿

5．20世紀には経済が極めて大きく発展した。　　　　　　　＿＿＿＿＿＿＿

6．これについては次の章(しょう)*で詳しく論じる。chapter《論》　＿＿＿＿＿＿＿

7．歌は一種のコミュニケーションである。　　　　　　　　＿＿＿＿＿＿＿

8．Windowsの開発はパソコン操作を容易にした。　　　　　＿＿＿＿＿＿＿

第16課　修飾語1

9．宇宙旅行は可能だが、月旅行はまだ不可能だ。　　　　　　　　　　

10．当研究室は有能な技術者、研究者を育成(いくせい)している。　　　　　　　　　　

〔3〕下線部の読み方を書き、意味を考えなさい。

1．事故の原因(げんいん)を詳細に調べた。　　　　　　　　　　

2．社会に役立つ人間の育成は、大学の役割の一つだ。　　　　　　　　　　

3．ある種の物質は、ただ*1種類の原子(げんし)*からできている。only, atom
　　　　　　　　　　

4．空港の入国手続きが簡易化された。　　　　　　　　　　

5．人工知能研究室で自然言語理解を研究している。　　　　　　　　　　

6．講義室の机(つくえ)といすは、すべて可動式になっている。　　　　　　　　　　

7．才能を伸ばすためには、親のほめ言葉は不可欠だ。　　　　　　　　　　

〔4〕下線部は専門書・論文などに見られる既習漢字の言葉です。読んで意味を考えなさい。

1．主な原因は次の三つである。　　　　　　　　　　

2．この仏像(ぶつぞう)*が8世紀のものであることは明らかだ。Buddha statue
　　　　　　　　　　

3．この作品が作られた年代は不明である。　　　　　　　　　　

4．実験の過程で新たな発見があった。　　　　　　　　　　

5．森林(しんりん)は美しいだけでなく、多様な働きがある。　　　　　　　　　　

6．重要な部分に下線を引く。　　　　　　　　　　

7．この地方の主要な産業は農業である。

第Ⅰ部

8．友人の助言はいつも適切だ。　　　　　　　_____

9．新聞は、日本のことを知るのに最も適した教科書だ。
　　　　　　　　　　　　　　　　　　　　　　_____

〔5〕筆順(ひつじゅん)に注意して、学習漢字を何度も書いて練習しなさい。

Ⅴ　まとめ

〔1〕この課のテーマの語彙(ごい)です。声に出して読みなさい。

　1．役立つ　　2．詳しい　　3．優秀　　4．優れた　　5．劣る

　6．極めて　　7．可能　　8．有能　　9．容易　　10．ある種の

〔2〕最も適当なものを選びなさい。

この本は ｛a．可能な　b．詳細な　c．優秀な　d．一種の｝ 説明があり、分かりやすい。

〔3〕下線部の言葉を漢字で書きなさい。

1．この辞書は意味がくわしく書いてあって、勉強のやくに立つ。

　□□

2．ゆうしゅうな人は、自分のすぐれた点とおとった点を把握している。

　□□　□　□

3．目標はゆうのうな技術者になることだ。

4．この薬はあるしゅの病気に対して、きわめて有効である。

5．情報ネットワークにより、情報をよういに手に入れることがかのうになった。

第17課　学習の要点3　動詞の語構成②

Ⅰ　テーマの語彙

〔1〕この課のテーマの語彙です。見たことがあるものに ☑ を付けなさい。

☐ 救助　☐ 援助　☐ 支援　☐ 検査　☐ 調査　☐ 破壊

☐ 労働　☐ 疲労　☐ 雇用　☐ 停止　☐ 戦争

〔2〕声に出して読み、聞いたことがあるものに ☑ を付けなさい。

☐ きゅうじょ　☐ えんじょ　☐ しえん　☐ けんさ　☐ ちょうさ　☐ はかい

☐ ろうどう　☐ ひろう　☐ こよう　☐ ていし　☐ せんそう

動詞の語構成②

漢語動詞の語構成③、④のタイプを学習します。（cf. 第12課）

③ $V_1 + V_2$ 〔$V_1 ≒ V_2$〕　　例）学習：「学ぶ」と「習う」（だいたい同じ意味）

④ $V_1 + V_2$ 〔$V_1 ⇄ V_2$〕　　例）開閉：「開ける」と「閉める」（反対の意味）

Ⅱ　学習漢字

◇ まず、（　）に読み方を考えて書きなさい。次に、下の答えを見て確かめなさい。
　間違っていた場合は、その原因を考えましょう。（太字はテーマの語彙）

| 1 | 救 | すく・う
キュウ | save
救救
구원할（구） | 2級
攵 | 十 寸 求 求 救　11 |

1　救う（　　　う）　　医学や薬学は人の命*を救うための科学である。　　life

2　**救助**（　　　）スル rescue　川に落ちた子供が救助された。

1 すく・う　2 きゅうじょ

2 援 エン — aid 援援 도울(원) — 1級 扌 — 扌 扩 押 捋 援 12

1. 援助（　　　）スル assist　親が子供を経済的に援助する。
2. 救援（　　　）スル rescue, relieve　地震の被害者*が救援を求めている。　victims
3. 支援（　　　）スル support　この市には、留学生を支援する団体*がある。　group
4. 応援（　　　）スル cheer　オリンピックでは、だれでも自分の国を応援する。

1 えんじょ　2 きゅうえん　3 しえん　4 おうえん

3 検 ケン — examine 検検 검사할(검) — 2級 木 — 木 杧 杧 柃 検 12

1. 検査（　　　）スル examine　市内の川の水質を検査した。
2. 検出（　　　）スル detect　検査の結果、食品からウイルスが検出された。

1 けんさ　2 けんしゅつ

4 査 サ — look into 査査 조사할(사) — 2級 木 — 木 杳 杳 査 9

1. 調査（　　　）スル survey　留学生の生活について詳しい調査を行った。

1 ちょうさ

5 壊 こわ・れる／こわ・す／カイ — break 坏壊 무너질(괴) — 1級 土 — 扌 扩 坰 壊 16

1. 壊れる（　　　れる）　地震で建物が壊れた。
2. 破壊（　　　）スル destroy　戦争で町の大部分が破壊された。

1 こわ・れる　2 はかい

6 労 ロウ — labor / fatigue 劳 勞 수고로울(로) 2級 力

1 労働（　　　　）スル labor	労働して収入を*得る。	income
2 疲労（　　　　）スル be fatigued	極度の疲労は病気の原因になる。	
3 苦労（　　　　）スル have a hard time	漢字を覚えるのに苦労している。	

1 ろうどう　2 ひろう　3 くろう

7 雇 やと・う / コ — employ 雇 雇 품삯(고) 2級 隹

1 雇う（　　　う）	この会社は100人の社員を雇っている。
2 雇用（　　　　）スル employ	女性の雇用が増えている。
3 解雇（　　　　）スル dismiss	不況*のため、多数の社員が解雇された。 depression

1 やと・う　2 こよう　3 かいこ

8 停 テイ — stop 停 停 머무를(정) 2級 イ

1 停止（　　　　）スル stop	「切」と書かれたスイッチを押すと、機械が停止する。
2 停滞（　　　　）スル stagnate	経済の停滞が続き、国民の生活水準が低下した。

1 ていし　2 ていたい

9 戦 たたか・う / セン — fight 战 戰 싸울(전) 2級 戈

1 戦う（　　　う）fight	相撲は1対1で戦うスポーツである。
2 戦争（　　　　）スル war	戦争の後、日本の社会、文化、習慣が大きく変わった。

1 たたか・う　2 せんそう

第17課　学習の要点3

10	争	あらそ・う ソウ	compete 争 争 다툴(쟁)	2級 ク	ク 刍 争

1　争う（　　　う）　　　電気メーカー各社は、新型テレビの優劣を争っている。
2　論争（　　　）スル debate　脳死*について論争が続いている。　　brain death

1 あらそ・う　2 ろんそう

III 練習問題

〔1〕異なる部分に注目して、下線部の言葉の書き方、あるいは読み方を選びなさい。
　　（一方の語には、実際に使われていないものもあります。）

1．留学生をしえんする。　　　　　　　　　　　{a. 支援　　b. 支暖}
2．救急車が急病人をきゅうじょした。　　　　　{a. 球助　　b. 救助}
3．車は赤信号でていしする。　　　　　　　　　{a. 停止　　b. 保止}
4．洪水*が町をはかいした。flood　　　　　　　{a. 破懐　　b. 破壊}
5．超音波*を使って体をけんさする。supersonic wave　{a. 検査　　b. 験査}
6．この会社は外国人を多くこようしている。　　{a. 肩用　　b. 雇用}
7．せんそうの後、日本の社会は大きく変わった。{a. 戦争　　b. 単静}
8．苦労して漢字を覚えた。　　　　　　　　　　{a. くろう　　b. くうろう}

〔2〕下線部の言葉の読み方を書きなさい。

1．検査の結果、新種のウイルスが検出された。　　　＿＿＿＿＿＿
2．オゾン層が破壊されると紫外線*が増加する。ultraviolet rays　＿＿＿＿＿＿
3．少子化は労働人口の減少につながる。　　　　　　＿＿＿＿＿＿
4．ある種のビタミンには疲労回復の効果がある。　　＿＿＿＿＿＿

5. 地震の被災地*に救助活動に行く。devastated area _____

6. A国がB国に技術援助を行う。 _____

7. A国とB国の間に戦争が起こった。 _____

8. 終身雇用*は日本の会社の特徴であった。lifelong employment _____

9. 睡眠中に呼吸*が停止することがある。breathing _____

10. 発表のためにアンケート調査を行った。 _____

〔3〕〔　〕内の漢字と意味が似ている漢字を下の｛　｝から選んで下線部に書き、2字熟語を作りなさい。(　)内の読み方をヒントにしなさい。

例）授業は12時に〔終 了〕する。(しゅうりょう)

1. 自分の気持ちを言葉で〔表 ＿＿＿〕する。(ひょうげん)

2. 来週から後期の授業を〔開 ＿＿＿〕する。(かいし)

3. 漢字の試験の際、辞書を〔使 ＿＿＿〕してもよい。(しよう)

4. 留学生の数が〔＿＿＿ 加〕している。(ぞうか)

5. 単位を〔＿＿＿ 得〕する。(しゅとく)

6. 発表の後で、質疑〔応 ＿＿＿〕を行う。(おうとう)

｛終　回　増　始　用　現　取　答｝

〔4〕1群と2群から、意味が似ている漢字を線で結び、動詞を作りなさい。

1群｛学　労　検　戦　救　停　支　変　破　疲　雇｝

2群｛助　習　働　争　査　更　壊　労　援　用　止｝

第17課　学習の要点3

〔5〕二つの漢字は意味が似ています。知っている漢字と文脈から下線部の言葉の意味を推測（すいそく）しなさい。

1. 面接試験では、希望（きぼう）する研究課題について聞かれる。

2. 民放（みんぽう）の番組はスポンサーが提供（ていきょう）している。

3. 写真を添付（てんぷ）ファイルとして電子メールで送る。

4. 留学生に共通する問題は、睡眠（すいみん）時間が足りないことである。

5. 通学の時間帯は、交通が渋滞（じゅうたい）する。

6. 選択（せんたく）式の復習テストを行う。

7. モナリザ*の絵の美しさは時代を超越（ちょうえつ）している。　　　　the Mona Lisa

8. 奈良（なら）の法隆寺（ほうりゅうじ）は7世紀に建築（けんちく）された。

〔6〕{　}内の語は反対の意味の漢字から構成されています。意味を考え、1.～6.の（　）に{　}から選んで適当な記号を入れなさい。また、読み方を書きなさい。

1. 去年新築されたビルは、外からエレベーターが（　　）するのが見える。
　　　　　　　　　　　　　　　　　　　　　　　　　　　　　＿＿＿＿＿＿＿＿＿

2. 天候（てんこう）は人の気分を（　　）*する。influence　　＿＿＿＿＿＿＿＿＿

3. 大気中の二酸化炭素（にさんかたんそ）（CO₂）は、気温によって（　　）する。　＿＿＿＿＿＿

4. 悪天候のため、飛行機は予定どおりに（　　）することができない。
　　　　　　　　　　　　　　　　　　　　　　　　　　　　　＿＿＿＿＿＿＿＿＿

5. 自転車で大学と寮の間を（　　）している。　　＿＿＿＿＿＿＿＿＿

{ a. 往復（おうふく）　b. 発着　c. 増減　d. 左右（さゆう）　e. 上下 }

〔7〕筆順（ひつじゅん）に注意して、学習漢字を何度も書いて練習しなさい。

Ⅳ　まとめ

〔1〕この課のテーマの語彙です。声に出して読みなさい。

1. 救助　　2. 援助　　3. 支援　　4. 検査　　5. 調査　　6. 破壊

7. 労働　　8. 疲労　　9. 雇用　　10. 停止　　11. 戦争

〔2〕下線部の言葉を漢字で書きなさい。

1. けんさの結果、体が極度にひろうしていることがわかった。

2. 地震ではかいされた町にきゅうじょ活動に行く。

3. この会社は外国人ろうどうしゃをこようしている。

4. せんそうのため、ODA*（政府開発えんじょ）がていしされた。

Official Development Assistance

第18課　状態(じょうたい)

Ⅰ　ウォーミングアップ

◇　次の文を読みなさい。下線部はこの課のテーマに関する語彙(ごい)です。

1. 火山が噴火(ふんか)*したときの山頂の様子を、人工衛星(えいせい)の画像(がぞう)で見た。　　erupt

2. 論文は未完成だが、仕事の都合(つごう)で帰国しなければならない。

3. 地震が起こった場合、特に暗い場所でパニック*になりやすい。　　panic

4. 体の調子が悪いので、病院で検査してもらった。

5. エレベーターは検査のため停止中だ。

6. 実験は今のところ*好調(こうちょう)だ。　　at the moment

Ⅱ　テーマの語彙(ごい)

〔1〕この課のテーマの語彙(ごい)です。見たことがあるものに レ を付けなさい。

　　□ 状態　　　□ 段階　　　□ 異常　　　□ 混乱

　　□ 途中　　　□ 普通　　　□ 状況

〔2〕声に出して読み、聞いたことがあるものに レ を付けなさい。

　　□ じょうたい　□ だんかい　□ いじょう　□ こんらん

　　□ とちゅう　　□ ふつう　　□ じょうきょう

Ⅲ　学習漢字

◇ まず、（　）に読み方を考えて書きなさい。次に、下の答えを見て確かめなさい。
　間違っていた場合は、その原因を考えましょう。（太字はテーマの語彙）

1

| 状 | ジョウ | form / situation
状　狀
형상 (상) | 2級
犬 | 丬 状状　7 |

1　**状態**（　　　　）state　　　**物質に熱を加えると、状態が変化する。**
2　～状（　　　　）form of　　BSEは牛の脳*がスポンジ*状になる病気である。
　　　　　　　　　　　　　　　　　　　　　　　　　　　　　　　　brain, sponge

　　　　　　　　　　　　　　　　　　　　　　　1　じょうたい　2　～じょう

2

| 態 | タイ | state / condition
态　態
태도 (태) | 1級
心 | 厶 育 能 能 態　14 |

1　態度（　　　　）attitude　　　授業中の態度が良い学生は、成績が優秀だ。
2　形態（　　　　）shape　　　　魚の形態の変化を調べている。
3　実態（　　　　）actual condition　留学生の生活の実態を調べた。

　　　　　　　　　　　　　　　　　1　たいど　2　けいたい　3　じったい

3

| 段 | ダン | step
段　段
층계 (단) | 2級
殳 | 亻 𠂊 𠂤 段　9 |

1　段（　　　　）　　　　　　　この寺の石段は1000段以上ある。
2　**段階**（　　　　）stage　　　**研究はまだ最初の段階だ。**
3　階段（　　　　）staircase　　階段を上下する車椅子*を開発した。
　　　　　　　　　　　　　　　　　　　　　　　　　　　　　wheelchair
4　手段（　　　　）means　　　問題解決のための手段を考える。
5　段落（　　　　）paragraph　この論文の第1章は、4段落に分かれている。

　　　　　　1　だん　2　だんかい　3　かいだん　4　しゅだん　5　だんらく

第18課　状態

4 異　こと・なる / イ　different　异 異　다를(이)　1級　田　田 甲 畀 異　11

1. 異なる（　　　　なる）　日本語の漢字と中国の漢字は、読み方が異なる。
2. **異常**（　　　　）ナ abnormal　地球温暖化のため、異常気象*が続いている。　weather
3. 異文化（　　　　）different culture　留学は、異文化を知る良い機会だ。

1 こと・なる　2 いじょう　3 いぶんか

5 常　つね / ジョウ　normal / usual　常 常　항상(상)　2級　巾　丷 爫 屵 尚 常　11

1. 常に（　　　　に）always　日本語の言葉を覚えるために、常に辞書を持っている。
2. 通常（　　　　）usually　通常は1時間かかる作業が、今日は30分でできた。
3. 平常（　　　　）usual　この授業は、平常点と出席状況によって成績を決める。
4. 日常（　　　　）daily　科学技術の研究成果は、日常生活に応用される。
5. 非常（　　　　）emergency　火事などの非常の場合は、非常口から外へ出る。
6. 非常に（　　　　に）very　この論文は非常に優れている。
7. 常識（　　　　）common sense　科学の進歩は、常識を疑うところから始まる。

1 つねに　2 つうじょう　3 へいじょう　4 にちじょう　5 ひじょう　6 ひじょうに　7 じょうしき

6 混　こ・む ま・じる / ま・ざる ま・ぜる / コン　mix / mingle　混 混　섞을(혼)　2級　氵　氵 沪 沪 混　11

1. 混じる（　　　　じる）　川の水にどんな物質が混じっているか、検査した。
2. 混ぜる（　　　　ぜる）　異なる2種類の物質を混ぜる。
3. **混乱**（　　　　）スル be confused　**戦争の後は、社会、政治が極めて混乱する。**
4. 混雑（　　　　）スル be crowded　朝7〜8時の時間帯は、バスが混雑する。

1 ま・じる　2 ま・ぜる　3 こんらん　4 こんざつ

143

7 乱 みだ・れる / みだ・す / ラン — disorder 乱 亂 어지러울(란) — 2級 し — 千 舌 乱 — 7

1. 乱れる（　　れる）fall into disorder 　長引く戦争のため、国内が乱れた。
2. 乱す（　　す）disturb 　ある種の外来動植物は生態系*を乱す。　ecosystem

1 みだ・れる　2 みだ・す

8 途 ト — way 途 途 길(도) — 2級 ⻌ — 入 入 余 余 途 — 10

1. 途中（　　）on the way, halfway 　大学へ行く途中で友人に会い、話の途中で別れた。
2. 中途（　　）halfway 　博士課程を中途で退学し、研究室の助手になった。
3. 用途（　　）use 　パソコンには様々な用途がある。

1 とちゅう　2 ちゅうと　3 ようと

9 普 フ — widespread 普 普 넓을(보) — 2級 日 — 丷 艹 並 並 普 — 12

1. 普通（　　）usually 　母は、普通の日には洋服、特別の日には和服を着る習慣だ。
2. 普段（　　）usually 　努力の結果、今週のテストは普段より良い成績だった。
3. 普及（　　）スル spread 　パソコンは世界各国に普及している。

1 ふつう　2 ふだん　3 ふきゅう

10 況 キョウ — conditions 況 況 하물며(황) — 2級 氵 — 氵 氵 況 — 8

1. 状況（　　）conditions 　現在の状況では、論文は今年中に終わらないだろう。
2. 不況（　　）stagnation 　不況のため、就職することが難しい。

1 じょうきょう　2 ふきょう

第18課　状態

IV　練習問題

〔1〕異なる部分に注目して、下線部の言葉の書き方、あるいは読み方を選びなさい。
（一方の語には、実際に使われていないものもあります。）

1．温度によって物質の<u>じょうたい</u>が変化する。　　{a. 状能　　b. 状態}

2．研究の現在の<u>じょうきょう</u>を知らせる。　　　　{a. 状祝　　b. 状況}

3．ここ数年、<u>いじょう</u>な天気が続いている。　　　{a. 異常　　b. 以上}

4．実験は最後の<u>だんかい</u>に来た。　　　　　　　　{a. 段階　　b. 階段}

5．問題が難しくて、頭が<u>こんらん</u>した。　　　　　{a. 温乱　　b. 混乱}

6．この番組は日本人の<u>ふつう</u>の生活を紹介している。{a. 不通　　b. 普通}

7．大学へ行く<u>途</u>中で救急車を見た。　　　　　　　{a. とちゅう　　b. とうちゅう}

〔2〕下線部の言葉の読み方を書きなさい。

1．いつも自分の<u>健康状態</u>に注意している。　　　　　＿＿＿＿＿＿

2．研究室の<u>活動状況</u>がホームページでわかる。　　　＿＿＿＿＿＿

3．<u>異常</u>があった場合は、機械（きかい）が停止する。　　　＿＿＿＿＿＿

4．地震（じしん）があったが、交通は<u>混乱</u>せず、<u>正常</u>に動き続けた。　＿＿＿＿＿＿

5．室温を<u>常</u>に25度に保っている。　　　　　　　　＿＿＿＿＿＿

6．研究を<u>中途</u>でやめた。　　　　　　　　　　　　＿＿＿＿＿＿

7．帰宅の<u>途中</u>、いつも喫茶店（きっさ）に寄る*（よ）。drop in　＿＿＿＿＿＿

8．反対意見が多く出て、会議が<u>混乱</u>した。　　　　＿＿＿＿＿＿

9．この本屋は<u>普通</u>の本だけでなく、特殊*（とくしゅ）な本も販売（はんばい）している。special
　　　　　　　　　　　　　　　　　　　　　　　　＿＿＿＿＿＿

10．風が吹（ふ）いて髪*（かみ）が<u>乱</u>れた。hair　　　　＿＿＿＿＿＿

145

〔3〕下線部の読み方を書き、意味を考えなさい。

1. 3年以上滞在している留学生の生活の実態を調べている。　_____

2. 政府は違法(いほう)コピー*に対して厳しい態度をとっている。illegal copy
　_____

3. 新しい学説*に対して、多くの異論があった。theory　_____

4. 留学は異文化に触れる良い機会だ。　_____

5. 学会の会場への交通手段をインターネットで調べた。　_____

6. 外国語は、初歩から段階的に学習したほうがいい。　_____

7. 新しい階段教室は300名収容(しゅうよう)することができる。　_____

8. 一つの国の文化は他(た)の国の文化と混じり合う。　_____

9. 日本経済の現状についての講演を聞いた。　_____

10. 日本文化と中国文化は似(に)ているため、欧米(おうべい)人は混同しがち*だ。be apt to
　_____

11. 「自分の常識は他人(たにん)の非常識」という言葉がある。　_____

12. 携帯電話は急速に普及した。　_____

13. 乱雑な部屋をきちんと*するのは、容易ではない。tidy
　_____

14. 乱暴(ぼう)な*使い方をしたのでパソコンが壊れた。rough　_____

15. 普段は歩いて大学へ行くが、今日はバスで行った。　_____

〔4〕正しいほうを選びなさい。

1. {a. 駅の中は人で　b. 日本語の中に中国語が} 混雑している。

2. 研究はようやく最後の {a. 段階　b. 階段} になった。

〔5〕筆順(ひつじゅん)に注意して、学習漢字を何度も書いて練習しなさい。

V まとめ

〔1〕この課のテーマの語彙です。声に出して読みなさい。

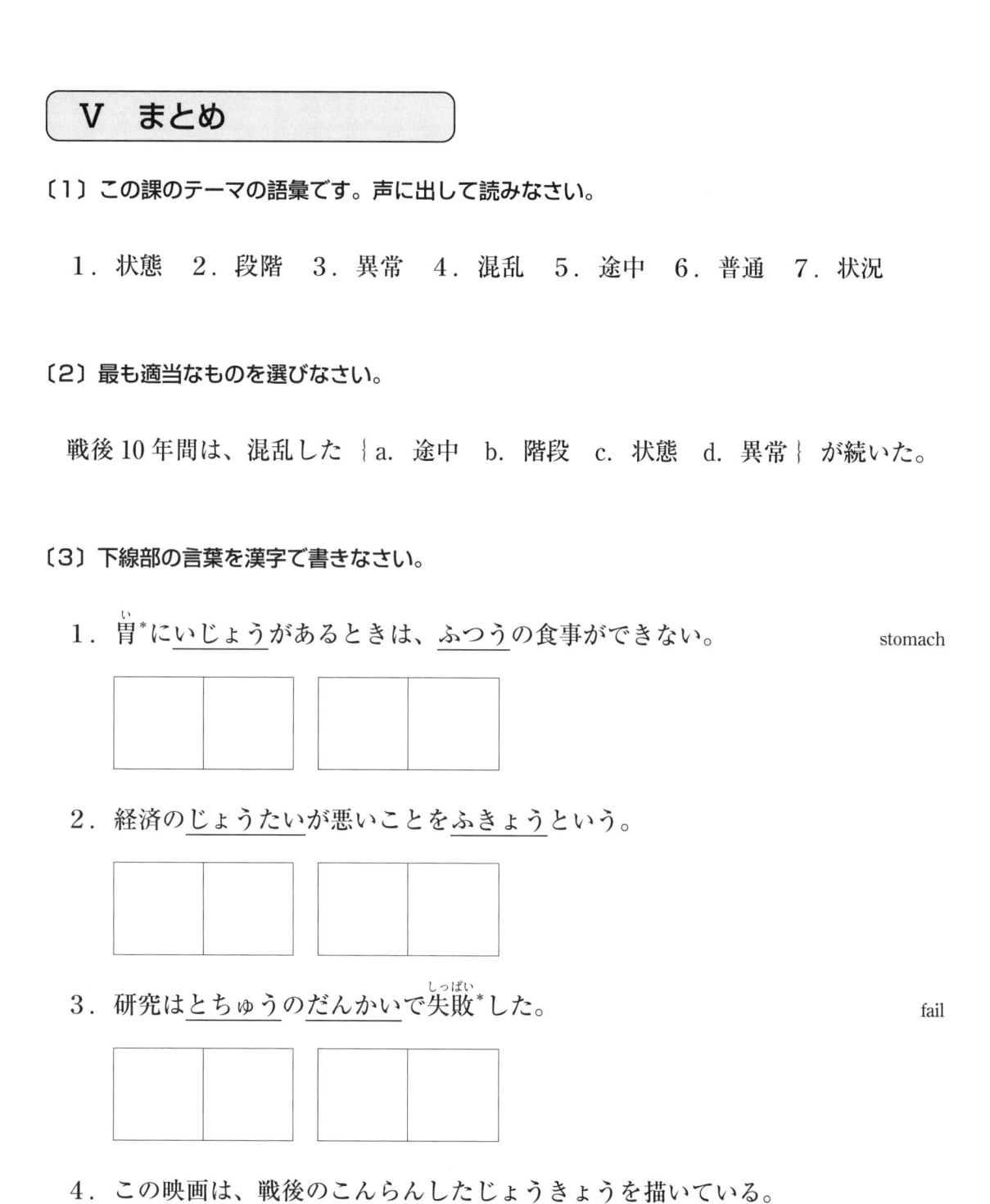

1．状態　2．段階　3．異常　4．混乱　5．途中　6．普通　7．状況

〔2〕最も適当なものを選びなさい。

戦後10年間は、混乱した {a. 途中　b. 階段　c. 状態　d. 異常} が続いた。

〔3〕下線部の言葉を漢字で書きなさい。

1．胃*に<u>いじょう</u>があるときは、<u>ふつう</u>の食事ができない。　stomach

2．経済の<u>じょうたい</u>が悪いことを<u>ふきょう</u>という。

3．研究は<u>とちゅう</u>の<u>だんかい</u>で失敗*した。　fail

4．この映画は、戦後の<u>こんらん</u>した<u>じょうきょう</u>を描いている。

第Ⅰ部

第19課　二者(にしゃ)の関係

Ⅰ　ウォーミングアップ

◇　次の文を読みなさい。下線部はこの課のテーマに関する語彙(ごい)です。

1．植物の成長は天候(てんこう)*と関連がある。　　　　　　　　　　　　　weather

2．自殺(じさつ)*の増加と経済不況の間には、深い関係があると考えられる。　suicide

3．天候は農業生産を左右する。

4．この問題に関して、両者の意見は対立して*いる。　　　　　　　　　　be opposed

5．日本語と韓国語には共通点がある。

6．都市は、国という全体の一つの部分である。

Ⅱ　テーマの語彙(ごい)

〔1〕　この課のテーマの語彙(ごい)です。見たことがあるものに☑を付けなさい。

☐ 影響　　☐ 与える　　☐ 及ぼす　　☐ 似る　　☐ その他

☐ 片方　　☐ 要素　　　☐ 含む　　　☐ 伴う

〔2〕声に出して読み、聞いたことがあるものに☑を付けなさい。

☐ えいきょう　☐ あたえる　☐ およぼす　☐ にる　☐ そのた

☐ かたほう　　☐ ようそ　　☐ ふくむ　　☐ ともなう

Ⅲ 学習漢字

◇ まず、（　）に読み方を考えて書きなさい。次に、下の答えを見て確かめなさい。
間違っていた場合は、その原因を考えましょう。（太字はテーマの語彙）

1

| 影 | かげ / エイ | shadow
影　影
그림자 (영) | 1級
彡 | 日　旦　昌　景　影　15 |

1　影（　　　　）　　　日光*が物に当たると、太陽の反対側に影ができる。sunlight
2　影響（　　　　）スル influence　自然環境は人間の感情に影響を与える。

1　かげ　2　えいきょう

2

| 響 | ひび・く / キョウ | resound / affect
响　響
울릴 (향) | 1級
音 | 彡　紒　紒3　郷　響　20 |

1　響く（　　　　く）　　　階段教室は先生の声がよく響く。
2　反響（　　　　）スル respond　彼の発表した論文に、大きい反響があった。

1　ひび・く　2　はんきょう

3

| 与 | あた・える / ヨ | give
与　與
줄 (여) | 2級
一 | 一　与　与　3 |

1　与える（　　　　える）　若いときに読む本は、人に大きな影響を与える。

1　あた・える

覚えるためのヒント

ひらがな「よ」の元になった漢字です。与→与→よ→よ

| 4 | 及 | およ・ぶ
およ・ぼす
キュウ | reach
及 及
미칠(급) | 1級
ノ | ノ 乃 及 | 3 |

1 **及ぶ**（　　ぶ）　　　　留学生の数は10万人に及ぶ。
2 **及ぼす**（　　ぼす）exert　テレビは子供(こども)の言葉の発達に影響を及ぼす。
3 **及び**（　　び）and　　研究のテーマは「ひらがな及びカタカナの学習方法」である。
4 **言及**（　　　）スル refer　この本は、日本についての論文の中で、よく言及される。
5 **普及**（　　　）スル spread　インターネットは全世界に普及している。

　　　　　　　1 およ・ぶ　2 およ・ぼす　3 およ・び　4 げんきゅう　5 ふきゅう

| 5 | 似 | に・る
ジ | similar
似 似
같을(사) | 2級
イ | イ 仏 似 似 | 7 |

1 **似る**（　　る）　　　　AはBに／と似ている。　AとBは似ている。
2 **類似**（　　　）スル be similar　アジア諸国の文化や習慣は互いに類似している。

　　　　　　　　　　　　　　　　　　　　　　　　1 に・る　2 るいじ

| 6 | 他 | ほか
タ | other
他 他
다를(타) | 2級
イ | イ 仁 仲 他 | 5 |

1 **他**（　　／　　）　　　　これらのうち一つは正しいが、他は間違っている。
2 **その他**（その　　）others　文法の授業は5日から、その他の授業は7日から始まる。
3 **他方**（　　　）other side　二者択一(たくいつ)とは、一方を選んで他方を選ばないことである。
4 **他人**（　　　）other people　レポートには、自分の意見と他人の意見を区別して書く。

　　　　　　　1 た／ほか　2 そのた／そのほか　3 たほう　4 たにん

第19課　二者の関係

7 片　かた／ヘン　one-sided / fragment　片 片　조각(편)　2級 片　ノ 丿 戶 片　4

1. 片方（　　　）one side　　片方の手に子供、片方の手にかばんを抱えて歩く。
2. 紙片（　　　）strip of paper　　電話で聞きながら、紙片に要点を書き留めた*。write down

1 かたほう　2 しへん

8 素　ス／ソ　element / plain　素 素　획(소)　1級 糸　十 丰 素　10

1. 要素（　　　）element　　リズム*は音楽の要素の一つである。rhythm
2. 素質（　　　）talent　　私には音楽の素質がない。
3. 元素（　　　）　　水は2種類の元素から構成される*。be composed

1 ようそ　2 そしつ　3 げんそ

9 含　ふく・む／ふく・める／ガン　contain / include　含 含　머금을(함)　2級 口　人 今 含　7

1. 含む（　　　む）　　納豆は鉄分を含んでいるので体に良い。
2. 含める（　　　める）　　本大学には、留学生を含め学生が1万人在学している。
3. 含有（　　　）スル contain　　この水は各種のミネラルを含有している。

1 ふく・む　2 ふく・める　3 がんゆう

10 伴　ともな・う／ハン／バン　accompany　伴 伴　짝(반)　1級 イ　イ イ' 伫 伴　7

1. 伴う（　　　う）　　戦争は常に破壊を伴う。
2. 〜に伴って（　　　って）with　　文明*の発展に伴って、環境が悪化した。civilization

1 ともな・う　2 ともな・って

第Ⅰ部

Ⅳ 練習問題

〔1〕異なる部分に注目して、下線部の言葉の書き方、あるいは読み方を選びなさい。
　　（一方の語には実際に使われていないものもあります。）

1．重大なニュースは株価(かぶか)にえいきょうする。stock price 　｛a. 景響　　b. 影響｝

2．親の愛情は子供(こども)の性格形成に影響をおよぼす。　｛a. 及ぼす　　b. 級ぼす｝

3．大学から学位をあたえられる。degree　　　　　　　　｛a. 与え　　b. 子え｝

4．一つは正しいが、たは正しくない。　　　　　　　　　｛a. 地　　b. 他｝

5．かたてで使えるキーボードが開発された。　　　　　　｛a. 方手　　b. 片手｝

6．野菜(やさい)には各種のビタミンがふくまれている。　｛a. 含まれて　　b. 合まれて｝

7．人口の増加にともなって車が増えた。　　　　　　　　｛a. 伴って　　b. 件って｝

8．トルコ語と日本語は語順(ごじゅん)がにている。word order　｛a. 似て　　b. 以て｝

9．強い意志は成功に不可欠な要素だ。　　　　　　　　　｛a. ようそ　　b. ようそう｝

〔2〕下線部の言葉の読み方を書きなさい。

1．仏教(ぶっきょう)は日本人の考え方に大きな影響を与えた。　　　_____

2．仏教は日本文化の主要な要素である。　　　　　　　　　　　　　_____

3．中国の文化は近くの国々に影響を及ぼした。　　　　　　　　　　_____

4．漢字には、日本で作られた文字(もじ)が含まれている。　　　　　_____

5．その他の漢字は中国から来たものである。　　　　　　　　　　　_____

6．「未」と「末」は、字の形が似ている。　　　　　　　　　　　　_____

7．大学は彼に留学の機会を与えた。　　　　　　　　　　　　　　　_____

8．地球温暖化に伴って南極(なんきょく)の氷(こおり)が変化した。　_____

第19課　二者の関係

9．タクシーを止めるときは、片手を挙げて合図*する。 make a sign
　　　　　　　　　　　　　　　　　　　　　　　　　_____

〔3〕下線部の読み方を書き、意味を考えなさい。

1．木の影をヒントにして日時計が作られた。　　　_____

2．ロボットとコンピューターの類似点を考えた。　_____

3．テレビのコマーシャルは消費者に影響力を持つ。_____

4．本大学の留学生の出身国は50カ国以上に及ぶ。　_____

5．大雨を伴う大型台風が上陸した。　　　　　　　_____

6．論文の中で、他の論文に言及する。　　　　　　_____

7．学費（消費税*を含む）は以下の表のとおりである。 consumption tax
　　　　　　　　　　　　　　　　　　　　　　　　_____

8．三島*の『春の雪』は、発表されたとき、反響が大きかった。
　　　　　　　　　　三島由紀夫　作家（1925～1970）_____

〔4〕筆順に注意して、学習漢字を何度も書いて練習しなさい。

V　まとめ

〔1〕この課のテーマの語彙です。声に出して読みなさい。

1．影響　　2．与える　　3．及ぼす　　4．似る　　5．その他
6．片方　　7．要素　　　8．含む　　　9．伴う

〔2〕最も適当なものを選びなさい。

A、Bの両者はよく ｛a. 与えて　b. 含んで　c. 伴って　d. 似て｝ いる。

〔3〕下線部の言葉を漢字で書きなさい。

1．若いときに読む本は、人にえいきょうをあたえる／およぼす。

　□□　□□　□□

2．母の顔と私の顔は、目はにているが、そのたの部分は異なっている。

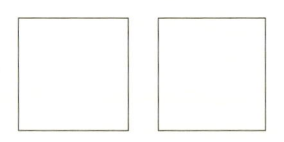

　□　□

3．かたほうが増えると、それにともなって、もうかたほうは減る。

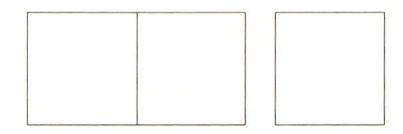

　□□　□□

4．AのどのようそもBのようそであるとき、「AはBにふくまれる」という。

　□□　□□

コラム３：助詞相当語

1．〜に応じて：労働時間に応じて賃金（ちんぎん）が支払われる。wage　　（おうじて）
2．〜に関して：「利益（りえき）の分配」に関して論文を書いた。　　（かんして）
3．〜に比べて：入学の手続きが今までと比べて容易になった。　　（くらべて）
4．〜に加えて：来週は、専門科目に加えて日本語の試験もある。　　（くわえて）
5．〜に対して：優れた研究論文に対して賞が贈（おく）られる。　　（たいして）
6．〜に伴って：人口の増加に伴って自然破壊も増えた。　　（ともなって）
7．〜に基づいて：この授業は配布した資料に基づいて行われる。（もとづいて）
8．〜を通じて／通して：インターネットを通じて／通して情報を得る。
　　　　　　　　　　　　　　　　　　　　　　　　（つうじて／とおして）

第20課　広がり

I　ウォーミングアップ

◇　次の文を読みなさい。下線部はこの課のテーマに関する語彙です。

1．部屋の広さは「6畳」、「8畳」のように*、畳の数で表される。　　　like

2．会社の大きさは、従業員*数、売上高、総資産*で示される。　employee, gross assets

3．この容器に水が500cm³入る。

4．期末試験は1課から20課までだ。

5．各教員の専門分野について、大学のホームページで見ることができる。

6．留学生寮は大学から3キロ離れている。

7．日本は周囲を海に囲まれている。

II　テーマの語彙

〔1〕　この課のテーマの語彙です。見たことがあるものに☑を付けなさい。

☐ 面積　　☐ 規模　　☐ 範囲　　☐ 量　　☐ 領域

☐ 距離　　☐ 拡大　　☐ 取り巻く

〔2〕声に出して読み、聞いたことがあるものに☑を付けなさい。

☐ めんせき　　☐ きぼ　　☐ はんい　　☐ りょう　　☐ りょういき

☐ きょり　　☐ かくだい　　☐ とりまく

第Ⅰ部

Ⅲ 学習漢字

◇ まず、(　) に読み方を考えて書きなさい。次に、下の答えを見て確かめなさい。
間違っていた場合は、その原因(げんいん)を考えましょう。(太字はテーマの語彙(ごい))

1

| 積 | つ・もる
つ・む
セキ | accumulate
積　積
쌓을 (적) | 2級
禾 | 禾 秒 秭 積 | 16 |

1　積む　(　　　む)　　　　　　　机の上にも床(ゆか)*の上にも本が積んである。　　floor
2　面積　(　　　　) area　　　　畳1枚の面積は約 1.62m² である。
3　体積　(　　　　) volume　　　1辺(いっぺん)が1メートルの立方体*の体積は 1m³ である。　cube
4　積極的 (　　　　) ナ positive　研究室の行事に積極的に参加(さんか)する。

　　　　　　　　　　　　1 つ・む　2 めんせき　3 たいせき　4 せっきょくてき

2

| 模 | モ
ボ | model
模　模
법 (모) | 1級
木 | 木 朴 栉 模 | 14 |

1　規模　(　　　　) scale, size　青葉(あおば)大学は規模が大きい大学だ。
2　模型　(　　　　) model　　　宇宙博物館に人工衛星(えいせい)の模型が展示されている。

　　　　　　　　　　　　　　　　　　　　　1 きぼ　2 もけい

3

| 範 | ハン | model
范　範
법 (범) | 1級
竹 | 竹 笷 範 範 | 15 |

1　範囲　(　　　　) coverage, range　期末試験の出題範囲は1課から20課までである。
2　模範　(　　　　) model　　　　日本は1886年、ドイツの大学を模範にして最初の大学を作った。

　　　　　　　　　　　　　　　　　　　　　1 はんい　2 もはん

第20課　広がり

4 量　はか・る / リョウ　measure / quantity　量量　헤아릴(량)　2級 里　日旦昌昌量　12

1. 量る（　　　る）　健康のために、毎週、体重を量ることにしている。
2. 量（　　　）　降った雨や雪などの量を降水量という。
3. 分量（　　　）quantity　研究計画書の分量は、日本語で1000字程度とする。
4. 数量（　　　）numeral quantity　本の注文書に、書名、値段、数量を書く。
5. 大量（　　　）large quantity　大量のデータが得られた。

　　1 はか・る　2 りょう　3 ぶんりょう　4 すうりょう　5 たいりょう

5 領　リョウ　territory　領領　거느릴(령)　2級 頁　ノ 令 領　14

1. 領域（　　　）field　森先生の専門領域はメディア*論だ。　media
2. 領土（　　　）territory　国際問題には領土に関係するものが少なくない。
3. 領収書（　　　）receipt　領収書には金額*と日付が書いてある。　sum of money

　　1 りょういき　2 りょうど　3 りょうしゅうしょ

6 域　イキ　area / stage　域域　지경(역)　2級 土　土 圹 垣 域 域　11

1. 域（　　　）　治療にロボットを使う方法は、まだ実験の域を出ていない。(ちりょう)
2. 地域（　　　）area　東北アジア地域について研究している。
3. 区域（　　　）zone　地形図を見ると、住宅区域、商業区域、森林区域などが分かる。

　　1 いき　2 ちいき　3 くいき

7 距 キョ — distance 距 距 / 떨어질(거) — 1級 足 — 口 𧾷 𧾷 𧾷 距 距 (12)

1 距離（　　　　）distance　　鉄道料金は距離に基づいて決められる。

1 きょり

8 拡 カク — enlarge 扩 擴 / 넓힐(확) — 1級 扌 — 扌 扩 拡 (8)

1 拡大（　　　　）スル enlarge　　画像*をクリックすると拡大される。《コ》　image

1 かくだい

9 巻 ま・く / まき / カン — roll / volume 巻 巻 / 책(권) — 2級 己 — 丷 䒑 关 巻 巻 (9)

1 巻く（　　　く）　　　　機械工学研究室で包帯*を巻くロボットを開発した。　bandage
2 取り巻く（　　り　く）surround　日本の周りを海が取り巻いている。
3 〜巻（　　　　）volume 〜　『量子論*』第3巻を読んでいる。　the quantum theory

1 ま・く　2 とりま・く　3 〜かん

Ⅳ 練習問題

〔1〕異なる部分に注目して、下線部の言葉の書き方、あるいは読み方を選びなさい。
　　（一方の語には実際に使われていないものもあります。）

1．三角形のめんせきを計算する。　　　　　　　　　　　｛a. 面績　　b. 面積｝
2．青葉（あおば）大学はきぼが大きく、留学生も1000人に及ぶ。　｛a. 規模　　b. 規横｝
3．生協食堂（しょくどう）の食事はぶんりょうが少ない。　　　　　｛a. 分量　　b. 分重｝
4．マウスではんいを指定する*。《コ》specify　　　　　　｛a. 範国　　b. 範囲｝

5．私の専門りょういきは生物学全体だ。　　　　{a. 領城　　b. 領域}

6．長いきょりを歩いたので疲れた。　　　　　　{a. 距離　　b. 巨離}

7．子供(こども)をとりまく環境が悪化している。　{a. 取り巻く　b. 取り券く}

8．拡大コピーを取る。　　　　　　　　　　　　{a. こうだい　b. かくだい}

〔2〕下線部の言葉の読み方を書きなさい。

1．日本の面積は、世界の総面積の0.3%に当たる*。be equivalent

2．大規模ではないが将来性のある会社に就職した。

3．空気中に多量のCO₂が含まれている。

4．この地震の影響は広い範囲に及んだ。

5．人口は、都心に近い地域に集中*している。concentrate

6．地震の強さは震源地(しんげんち)からの距離と関係がある。

7．2004年、EUは25カ国に拡大した。

8．留学生を取り巻く社会状況について調査を行う。

〔3〕下線部の読み方を書き、意味を考えなさい。

1．試験の後で模範解答が配られた。

2．積極的に日本人と話すようにすれば、日本語が上達する。

3．ピラミッドは大小の石を積み上げて造(つく)られた。

4．郊外*の住宅地域に住み、都心に通勤*している。suburbs, commute

第Ⅰ部

5．地球規模の環境破壊が起こっている。　　　　　　＿＿＿＿＿＿＿＿＿＿

6．古代文明はすべて、大河*の流域に発生した。big river　＿＿＿＿＿＿＿＿＿＿

7．教科書の巻末に問題の解答が付いている。　　　　＿＿＿＿＿＿＿＿＿＿

8．領土拡大のために戦争が起こった。　　　　　　　＿＿＿＿＿＿＿＿＿＿

9．「おにぎり」はご飯を手で握り、のり*で巻いた食べ物である。laver

　　　　　　　　　　　　　　　　　　　　　　　　＿＿＿＿＿＿＿＿＿＿

10．デシリットル*は容量*を量る単位である。deciliter, volume　＿＿＿＿＿＿＿＿＿＿

〔4〕日本の国土に関する文です。下線部に注意して文を読みなさい。

1．日本の国土は、北海道、本州、四国、九州の四つの大きな島と、周りを取り巻く約7000の島々から成っている。

2．日本の面積はオーストラリアの22分の1だが、海岸線*の全長はほぼ同じである。
　　　　　　　　　　　　　　　　　　　　　　　　　　　　　　coastline

3．日本の地形の特徴の一つは、一つの地点から海までの距離が短いことである。

4．南北に長いので、気候*は地域によって大きく異なっている。　climate

5．地域によっては、大規模な地震が発生する可能性がある。

〔5〕筆順に注意して、学習漢字を何度も書いて練習しなさい。

第20課　広がり

V　まとめ

〔1〕この課のテーマの語彙です。声に出して読みなさい。

1．面積　　2．規模　　3．範囲　　4．量
5．領域　　6．距離　　7．拡大　　8．取り巻く

〔2〕最も適当なものを選びなさい。

日本で最も {a. 面積　b. 距離　c. 量　d. 規模} が広い都道府県は北海道だ。

〔3〕下線部の言葉を漢字で書きなさい。

1．日本は、めんせきに対する降水りょうが世界平均*より多い。　　　average

2．大学をとりまく環境も、きぼも、変化を続けている。

3．試験のはんいは1課から20課までだ。

4．生物科学の研究りょういきは、急速にかくだいしている。

第Ⅰ部

第21課　学習の要点 4　和語複合語

Ⅰ　テーマの語彙

〔1〕この課のテーマの語彙です。見たことがあるものに☑を付けなさい。

☐ 申し込む　　☐ 埋め込む　　☐ 詰め込む　　☐ 掘り下げる

☐ 取り扱う　　☐ 使い尽くす　　☐ 立ち寄る

〔2〕声に出して読み、聞いたことがあるものに☑を付けなさい。

☐ もうしこむ　　☐ うめこむ　　☐ つめこむ　　☐ ほりさげる

☐ とりあつかう　　☐ つかいつくす　　☐ たちよる

和語複合語

1　和語（訓読みの言葉）複合語は、二つの和語が結合して一つの語になった語です。

和語複合語の意味は次のように分けられます。
(1) 元の2語のそれぞれの意味から推測できるもの
　　① 6時に読み始め、12時に読み終わった。
　　② 前の人たちを次々に追い越して、ゴールまで走り続けた。

(2) 元の2語のそれぞれの意味からは推測しにくいもの
　　③ 将来の見通し*は明るい。　　　　　　　　　　　　prospect
　　④ 地震を感じた瞬間、外へ飛び出した*。　　　　　　rush out
　　⑤ 一人でいると心細い*。　　　　　　　　　　　　　lonely
　　⑥ 締め切り*の前に手続き*をする。　　　　deadline, procedure

第21課　学習の要点4

Ⅱ 学習漢字

◇ まず、(　)に読み方を考えて書きなさい。次に、下の答えを見て確かめなさい。
　間違っていた場合は、その原因を考えましょう。（太字はテーマの語彙）

1

| 申 | もう・す
シン | say
申　申
남（신） | 2級
田 | 曰申
　　5 |

1　申す（　　　　す）　　　　　自己紹介で「私は〜と申します」と名前を言った。
2　**申し込む**（　　し　　む）apply for　家族寮への入居を申し込んだ。
3　申告（　　　　　）スル declare　受ける授業科目を申告することを、履修申告という。
4　申請（　　　　　）スル apply for　奨学金を申請する。

　　　　　　　　　　　　　1　もう・す　2　もうしこ・む　3　しんこく　4　しんせい

2

| 込 | こ・む
こ・める | crowded / 〜 into
＊　＊
담을（＊） | 2級
え | 入込
　　5 |

1　込む（　　　　む）　　　　　平日はバスが込むが、週末はすいている。
2　飲み込む（　　み　　む）swallow　食べ物を口に入れ、かみ＊、飲み込む。　　chew

　　　　　　　　　　　　　　　　　　　1　こ・む　2　のみこ・む

3

| 埋 | う・まる
う・もれる
う・める　マイ | bury / fill
埋　埋
묻을（매） | 2級
土 | 扌　坦坦埋
　　10 |

1　埋める（　　　　める）　　　タイムカプセル＊を地中に埋める。　　time capsule
2　**埋め込む**（　　め　　む）　動物の体にマイクロチップ＊を埋め込む。　microchip

　　　　　　　　　　　　　　　　　　　1　う・める　2　うめこ・む

第 I 部

| 4 | 詰 | つ・まる
つ・める
キツ | stuff
诘 詰
힐난할 (힐) | 2級
言 | 言 計 詰 | 13 |

1 詰める（　　める）　　　　大型旅行かばんの片側に本、片側に服を詰めた。
2 詰め込む（　め　む）　　　国の食べ物を大量にかばんに詰め込んで、日本へ来た。

1 つめる　2 つめこ・む

| 5 | 掘 | ほ・る
クツ | dig
掘 掘
팔 (굴) | 2級
扌 | 扌 护 折 掘 | 11 |

1 掘る（　　る）　　　　　　犬は前足と鼻*を使って土を掘る。　　　　　　nose
2 掘り下げる（　り　　げる）investigate further　問題を深く掘り下げる。

1 ほ・る　2 ほりさ・げる

| 6 | 扱 | あつか・う | handle / deal
扱 扱
거둘 (급) | 1級
扌 | 扌 扌 扨 扱 | 6 |

1 扱う（　　　う）　　　　この機械は壊れやすいので、注意して扱う必要がある。
2 取り扱う（　り　う）deal with　小児科は子供の病気を取り扱う科である。

1 あつか・う　2 とりあつか・う

| 7 | 尽 | つ・きる
つ・くす
ジン | do one's best / completely
尽 盡
다할 (진) | 1級
尸 | 尸 尺 尽 | 6 |

1 尽くす（　　くす）　　　　人類のために尽くした人に、ノーベル賞が贈られる。
2 尽きる（　　きる）come to the end　科学への興味は尽きない。
3 使い尽くす（　い　　くす）exhaust　将来、天然資源を使い尽くしてしまうだろう。

1 つ・くす　2 つ・きる　3 つかいつ・くす

| 8 | 寄 | よ・る
よ・せる
キ | come close / drop in
寄寄
부칠 (기) | 2級 | 宀宇宇寄寄 | 11 |

1 寄る（　　る）　犬は餌*を見せると寄って来た。　food
2 立ち寄る（　　ち　　る）drop in　大学の帰りにコンビニ*に立ち寄る。　convenience store
3 押し寄せる（　　し　　せる）surge　震源地が近いほど、早く津波が押し寄せる。
4 寄付（　　　　）スル donate　山田奨学金は山田氏の寄付によるものである。

1 よ・る　2 たちよ・る　3 おしよ・せる　4 きふ

Ⅲ 練習問題

〔1〕異なる部分に注目して、下線部の言葉の書き方、あるいは読み方を選びなさい。
（一方の語には実際に使われていないものもあります。）

1．奨学金をもうしこむ。　　　　　　　　　　{a. 申し込む　　b. 伸し込む}
2．人工心臓*を体内にうめこむ。artificial heart　{a. 理め込む　　b. 埋め込む}
3．かばんに荷物をつめこむ。　　　　　　　　{a. 話め込む　　b. 詰め込む}
4．大学の帰りに喫茶店にたちよる。　　　　　{a. 立ち寄る　　b. 立ち奇る}
5．日本中の名所をみつくすのは不可能だ。　　{a. 見尽くす　　b. 見尺くす}
6．テーマを深くほりさげる。　　　　　　　　{a. 掘り下げる　b. 堀り下げる}
7．本論文は環境問題をとりあつかう。《論》　 {a. 取り級う　　b. 取り扱う}

〔2〕下線部の言葉の読み方を書きなさい。

1．eラーニングのクラスの受講を申し込んだ。　_____
2．多くの人々がシンポジウム会場を埋め尽くした。_____

第Ⅰ部

3．留学生が立ち寄る場所の地図を作成して、配布した。＿＿＿＿＿＿＿＿＿＿

4．学ぶことは、頭に知識を詰め込むことではない。＿＿＿＿＿＿＿＿＿＿

5．このレポートは、テーマの掘り下げが足りない。＿＿＿＿＿＿＿＿＿＿

6．この店は様々な商品を取り扱っている。＿＿＿＿＿＿＿＿＿＿

〔3〕和語複合語の部分に下線を引き、文を読みなさい。

例）日本は諸外国の文化を取り入れて発展してきた。

1．飛行機の切符を予約したが、予定を変更したので取り消した*。　　　　cancel

2．日本文化のレポートのテーマに「遠距離恋愛（れんあい）」を取り上げた。

3．先月からレポートに取り組んで*いる。　　　　tackle

4．子供（こども）は母親を見て走り寄った。

5．温暖化は多くの問題を引き起こす*。　　　　raise

6．数字とアルファベットを組み合わせて*パスワードを作る。　　　　combine

7．学生の発表の後で、先生が説明を付け加える*。　　　　add

8．入学試験について事務室に問い合わせる。

9．発表の打ち合わせ*をする。　　　　arrangement

10．漢字の学習は、少しずつ努力を積み重ねることが大切だ。

11．戦争直後、社会は混乱したが、3年後に落ち着いた*。　　　　calm down

第21課　学習の要点4

> 2　次の動詞は複合語の後部にあるとき、〔　〕内の意味を表すものがあります。
>
> ① 出す〔始まる/始める〕　　　例）雨が降り出す。
> ② 上げる/切る〔完了・全部〕　例）レポートを書き上げる。
> ③ 直す/返す〔もう一度〕　　　例）レポートを読み直す。
> ④ 落とす〔不注意で～しない〕　例）間違いを見落とす。
> ⑤ 得る〔できる〕　　　　　　　例）知り得る／知り得る。　知り得ない。

〔4〕　下線部の意味になるように、〔　　〕の語を使って複合語を作りなさい。

例）　文の意味が分からない場合は、もう一度読む。〔読む　直す〕→ 読み直す

1．5年間かかって論文を完成させた。　　　　　〔書く　上げる〕→

2．質問が理解できなかったので、もう一度聞いた。〔聞く　返す〕→

3．不注意で、宿題に名前を書かなかった。　　　〔書く　落とす〕→

4．量が多くて、全部食べることができない。　　〔食べる　切る〕→

5．科学では理解できないことがある。　　　　　〔理解する　得る〕→

> 3　和語複合語には〔V＋V→V〕以外に、次のような組み合わせがあります。
> この組み合わせでは、後部の読み方に濁点(゛)が付くことが多いです。
> (cf.第12課)
>
> 〔N＋V→V〕気付く notice　　目立つ remarkable　　裏切る betray
> 〔A＋A→A〕細長い narrow and long　　薄暗い poorly lit
> 〔N＋A→A〕身近な near　　手早い quick

第Ⅰ部

〔5〕下線部の言葉の読み方を書きなさい。

1．実際のデータが理論を<u>裏付ける</u>*。prove　　　　　＿＿＿＿＿＿＿＿＿＿

2．日本チームの成績は、<u>期待</u>を<u>裏切る</u>ものだった。　＿＿＿＿＿＿＿＿＿＿

3．山に<u>登</u>る人は頂上を<u>目指す</u>*。aim　　　　　　　　＿＿＿＿＿＿＿＿＿＿

4．不況が<u>長引いて</u>*いる。prolong　　　　　　　　　　＿＿＿＿＿＿＿＿＿＿

5．研究は、まだ<u>手探り</u>して*いる状態だ。grope　　　　＿＿＿＿＿＿＿＿＿＿

6．2010年3月に卒業の<u>見込み</u>*だ。expectation　　　　＿＿＿＿＿＿＿＿＿＿

7．<u>脳</u>*の<u>仕組み</u>*を研究する。brain, mechanism　　　　＿＿＿＿＿＿＿＿＿＿

8．今週は、市場に<u>目立った</u>*変化はなかった。remarkable　＿＿＿＿＿＿＿＿＿＿

9．「〜本」は、<u>細長い</u>物を数えるときに使われる。　　＿＿＿＿＿＿＿＿＿＿

4　和語複合語の送りがなは、省略*されることがあります。　　　　　　omit

例）受け付け→　受付　　　　手続き→　手続　　　　割り引き→　割引
　　申し込み→　申込　　　　取り扱い→　取扱

---

〔6〕下線部の言葉の読み方を書き、意味を考えなさい。

1．図書館の<u>貸出</u>は一人5冊以内とする。　　　　　　　＿＿＿＿＿＿＿＿＿＿

2．「<u>立入禁止</u>」と書いてある場所に入ってはいけない。＿＿＿＿＿＿＿＿＿＿

3．5時からゼミの<u>打合せ</u>を行う。　　　　　　　　　　＿＿＿＿＿＿＿＿＿＿

〔7〕筆順*に注意して、学習漢字を何度も書いて練習しなさい。

IV まとめ

〔1〕この課のテーマの語彙(ごい)です。声に出して読みなさい。

1．申し込む　　2．埋め込む　　3．詰め込む　　4．掘り下げる

5．使い尽くす　6．立ち寄る　　7．取り扱う

〔2〕下線部の言葉を漢字で書きなさい。

1．マイクロチップのうめこみは、犬(いぬ)をとりあつかう店にもうしこむ。

　□　□　　　　□　□　　　　□　□

2．毎日、図書館にたちよって、好きな本をよみつくした。

　□　□　　　□　□

3．知識をつめこむより、ほりさげて考える習慣を付けることが大切だ。

　□　□　　　□　□

第22課　ゼミ

Ⅰ　ウォーミングアップ

◇　下線部の語彙に注意して次の文を読みなさい。

1．異文化コミュニケーションゼミに申し込んで、メンバーになった。

2．先生に示された課題の中から、最も興味のある問題に取り組んだ。

3．グループの学生が、5ページずつ論文を読み、内容を要約した。

4．発表（プレゼンテーション）用のファイルとレジュメ*を、協力して作成した。
summary

5．発表の後で質疑応答が行われた。

6．先生から、もっと問題を掘り下げたほうがいいと言われた。

Ⅱ　テーマの語彙

〔1〕この課のテーマの語彙です。見たことがあるものにレを付けなさい。

☐ 演習　　☐ 指導　　☐ 分担　　☐ 反省　　☐ 補足

☐ 参考文献　　☐ 参加　　☐ 責任　　☐ 討論

〔2〕声に出して読み、聞いたことがあるものにレを付けなさい。

☐ えんしゅう　　☐ しどう　　☐ ぶんたん　　☐ はんせい　　☐ ほそく

☐ さんこうぶんけん　　☐ さんか　　☐ せきにん　　☐ とうろん

Ⅲ 学習漢字

◇ まず、（ ）に読み方を考えて書きなさい。次に、下の答えを見て確かめなさい。
  間違っていた場合は、その原因を考えましょう。（太字はテーマの語彙）

1

| 演 | エン | perform
演 演
넓힐 (연) | 2級
氵 | 氵 氵 汅 沛 浦 演 演　14 |

1　演じる（　　じる）　　　「文楽」というのは人形を使って演じる演劇*である。 drama
2　演習（　　　　）seminar　本演習では、各自*がレジュメを書き、発表する。 everyone
3　講演（　　　　）スル lecture　アインシュタインは日本滞在中、各地で講演を行った。

　　　　　　　　　　　　　　　　　　　1 えん・じる　2 えんしゅう　3 こうえん

2

| 導 | みちび・く
ドウ | lead
导 導
인도할 (도) | 2級
寸 | 丷 首 道 導 導　15 |

1　導く（　　　く）　　　　分かりやすい図表は、プレゼンテーションを成功に導
　　　　　　　　　　　　　く鍵*だ。　　　　　　　　　　　　　　　　　　key
2　指導（　　　　）スル instruct　研究指導をする教員を指導教員という。

　　　　　　　　　　　　　　　　　　　　　　　　　1 みちび・く　2 しどう

3

| 担 | にな・う
かつ・ぐ
タン | carry / take on
担 擔
멜 (단) | 2級
扌 | 扌 担 担　8 |

1　担う（　　　う）　　　　今や、*コンピューターは、社会の中で重要な役割を
　　　　　　　　　　　　　担っている。　　　　　　　　　　　　　　　now
2　分担（　　　　）スル share　本ゼミでは、学生たちが資料を分担して読む。
3　担当（　　　　）スル take charge　学生が交代で*発表を担当する。　　by turns

　　　　　　　　　　　　　　　　　　　1 にな・う　2 ぶんたん　3 たんとう

4	省	かえり・みる はぶ・く ショウ セイ	reflect / omit / ministry 省 省 살필 (성)	2級 目	小少省

1 省みる（　　　みる）reflect　　発表は、自分の研究方法を省みる機会だ。
2 反省（　　　）スル reflect　　自分の勉強方法を反省する。
3 省く（　　　く）omit　　「申し込み」は送りがなを省いて「申込」でもよい。
4 省略（　　　）スル omit　　学生たちは学生食堂を省略して「学食」と呼んでいる。
5 ～省（　　　）ministry　　文部科学省と外務省の協力で国際会議が開かれた。

　　　　1 かえり・みる　2 はんせい　3 はぶ・く　4 しょうりゃく　5 ～しょう

5	補	おぎな・う ホ	supply / supplement 补 補 기울 (보)	2級 衤	ネ ネ 祊 袹 補 補

1 補う（　　　う）　　アルバイトをして生活費を補う。
2 補足（　　　）スル add　　学生の発表の後で先生が説明を補足する。
3 補助（　　　）スル assist　　ゼミ旅行の費用の一部を研究室で補助する。
4 補講（　　　）supplementary class　　夏休みに補講を受ける。

　　　　1 おぎな・う　2 ほそく　3 ほじょ　4 ほこう

6	参	まい・る サン	go / come 参 参 참여할 (참)	2級 ム	ム 矣 参

1 参る（　　　る）　　自己紹介で「～から参りました」と述べる。
2 参加（　　　）スル participate　　積極的にゼミに参加する。
3 参考（　　　）reference　　ゼミの先輩の意見を参考にして、テーマを選んだ。
4 参照（　　　）スル refer　　辞書を参照しながら専門書を読む。

　　　　1 まいる　2 さんか　3 さんこう　4 さんしょう

第22課 ゼミ

7 献 ケン — offer 献 獻 드릴(헌) — 1級 犬 — 十 市 肯 南 献 — 13

1. 文献（　　　）literature　インターネットで文献を探す。
2. 貢献（　　　）スル contribute　研究を通して社会に貢献する。

1 ぶんけん　2 こうけん

8 責 せ・める / セキ — burden / blame 责 責 꾸짖을(책) — 2級 貝 — 十 圭 責 — 11

1. 責める（　　める）　発表がうまくできなかったので、自分で自分を責めた。
2. 責任（　　　）responsibility　担当する学生は、責任を持って準備しなければならない。

1 せ・める　2 せきにん

9 任 まか・す / まか・せる / ニン — entrust 任 任 맡길(임) — 2級 イ — イ 仁 仟 任 — 6

1. 任す（　　す）　ゼミの計画は学生に任されている。
2. 任意（　　　）optional　ゼミへの参加は強制*ではなく、任意である。　compulsion

1 まか・す　2 にんい

10 討 う・つ / トウ — attack 讨 討 칠(토) — 1級 言 — 言 討 討 — 10

1. 討論（　　　）スル discuss　発表の後で、内容について全員で討論する。
2. 検討（　　　）スル examine　一つのテーマを全員で検討する。
3. 討議（　　　）スル discuss　その問題について討議し、結論を出した。

1 とうろん　2 けんとう　3 とうぎ

第Ⅰ部

Ⅳ　練習問題

〔1〕異なる部分に注目して、下線部の言葉の書き方、あるいは読み方を選びなさい。
　　（一方の語には実際に使われていないものもあります。）

1．ゼミでは輪読*とえんしゅうを行う。read by turns 　　{a. 演習　　b. 円周}

2．木村先生がゼミのしどうをする。　　　　　　　　　{a. 指道　　b. 指導}

3．5ページずつぶんたんしてレジュメを作成する。　　{a. 分担　　b. 分胆}

4．自分の分をせきにんを持って読み、要約する。　　　{a. 積任　　b. 責任}

5．さんこうぶんけんを読む。　　　　　　　　　　　　{a. 参考文献　　b. 参行文献}

6．発表の後、全員でとうろんする。　　　　　　　　　{a. 計論　　b. 討論}

7．学生の説明が足りなかった部分を先生がほそくした。{a. 捕足　　b. 補足}

8．悪かった点をはんせいする。　　　　　　　　　　　{a. 反省　　b. 反劣}

〔2〕下線部の言葉の読み方を書きなさい。

1．「量子論演習」は、学生の発表と議論に重点を置く。＿＿＿＿＿＿＿＿

2．指導教員が課題図書を指定する。　　　　　　　　　＿＿＿＿＿＿＿＿

3．グループのメンバー全員が責任を持って分担する。　＿＿＿＿　＿＿＿＿

4．積極的に討論に参加する留学生が多い。　　　　　　＿＿＿＿＿＿＿＿

5．論文の終わりに、主要な参考文献*のリストを挙げる。bibliography
　　　　　　　　　　　　　　　　　　　　　　　　　＿＿＿＿＿＿＿＿

6．学生の質問に学生が回答し、先生が補足説明をする。＿＿＿＿＿＿＿＿

7．反省点を改善する。　　　　　　　　　　　　　　　＿＿＿＿＿＿＿＿

〔3〕下線部の言葉の読み方を書き、意味を考えなさい。

1．ノーベル賞受賞者の<u>講演</u>に多くの人々が押し寄せた。　＿＿＿＿＿＿＿＿＿＿

2．<u>責任</u>感が強いことは、リーダーに必要な要素である。　＿＿＿＿＿＿＿＿＿＿

3．無記名のアンケートには<u>無責任</u>な回答もあり得る。　＿＿＿＿＿＿＿＿＿＿

4．<u>青葉</u>(あおば)大学は最新型コンピューターを<u>導入</u>＊した。introduce
　　　　　　　　　　　　　　　　　　　　　　　　　　　　＿＿＿＿＿＿＿＿＿＿

5．留学生の代表としてテレビ番組に<u>出演</u>した。　＿＿＿＿＿＿＿＿＿＿

6．シンポジウムの<u>参加者</u>が会場を埋め尽くした。　＿＿＿＿＿＿＿＿＿＿

7．パネル・ディスカッションで司会を<u>担当</u>した。　＿＿＿＿＿＿＿＿＿＿

8．<u>補講</u>について事務室に問い合わせる。　＿＿＿＿＿＿＿＿＿＿

9．留学生の<u>医療費</u>(いりょうひ)＊を<u>補助</u>する制度がある。medical expenses
　　　　　　　　　　　　　　　　　　　　　　　　　　　　＿＿＿＿＿＿＿＿＿＿

〔4〕（　）に入る最も適当な言葉を下のa.～e.の中から選んで、記号を書きなさい。

1．（　）とは、公開討論会のことである。

2．（　）というのは、食事で不足する<u>栄養</u>(えいよう)＊を補う食品のことである。　nutrition

3．キャンパス＊用語にはドイツ語がよく見られるが、（　）もその一つである。
　　　　　　　　　　　　　　　　　　　　　　　　　　　　　　　　　campus

4．（　）はドイツ語の「Thema」で、英語では「theme」、日本語では「主題」である。

5．（　）とは「～ページを参照」という意味である。

　　a．テーマ　　　b．ゼミ　　　c．サプルメント（サプリメント）
　　d．パネル・ディスカッション　　　e．cf. p. ～ / see p. ～

〔5〕正しいほうを選びなさい。

彼はモーツァルトの{a. 検討家　b. 研究家}として有名だ。

〔6〕筆順(ひつじゅん)に注意して、学習漢字を何度も書いて練習しなさい。

V　まとめ

〔1〕この課のテーマの語彙(ごい)です。声に出して読みなさい。

1．演習　　2．指導　　3．分担　　4．反省　　5．補足

6．参考文献　7．参加　　8．責任　　9．討論

〔2〕最も適当なものを選びなさい。

ゼミでは、文献を{a. 反省　b. 討論　c. 補足　d. 分担}して読み、発表する。

〔3〕下線部の言葉を漢字で書きなさい。

1．本ゼミでは山田教授のしどうで、専門のぶんけんの講読とえんしゅうを行う。

2．さんかする学生はぶんたんして、報告、発表を行う。

3．各グループでせきにんを持って発表する。その後、先生がほそく説明をする。

　　☐☐　☐☐

4．発表の後で、はんせい点、問題点について意見を出し合い、とうろんする。

　　☐☐　☐☐

第Ⅰ部

第23課　読む・書く

Ⅰ　ウォーミングアップ

◇　次の文を読みなさい。下線部はこの課のテーマに関する語彙です。

1. <u>専門書</u>、<u>論文</u>、<u>報告</u>、レジュメなどの、<u>学術的</u>な*<u>読み物</u>を読む。　　academic

2. <u>論理</u>*の流れを考えながら読む。　　logic

3. <u>参考文献</u>を探す。

4. 自分の意見と<u>引用</u>*部分を、<u>明確に</u>*<u>区別</u>して書く。　　citation, clearly

5. 知らない<u>単語</u>は、辞書で調べる前に、漢字の一字一字の意味から考える。

6. 演習で、『<u>東洋思想</u>*史』第1巻の<u>原書</u>と<u>日本語訳</u>を読んでいる。　　oriental thought

Ⅱ　テーマの語彙

〔1〕この課のテーマの語彙です。見たことがあるものに☑を付けなさい。

☐ 文章　　☐ 推測　　☐ 構造　　☐ 構成　　☐ 出典

☐ 要旨　　☐ 筆者　　☐ 参照　　☐ 述べる

〔2〕声に出して読み、聞いたことがあるものに☑を付けなさい。

☐ ぶんしょう　☐ すいそく　☐ こうぞう　☐ こうせい　☐ しゅってん

☐ ようし　　　☐ ひっしゃ　☐ さんしょう　☐ のべる

III 学習漢字

◇ まず、（　）に読み方を考えて書きなさい。次に、下の答えを見て確かめなさい。
間違っていた場合は、その原因（げんいん）を考えましょう。（太字はテーマの語彙（ごい））

1

| 章 | ショウ | chapter 章 章 글(장) | 2級 立 | 亠 音 章　11 |

1　章（　　　）　　　　　　このレポートは四つの章に分かれている。
2　文章（　　　）sentence/writing　12章から成（な）る長い文章を読んでいる。

　　　　　　　　　　　　　　　　　　　　1 しょう　2 ぶんしょう

2

| 推 | お・す　スイ | recommend / infer 推 推 밀(추) | 1級 扌 | 扌 扌 扩 拚 推　11 |

1　推す（　　　す）　　　　　思想史の入門書として、だれもが*この本を推す。everyone
2　**推測**（　　　）スル infer　知らない言葉の意味を、前後の関係から推測する。
3　**推論**（　　　）スル infer　得られた資料から次のように推論する。
4　**推定**（　　　）スル estimate　分析*から、この石は5万年前のものと推定される。analysis
5　**推移**（　　　）スル change　ここ10年間の人口の推移をグラフにする。
6　推薦（　　　）スル recommend　先生に入学のための推薦状を書いてもらった。

　　　1 おす　2 すいそく　3 すいろん　4 すいてい　5 すいい　6 すいせん

3

| 測 | はか・る　ソク | measure 測 測 측량할(측) | 2級 氵 | 氵 測 測　12 |

1　測る（　　　る）　　　　　GPSを使って土地の面積を測る。
2　**予測**（　　　）スル predict　火山活動の推移を調べ、今後の活動を予測する。
3　**測定**（　　　）スル measure　デジタル温度計で水温の変化を測定した。

　　　　　　　　　　　　　　　　　1 はかる　2 よそく　3 そくてい

4 構

| | かま・え / かま・える / コウ | structure 構 構 얽을(구) | 2級 木 | 木 杧 栟 構 構 構　14 |

1 構え（　　え）　豊かな人々は、城*のような構えの家を建てた。　castle
2 構造（　　　）structure　文章の論理的構造を考えながら読むと、理解しやすい。
3 構成（　　　）スル compose　本稿*は四つの部分から構成されている。《論》 this paper

　　　　　　　　　　　　1 かまえ　2 こうぞう　3 こうせい

5 造

| | つく・る / ゾウ | make / build 造 造 지을(조) | 2級 え | 生 告 造　10 |

1 造る（　　る）　船を造る前に、まず模型を作ってみる。
2 木造（　　　）made of wood　奈良の法隆寺は世界最古の木造の建物である。
3 製造（　　　）スル manufacture　この町には、小規模な自動車部品製造会社が多い。

　　　　　　　　　　　　1 つく・る　2 もくぞう　3 せいぞう

6 典

| | テン | book / standard 典 典 법(전) | 1級 八 | 口 冉 冉 典 典　8 |

1 出典（　　　）source　引用した場合は、巻末に出典を明記すること。
2 原典（　　　）original text　この本の原典はギリシャ語*で書かれている。　Greek
3 辞典（　　　）dictionary　和英辞典を使って英語に訳しながら専門書を読む。
4 古典（　　　）classic　『源氏物語』は日本の代表的な古典文学である。
5 典型的（　　　）ナ typical　蒸し暑い*のが典型的な夏の天気だ。　muggy

　　　　　1 しゅってん　2 げんてん　3 じてん　4 こてん　5 てんけいてき

覚えるためのヒント

「典」は机*の上に本が置いてある形。

第23課 読む・書く

7 旨 / むね / シ / purport / 旨 旨 / 뜻(지) / 1級 日 / ヒ 旨 / 6

1. 旨（　　　）　　　　　受講を取り消す学生は、その旨を事務室に提出する。
2. **要旨**（　　　）abstract　**レポートの最初に要旨（内容を簡潔*にまとめたもの）を置く。** concisely
3. 論旨（　　　）argument　レポート作成の際は、まず、論旨を明らかにする。

　　　　　　　　　　　　　　　　　　　1 むね　2 ようし　3 ろんし

8 筆 / ふで / ヒツ / brush / writing / 笔 筆 / 붓(필) / 2級 竹 / 竹 笁 筚 筆 / 12

1. 筆（　　　）　　　　　筆を使って字を書く芸術*を「書道」という。 art
2. **筆者**（　　　）author　**筆者の意見を述べた部分とそうでない部分を区別して読む。**
3. 筆記（　　　）スル write　この筆記試験では、辞書の持ち込みは不可だ。

　　　　　　　　　　　　　　　　　　　1 ふで　2 ひっしゃ　3 ひっき

9 照 / て・る / て・らす / ショウ / shine / illuminate / 照 照 / 비칠(조) / 2級 灬 / 日 昭 照 照 / 13

1. 照る（　　る）　　　　「照る日も曇る日もある」とは、良い日も悪い日もあるという意味である。
2. 照らす（　　らす）consult　文献に照らして、この考えが正しいことが分かった。
3. **参照**（　　　）スル refer　**辞書を参照しながらレポートを作成する。**
4. 対照（　　　）スル compare　原書と日本語訳を対照しながら読む。
5. 照明（　　　）スル illuminate　教室の照明が暗いので黒板の字がよく見えない。

　　　　　　　　　1 てる　2 てらす　3 さんしょう　4 たいしょう　5 しょうめい

第Ⅰ部

| 10 | 述 | の・べる
ジュツ | state
述 述
지을(술) | 2級
え | ホ ホ 述 | 8 |

1. 述べる（　　べる）　　筆者は、この段落の中で自分の意見を述べている。
2. 記述（　　　　）スル describe　この本は、研究会で発表した内容を記述したものだ。
3. 述語（　　　　）predicate　文は主語と述語から構成される。

1 の・べる　2 きじゅつ　3 じゅつご

Ⅳ　練習問題

〔1〕異なる部分に注目して、下線部の言葉の書き方、あるいは読み方を選びなさい。
　　（一方の語には実際に使われていないものもあります。）

1. 論理的なぶんしょうを書く練習をする。　　｛a. 文章　　b. 文草｝
2. この文のこうぞうは複雑＊だ。complex　　｛a. 講造　　b. 構造｝
3. 論文のようしを200字以内で書く。　　　　｛a. 要旨　　b. 要指｝
4. ひっしゃの名前を見てから論文を読む。　　｛a. 書者　　b. 筆者｝
5. 自分の考えを明確にのべる。　　　　　　　｛a. 述べる　b. 込べる｝
6. すいそくだけで結論を出すことはできない。｛a. 推則　　b. 推測｝
7. 辞書をさんしょうしながら読む。　　　　　｛a. 参招　　b. 参照｝
8. このデータのしゅってんは朝日新聞である。｛a. 出典　　b. 出曲｝

〔2〕下線部の言葉の読み方を書きなさい。

1. 科学的な文章を数多く読む。　　　　　　　_____
2. 引用した場合、必ず出典を巻末に明記する。_____
3. 建物の構造を調べる。　　　　　　　　　　_____

4．この文章は五つの段落から<u>構成</u>されている。　　　_____

5．大学院の願書に卒業論文の<u>要旨</u>を付けて提出する。　　_____

6．論文やレポートでは、「私」ではなく「<u>筆者</u>」と書く。
　　　　　　　　　　　　　　　　　　　　　　　　　　　_____

7．茶の呼び名から、茶が「<u>絹</u>の道*」を通って世界中に伝わっていたと<u>推測</u>される。
　　　　　　　　　　　　　Silk Road　　　　　　　　　_____

8．今後の研究の計画を400字以内で<u>述</u>べよ。　　　　　　_____

9．先行研究を<u>参照</u>しながらテーマを検討する。　　　　　_____

〔3〕下線部の読み方を書き、意味を考えなさい。

1．<u>百科事典</u>はあらゆる分野のことについて解説してある本である。
　　　　　　　　　　　　　　　　　　　　　　　　　　　_____

2．<u>記述</u>(筆記)試験と<u>口述</u>(面接)試験を行う。　　　_____　_____

3．「<u>上述</u>のように」というのは、「上で述べたように」という意味である。
　　　　　　　　　　　　　　　　　　　　　　　　　　　_____

4．ゼミで、<u>第1章第1節</u>から第2章第2節までを担当した。
　　　　　　　　　　　　　　　　　　　　　　　　　　　_____

5．書類に<u>自筆</u>でサインする。　　　　　　　　　　　　　_____

6．日本の<u>社会構造</u>について勉強する。　　　　　　　　　_____

7．GPSを用いて、熱帯地方の森林の面積を<u>測定</u>する。　　_____

8．日本語と韓国語の文章構造の<u>対照研究</u>を行っている。
　　　　　　　　　　　　　　　　　　　　　　　　　　　_____

9．日本の<u>古典文学</u>を<u>原典</u>で読む。　　　　　　　　　_____　_____

10．大型船を<u>建造</u>中だ。　　　　　　　　　　　　　　　_____

11．人工衛星を使って森林を<u>測量</u>する。　　　　　　　　　_____

第Ⅰ部

〔4〕筆順(ひつじゅん)に注意して、学習漢字を何度も書いて練習しなさい。

Ⅴ　まとめ

〔1〕この課のテーマの語彙(ごい)です。声に出して読みなさい。

1．文章　　2．推測　　3．構造　　4．構成　　5．出典

6．要旨　　7．筆者　　8．参照　　9．述べる

〔2〕最も適当なものを選びなさい。

論理的な ｛a．構造　b．要旨　c．出典　d．推測｝ を考えながら文章を読む。

〔3〕下線部の言葉を漢字で書きなさい。

1．この<u>ぶんしょう</u>は三つの段落から<u>こうせい</u>されている。

2．論理的<u>こうぞう</u>を考えながら文章を読み、<u>ようし</u>をまとめる。

3．<u>ひっしゃ</u>はここで自分の<u>すいそく</u>を述べている。

4．引用した文献や<u>さんしょう</u>した文献は、必ず<u>しゅってん</u>を明記する。

第24課　原稿の作成

Ⅰ　ウォーミングアップ

◇　下線部に注意して次の文を読みなさい。

1．プレゼンテーションのレジュメは、文章の形にして全員に配付する。

2．レジュメには、ゼミ名、発表年月日、タイトル、発表者の氏名・学生番号を書く。

3．引用には必ず出典を明記し、参考文献の一覧表*を付ける。　　　　　　　　list

4．各章の書き出しは1字下げて書く。

5．ある程度まで書いたら、全体を読み、細かい部分を修正*する。　　　　　　amend

Ⅱ　テーマの語彙

〔1〕この課のテーマの語彙です。見たことがあるものに☑を付けなさい。

□ 原稿　　□ 整理　　□ 確かめる　　□ 確認　　□ 簡潔

□ 訂正　　□ 箇所　　□ 印刷　　　　□ 出版

〔2〕声に出して読み、聞いたことがあるものに☑を付けなさい。

□ げんこう　　□ せいり　　□ たしかめる　　□ かくにん　　□ かんけつ

□ ていせい　　□ かしょ　　□ いんさつ　　　□ しゅっぱん

Ⅲ 学習漢字

◇ まず、（　）に読み方を考えて書きなさい。次に、下の答えを見て確かめなさい。間違っていた場合は、その原因を考えましょう。（太字はテーマの語彙）

1 稿　コウ　manuscript　稿稿　볏짚（고）　1級 禾　禾 秆 秆 稿稿　15

1　原稿（　　　）manuscript　ワープロでレポートの原稿を書く。
2　投稿（　　　）スル contribute　学会誌に論文を投稿する。

　　　　　　　　　　　　　　　1 げんこう　2 とうこう

2 整　ととの・う　ととの・える　セイ　arrange / prepare　整整　가지런할（정）　1級 攵　口 束 敕 整　16

1　整える（　　える）　部屋の中を整える。
2　整理（　　　）スル put in order　書く内容を整理してから書く。
3　調整（　　　）スル adjust　ゼミの日程に合わせて、自分の予定を調整する。

　　　　　　　　　　　1 ととの・える　2 せいり　3 ちょうせい

3 確　たし・か　たし・かめる　カク　certain / make sure　確確　확신할（확）　2級 石　石 矿 矿 砕 確　15

1　確か（　　か）ナ　確かなデータを使うことが大事だ。
2　確かめる（　　かめる）　原稿に字の間違いがないかどうか、確かめる。
3　確認（　　　）スル confirm　レポートの提出期限を確認する。
4　正確（　　　）ナ correct　データを正確に入力する。《コ》
5　明確（　　　）ナ precise　自分の考えを明確に述べる。

　　　1 たし・か　2 たし・かめる　3 かくにん　4 せいかく　5 めいかく

第24課　原稿の作成

4 認　みと・める／ニン　recognize / notice　认 認　인정할(인)　2級　言　言 訒 訒 認　14

1　認める（　　　める）　① recognize　この研究は世界的に認められた。
　　　　　　　　　　　② allow　提出期限を過ぎた原稿の提出は認めない。
　　　　　　　　　　　③ notice　検査の結果、心臓*に異常が認められた。　heart
　　　　　　　　　　　　　　　　　　　しんぞう
2　認識（　　　）スル recognize　問題の重要性を認識する。
3　認知（　　　）スル recognize　認知科学の領域の中の人工知能を研究している。

　　　　　　　　　　　　　　　　　　　1 みと・める　2 にんしき　3 にんち

5 潔　いさぎよ・い／ケツ　graceful / pure　洁 潔　깨끗할(결)　1級　氵　氵 汁 汢 潔 潔　15

1　潔い（　　　い）　自分の誤りに気付いたら、潔く認めるべきだ。
2　簡潔（　　　）ナ concise　簡潔で読みやすい文章を書く。
3　清潔（　　　）ナ clean　病気を予防するために、手を清潔にしておく。

　　　　　　　　　　　　　　　　　　　1 いさぎよ・い　2 かんけつ　3 せいけつ

6 訂　テイ　revise　订 訂　바로잡을(정)　1級　言　言 訂　9

1　訂正（　　　）スル correct　原稿の文字の間違いを訂正する。
2　改訂（　　　）スル revise　『認知心理学*の基礎』が改訂された。　cognitive psychology

　　　　　　　　　　　　　　　　　　　1 ていせい　2 かいてい

7 箇　カ　item　个 箇　낱(개)　1級　竹　竹 竹 笛 箇 箇　14

1　箇所（　　　）part　原稿の間違った箇所を訂正する。
2　箇条書き（　　　）items　実験の結果わかったことを箇条書きにする。

　　　　　　　　　　　　　　　　　　　1 かしょ　2 かじょうがき

| 8 | 印 | しるし / イン | mark 印 印 도장(인) | 2級 卩 | ノ イ F 臼 印 6 |

1 印（　　　）　　知らない漢字に赤ペンで印を付ける。
2 印刷（　　　）スル print　パソコンで作成した原稿を印刷する。
3 印象（　　　）impression　初めて日本へ来たとき、緑(みどり)が多い国という印象を受けた。
4 印鑑（　　　）seal　アパートの契約*の際は、外国人も印鑑が必要だ。 contract

　　　　　　　　1 しるし　2 いんさつ　3 いんしょう　4 いんかん

| 9 | 刷 | す・る / サツ | print 刷 刷 인쇄할(쇄) | 2級 刂 | 尸 尸 吊 刷 8 |

1 刷る（　　る）　発表用の原稿を印刷機で100部刷った。

　　　　　　　　　　　　　　　　　　　　　　1 する

| 10 | 版 | ハン | publish / edition 版 版 판목(판) | 2級 片 | ノ ヶ 片 片 版 8 |

1 出版（　　　）スル publish　村上春樹*の作品は各国語に翻訳*され、出版されている。
　　　　　　　　　　　　　　　　　　　　　　　　作家（1949〜） translate
2 改訂版（　　　）revised edition　『改訂版　認知心理学の基礎』が出版された。

　　　　　　　　　　　　　　1 しゅっぱん　2 かいていばん

IV 練習問題

〔1〕異なる部分に注目して、下線部の言葉の書き方、あるいは読み方を選びなさい。
（一方の語には実際に使われていないものもあります。）

1. レポートの<u>げんこう</u>を書く。　　　　　　　　　{a. 原高　　b. 原稿}

2. 集めた資料を<u>せいり</u>する。　　　　　　　　　　{a. 正理　　b. 整理}

3. 自分の考えを<u>かんけつ</u>に書く。　　　　　　　　{a. 簡潔　　b. 完結}

4. 間違った部分を<u>ていせい</u>する。　　　　　　　　{a. 討正　　b. 訂正}

5. プリンターで<u>いんさつ</u>する。　　　　　　　　　{a. 印刷　　b. 印冊}

6. 間違いがないかどうか、<u>かくにん</u>する。　　　　{a. 確認　　b. 破認}

7. 引用した<u>かしょ</u>をはっきり書く。　　　　　　　{a. 固所　　b. 箇所}

8. <u>しゅっぱん</u>社の名前を書く。　　　　　　　　　{a. 出販　　b. 出版}

〔2〕原稿作成に関する注意書きです。下線部の言葉の読み方を書きなさい。

1. レポートは、ワープロ<u>原稿</u>でA4用紙3枚程度で書くこと。　＿＿＿＿＿＿

2. 書きたいことを<u>整理</u>してからレポートを書く。　＿＿＿＿＿＿

3. 文章は分かりやすく、<u>簡潔</u>に書くこと。　＿＿＿＿＿＿

4. 引用した場合は、<u>各箇所</u>に1）、2）などの番号を付けること。
　　　　　　　　　　　　　　　　　　　　　　　　＿＿＿＿＿＿

5. 英語のスペル*は、パソコンのツール*で<u>確認</u>すること。　spelling, tool　＿＿＿＿＿＿

6. 内容の間違いを指摘された場合、<u>訂正</u>して再提出する。　＿＿＿＿＿＿

7. 原稿は<u>片面</u>(かためん)印刷すること。　＿＿＿＿＿＿

8. 参考文献の<u>一覧</u>(いちらん)*は、<u>出版</u>の早い順に書くこと。　list　＿＿＿＿＿＿

第Ⅰ部

〔3〕原稿作成に関する文です。下線部の言葉の読み方を書き、意味を考えなさい。

1．手書きの原稿は<u>原稿用紙</u>に書く。　　　　　　　＿＿＿＿＿＿＿＿＿＿

2．印刷する前に、内容を<u>再確認</u>する。　　　　　　＿＿＿＿＿＿＿＿＿＿

3．原稿を印刷する前に、間違いがないかどうか<u>確かめる</u>。＿＿＿＿＿＿＿＿＿＿

4．期限を過ぎた原稿の提出は<u>認めない</u>。　　　　　　＿＿＿＿＿＿＿＿＿＿

5．訂正原稿は<u>訂正箇所</u>を明記する。（例）5ページ1行目
　　　　　　　　　　　　　　　　　　　　　　　　＿＿＿＿＿＿＿＿＿＿

6．学術論文は、形式を<u>整えて</u>書く。　　　　　　　＿＿＿＿＿＿＿＿＿＿

〔4〕下線部の言葉の読み方を書き、意味を考えなさい。

1．質問に<u>的確</u>に答える。　　　　　　　　　　　　＿＿＿＿＿＿＿＿＿＿

2．このロボットは<u>音声</u>（おんせい）<u>認識</u>の機能がある。＿＿＿＿＿＿＿＿＿＿

3．この携帯電話は、音量を自動的に<u>調整</u>する。　　＿＿＿＿＿＿＿＿＿＿

4．多くの日本人が愛読する<u>漫画</u>（まんが）＊『サザエさん』の<u>初版</u>は1948年だ。comics
　　　　　　　　　　　　　　　　　　　　　　　　＿＿＿＿＿＿＿＿＿＿

5．健康のためには、<u>清潔</u>、運動、規則的な生活が欠かせない＊。essential
　　　　　　　　　　　　　　　　　　　　　　　　＿＿＿＿＿＿＿＿＿＿

6．「1<u>箇所</u>」は、「1個所」「1か所」「1ケ所」とも書く。
　　　　　　　　　　　　　　　　　　　　　　　　＿＿＿＿＿＿＿＿＿＿

7．『情報科学学会誌』では<u>投稿論文</u>を募集している。＿＿＿＿＿＿＿＿＿＿

8．グーテンベルク＊は<u>印刷</u>技術を開発した。Gutenberg, Johann（1400？－68）独
　　　　　　　　　　　　　　　　　　　　　　　　＿＿＿＿＿＿＿＿＿＿

〔5〕<u>筆順</u>（ひつじゅん）に注意して、学習漢字を何度も書いて練習しなさい。

Ⅴ まとめ

〔1〕この課のテーマの語彙です。声に出して読みなさい。

1．原稿　　2．整理　　3．確認　　4．確かめる　　5．簡潔

6．訂正　　7．箇所　　8．印刷　　9．出版

〔2〕最も適当なものを選びなさい。

原稿作成の際は、書きたいことを ｛a．印刷　b．訂正　c．整理｝ し、簡潔な文章で書くこと。

〔3〕下線部の言葉を漢字で書きなさい。

1．発表の<u>げんこう</u>は、内容を<u>せいり</u>して、<u>かんけつ</u>な文章で書く。

2．間違いがないかどうか<u>かくにん</u>し、間違った<u>かしょ</u>を<u>ていせい</u>する。

3．参考文献の<u>しゅっぱん</u>年を書く。

4．もう一度<u>たしかめて</u>から、プリンターで<u>いんさつ</u>する。

第Ⅰ部

第25課　日本語ワープロ

Ⅰ　ウォーミングアップ

◇ 下線部の語彙に注意して次の文を読みなさい。

1．日本語ワープロソフト*を使って原稿を作成する。　　　word-processing software

2．電源を入れ、アプリケーション*を起動する。　　　application

3．ファイルを開き、文書*を作成する。　　　document

4．ひらがなを入力し、漢字に換える。

5．画面上の地図を拡大して見る。

6．間違いがないかどうか確認してから印刷する。

7．文書を保存*し、ファイルを閉じる。　　　save

8．インターネットにキーワードを入力して、情報を探す。

Ⅱ　テーマの語彙

〔1〕この課のテーマの語彙です。見たことがあるものにレを付けなさい。

☐ 変換　　☐ 編集　　☐ 検索　　☐ 設定

☐ 戻す　　☐ 画像　　☐ 飾り　　☐ 添付

〔2〕声に出して読み、聞いたことがあるものにレを付けなさい。

☐ へんかん　　☐ へんしゅう　　☐ けんさく　　☐ せってい

☐ もどす　　☐ がぞう　　☐ かざり　　☐ てんぷ

第25課　日本語ワープロ

III　学習漢字

◇ まず、（　）に読み方を考えて書きなさい。次に、下の答えを見て確かめなさい。
　間違っていた場合は、その原因を考えましょう。（太字はテーマの語彙）

1

| 換 | か・わる
か・える
カン | exchange
換　換
바꿀（환） | 2級
扌 | 扌 扌 扩 护 挧 换
12 |

1　**換える**（　　　える）　小切手*を現金に換える。　check
2　**変換**（　　　）スル convert　ローマ字で読み方を入力し、漢字に変換する。
3　**交換**（　　　）スル exchange　古い電池*を新しい電池に交換する。　battery
4　互換（　　　）スル compatible　AソフトはBソフトと互換性がある。

　　　　　　　　　　　　　1　か・える　2　へんかん　3　こうかん　4　ごかん

2

| 編 | あ・む
ヘン | knit / edit
編　編
엮을（편） | 2級
糸 | 糸 紵 絹 絹 編
15 |

1　**編む**（　　　む）　祖母*の趣味は、セーターを編むことだ。　grandmother
2　**編集**（　　　）スル edit　『留学生の日本案内』は、留学生自身が編集したガイドブックだ。
3　**～編**（　　　）volume　『日本社会の構造』の後編を読んだ。

　　　　　　　　　　　　　　　　　1　あ・む　2　へんしゅう　3　～へん

3

| 索 | サク | search
索　索
찾을（색） | 1級
糸 | 十 声 索
10 |

1　**検索**（　　　）スル search　インターネットの検索エンジンで情報を検索する。
2　**索引**（　　　）index　この本の巻末に索引がある。
3　模索（　　　）スル seek　効果的な方法を模索しながら勉強している。

　　　　　　　　　　　　　　　　　1　けんさく　2　さくいん　3　もさく

第Ⅰ部

4 設 — もう・ける / セツ — set up / settle — 設 設 — 베풀(설) — 2級 — 言言訁訳設 — 11

1. 設ける（　　　　ける）　欧米のいくつかの大学は、東京に事務所を設けている。
2. **設定**（　　　　）スル set　文字数、行*数を設定して印刷する。　line
3. 建設（　　　　）スル construct　川にダムを造り、大規模な発電所を建設した。
4. 設備（　　　　）equipment/facility　本大学のメディアセンターには最先端の設備がある。

1 もう・ける　2 せってい　3 けんせつ　4 せつび

5 戻 — もど・る / もど・す — return — 戻 戻 — 어그러질(려) — 2級 — 戸戸戻 — 7

1. 戻る（　　　　る）　一時帰国した学生が、1カ月後に日本に戻ってきた。
2. 戻す（　　　　す）　メニューバー*の矢印は元に戻す印である。　menu bar
3. 取り戻す（　　　り　　　す）recover　病気が治って健康を取り戻した。

1 もど・る　2 もど・す　3 とりもど・す

6 像 — ゾウ — image / picture — 像 像 — 형상(상) — 2級 — イイ″伊俛像像 — 14

1. 像（　　　　）　鏡*の前で右手を上げると、鏡の中の像は左手を上げているように見える。　mirror
2. **画像**（　　　　）image　画像をクリックすると拡大される。
3. 想像（　　　　）スル imagine　若いときには、年取った自分を想像するのが難しい。

1 ぞう　2 がぞう　3 そうぞう

第25課　日本語ワープロ

| 7 | 飾 | かざ・り
かざ・る
ショク | ornament / decorate
飾 飾
꾸밀(식) | 1級
食 | 食 飠 飾 飾
13 |

1　飾り（　　　　り）　　　文字にアンダーラインや影などの飾りを付ける。
2　装飾（　　　　）スル ornament　遺跡から動物の骨*で作られた装飾品が掘り出された。
　　　　　　　　　　　　　　　　　　　　　　　　　　　　　　　　　　　　　bone

　　　　　　　　　　　　　　　　　　　　　　　1　かざ・り　2　そうしょく

| 8 | 添 | そ・う
そ・える
テン | add
添 添
더할(첨) | 1級
氵 | 氵 氵 沃 添 添 添
11 |

1　添える（　　　　える）　　論文集の和文原稿には、英文タイトルを添えること。
2　添付（　　　　）スル attach　E-メールにファイルを添付して送信する。
3　添加（　　　　）スル add　食品に色素*を添加する。
　　　　　　　　　　　　　　　　　　　　　　　　　　　　　　　　pigment
4　添削（　　　　）スル correct a composition　日本語の作文を先生が添削する。

　　　　　　　　　　　　　　1　そ・える　2　てんぷ　3　てんか　4　てんさく

Ⅳ　練習問題

〔1〕異なる部分に注目して、下線部の言葉の書き方、あるいは読み方を選びなさい。
　　　（一方の語には実際に使われていないものもあります。）

1．フォントと文字の大きさを<u>せってい</u>する。　　　　　｛a. 役定　　b. 設定｝
2．優れた論文を集めて論文集を<u>へんしゅう</u>する。　　　｛a. 編集　　b. 偏集｝
3．ウェブサイトの<u>がぞう</u>をダウンロードして使う。　　｛a. 画象　　b. 画像｝
4．インターネットで情報を<u>けんさく</u>する。　　　　　　｛a. 検系　　b. 検索｝
5．部屋に花を<u>かざる</u>。　　　　　　　　　　　　　　　｛a. 師る　　b. 飾る｝
6．アパートを引っ越すときは、部屋を元の状態に<u>もどす</u>。｛a. 戻す　　b. 雇す｝

第Ⅰ部

7．光をエネルギーにへんかんする。　　　　　　　　{a. 編換　　b. 変換}

8．てんぷファイルで資料を送る。　　　　　　　　　{a. 添付　　b. 点付}

〔2〕下線部はキーボード、パソコン画面上に見られる用語です。読み方を書きなさい。

1．スタイルを設定して印刷する。　　　　　　　＿＿＿＿＿＿＿＿

2．「おなじ」と入力し、「々」に変換する。　　　　＿＿＿＿＿＿＿＿

3．文書を編集する。　　　　　　　　　　　　　＿＿＿＿＿＿＿＿

4．先行研究をインターネットで検索する。　　　　＿＿＿＿＿＿＿＿

5．発表用スライドのタイトルに文字飾りを付ける。＿＿＿＿＿＿＿＿

6．入力したものを取り消して元に戻す。　　　　　＿＿＿＿＿＿＿＿

7．作成した画像を拡大する。　　　　　　　　　　＿＿＿＿＿＿＿＿

8．添付ファイルを保存して開く。　　　　　　　　＿＿＿＿＿＿＿＿

〔3〕下線部の言葉の読み方を書き、意味を考えなさい。

1．青葉大学に福祉*学科が新設された。welfare　＿＿＿＿＿＿＿＿

2．青葉大学は他大学との間で単位の互換を行っている。＿＿＿＿＿＿＿＿

3．一度失った信用を取り戻すことは難しい。　　　＿＿＿＿＿＿＿＿

4．来月一時帰国するが、1カ月後に日本に戻る予定だ。＿＿＿＿＿＿＿＿

5．この漢字辞書の編集者は日本人ではない。　　　＿＿＿＿＿＿＿＿

6．この仏像は10世紀のものと推定されている。　　＿＿＿＿＿＿＿＿

7．この索引は五十音順*になっている。order　　　＿＿＿＿＿＿＿＿

〔4〕「ワープロ原稿の作成要項」の一部です。読んでみましょう。

1．用紙は、縦*置き、横書きとする。　　　　　　　　　　　　　　vertical

2．1枚1050字（全角*35字×30行）に設定する。　　　　　　two-byte character

3．漢字・かなは全角、数字・英字は半角*で入力する。　　　　　one-byte character

4．表や図は、本文の適切な箇所に挿入*する。　　　　　　　　　insert

5．原稿の余白*は、上下それぞれ20㎜、左右それぞれ30㎜とする。　margin

6．ページ番号位置は、一番下の段の中央とする。

〔5〕筆順に注意して、学習漢字を何度も書いて練習しなさい。

Ⅴ　まとめ

〔1〕この課のテーマの語彙です。声に出して読みなさい。

1．変換　　2．編集　　3．検索　　4．設定
5．戻す　　6．画像　　7．飾り　　8．添付

〔2〕最も適当なものを選びなさい。

ひらがなを漢字に ｛a．編集　b．検索　c．変換　d．添付｝ する。

〔3〕下線部の言葉を漢字で書きなさい。

1．ひらがなを漢字にへんかんし、文字かざりをせっていする。

2．取り消したり、元にもどしたり、コピーしたりして、へんしゅうする。

　　□□　□□

3．文字や単語をけんさくする。

　　□□

4．デジタルカメラで写したがぞうをeメールにてんぷする。

　　□□　□□

コラム4：効率的*なローマ字入力　　　　　efficient

1) あ A　　か KA　　さ SA（し SI）　　た TA（ち TI）　　な NA
　 は HA　　ま MA　　や YA　　ら RA　　わ WA　　を WO　　ん NN
2) が GA　　ざ ZA　　だ DA　　づ DU　　ば BA　　ぱ PA　　きゃ KYA
　 じゃ JA
3) 「ん＋子音」：N＋子音　ex. さんぽ SANPO
4) 「ん＋あ行・な行・や行」：NN＋あ行・な行・や行
　 ex. あんな ANNNA　ほん HONN（漢字に変換するならNは一つでよい。
　　 ex. 本　HON）
5) 「っ」＋：次の子音文字を2度入力する。
　 ex. あった ATTA　　あっさり ASSARI　　かえって KAETTE
6) カタカナ：入力してF7を押す。（よく使われるカタカナ語はF7を押さなくてもカタカナに変換される）
　 ex. ハミッド（人名）HAMIDDO＋F7
　　　アメリカ AMERIKA　　コンピューター KONPYU-TA-
　 ウェ：WE　ex. ウェブ WEBU　　　ファ：FA　ex. ファイル FAIRU
7) 小さい母音：L(X)＋母音　ex. ぁ LA(XA)　　ディスク DELI(XI)SUKU

第26課　意見・評価(ひょうか)

Ⅰ　ウォーミングアップ

◇　次の文を読みなさい。下線部はこの課のテーマに関する語彙(ごい)です。

1. 総理大臣(だいじん)(首相)は、45％の国民から支持されている。
2. その質問は的(まと)を外(はず)れて*いる。　　　　　　　　　　　　　　miss the point
3. 新しい理論に対して、様々な疑問、反論、異論が出された。
4. 青葉(あおば)大学学長は大学の改革(かいかく)*について、学長としての見解を述べた。　reform
5. ディベートでは、賛成、反対の立場に分かれて議論を行う。
6. 授業の成績はA～Eの5段階で表される。
7. 彼の意見はいつも説得力(せっとくりょく)がある*。　　　　　　　　　　persuasive

Ⅱ　テーマの語彙(ごい)

〔1〕この課のテーマの語彙(ごい)です。見たことがあるものに レ を付けなさい。

☐ 感想　　☐ 批評　　☐ 批判　　☐ 評価　　☐ 主張

☐ 指摘　　☐ 核心　　☐ 肯定　　☐ 否定

〔2〕声に出して読み、聞いたことがあるものに レ を付けなさい。

☐ かんそう　☐ ひひょう　☐ ひはん　☐ ひょうか　☐ しゅちょう

☐ してき　　☐ かくしん　☐ こうてい　☐ ひてい

第I部

III　学習漢字

◇　まず、（　）に読み方を考えて書きなさい。次に、下の答えを見て確かめなさい。
　　間違っていた場合は、その原因(げんいん)を考えましょう。（太字はテーマの語彙(ごい)）

1

| 想 | ソウ | image, thought　想　想　생각할 (상) | 2級　心 | 木　相　想　13 |

1　**感想**（　　　　）impression　レポートを読んで、意見や感想を述べる。
2　**予想**（　　　　）スル forecast　シンポジウムの参加者は予想より多かった。
3　**想像**（　　　　）スル imagine　30年後の自分を想像する。
4　**空想**（　　　　）スル daydream　500年前に生まれていたら、と空想するのは楽しい。
5　**思想**（　　　　）thought　日本は明治時代に、自由、平等(びょうどう)などの西欧(せいおう)*思想を取り入れた。　Western
6　**理想**（　　　　）ideal　理想と現実の間にはギャップ*がある。　gap

　　　　　　　　　1 かんそう　2 よそう　3 そうぞう　4 くうそう　5 しそう　6 りそう

2

| 批 | ヒ | criticize　批　批　비평할 (비) | 1級　扌 | 扌　扌　批　7 |

1　**批評**（　　　　）スル comment　発表の後で、内容について学生同士で批評し合う。
2　**批判**（　　　　）スル criticize　この論文は、調査(ちょうさ)が十分でないと批判された。

　　　　　　　　　　　　　　　　　　　　　　　　　　1 ひひょう　2 ひはん

3

| 評 | ヒョウ | comment　評　評　평론할 (평) | 1級　言 | 言　言　言　評　評　12 |

1　**評**（　　　　）スル　この像は20世紀の最も優れた作品と評されている。
2　**評価**（　　　　）スル evaluate　漢字の成績が「A」と評価された。
3　**講評**（　　　　）スル comment　ゼミの発表の後で、指導の先生が講評する。

　　　　　　　　　　　　　　　　　　　1 ひょう　2 ひょうか　3 こうひょう

第26課　意見・評価

4 判　ハン／バン　understand / judge　判 判　판단할(판)　2級　リ　ヽ ヾ 判 判　7

1　評判（　　　）reputation　　K学生食堂は、味も良く、清潔で、学生に評判が良い。
2　判明（　　　）スル prove　　実験の結果、以下のことが判明した。
3　A4判（　　　）A4 size　　B5判をA4判に拡大コピーする。

　　　　　　　　　　　1　ひょうばん　2　はんめい　3　えいよんばん

覚えるためのヒント

「判」は「分かる」という意味。パンをナイフ（リ）で半分に切ると、中身（なかみ）が分かる。

5 張　は・る／チョウ　stretch / strain　張 張　베풀(장)　1級　弓　⁷ 弓 弘 弡 張 張　11

1　張る（　　る）　　琴（こと）はギターと同様、弦（げん）*が張ってある楽器だ。　string
2　主張（　　　）スル assert　まず自分の主張を述べ、次に、それについて説明する。
3　出張（　　　）スル business trip　先生が学会で出張したため、休講になった。
4　引っ張る（　っ　る）stretch　ゴムは引っ張ると伸びる。
5　緊張（　　　）スル feel the strain　面接試験で緊張し、上手に答えられなかった。

　　　1　は・る　2　しゅちょう　3　しゅっちょう　4　ひっぱる　5　きんちょう

6 摘　つ・む／テキ　pick　摘 摘　딸(적)　1級　扌　扌 扩 挍 摘 摘　14

1　摘む（　　む）　　庭（にわ）に咲（さ）いた花を摘んで、机の上に飾った。
2　指摘（　　　）スル point out　原稿の日本語の間違いを、先生に指摘された。

　　　　　　　　　　　　　　　　　　　　1　つ・む　2　してき

第I部

| 7 | 核 | カク | nucleus 核 核 씨(핵) | 1級 木 | 木 朴 朴 朴 核 | 10 |

1 核（　　　　）　　　原子*核は原子の中心に位置する。　　　　atom
2 核心（　　　　）core　彼の質問は核心を突いている*。　　　hit the point

　　　　　　　　　　　　　　　　　　　　　　1 かく　2 かくしん

| 8 | 肯 | コウ | assent 肯 肯 즐길(긍) | 2級 月 | 止 肯 | 8 |

1 肯定（　　　　）スル affirm　日本では、安楽死*を肯定する医者は少ない。 mercy killing

　　　　　　　　　　　　　　　　　　　　　　　　　　1 こうてい

| 9 | 否 | いな ヒ | say no / or not 否 否 아닐(부) | 2級 口 | 一 ア オ 不 否 | 7 |

1 否定（　　　　）スル deny　超常現象*を否定する。　　supernatural phenomenon
2 賛否（　　　　）yes or no　新しい大型ダムの建設について、賛否が分かれている。
3 安否（　　　　）safety　事故があったが、乗客の安否はまだ確認されていない。
4 合否（　　　　）pass or fail　入学試験の合否は、1週間以内に通知する。

　　　　　　　　　　　1 ひてい　2 さんぴ　3 あんぴ　4 ごうひ

Ⅳ　練習問題

〔1〕異なる部分に注目して、下線部の言葉の書き方、あるいは読み方を選びなさい。
　　（一方の語には実際に使われていないものもあります。）

1．本を読んでかんそうを述べる。　　　　　　　{a. 感想　　b. 感相}
2．成績を5段階でひょうかする。　　　　　　　{a. 平価　　b. 評価}
3．首相の行動がひはんされた。　　　　　　　　{a. 批半　　b. 批判}

4．学生が発表し、指導教員がひひょうする。　　　{a. 比評　　b. 批評}

5．自分の権利(けんり)をしゅちょうする。right　　{a. 主張　　b. 主帳}

6．結婚しない生き方をこうていする意見が増えている。{a. 肯定　　b. 背定}

7．漢字変換の間違いをしてきされた。　　　　　　{a. 指適　　b. 指摘}

8．その意見は問題のかくしんを突(つ)いている。　{a. 核心　　b. 刻心}

9．政府は、首相が引退するという報道を否定した。{a. ひてい　　b. ふてい}

〔2〕下線部の言葉の読み方を書きなさい。

1．ゼミの発表を聞いて、意見や感想を述べる。　　　＿＿＿＿＿＿

2．私はこの論文を高く評価する。　　　　　　　　　＿＿＿＿＿＿

3．本稿の第1章で、先行研究の整理と批判を行う。《論》

　　　　　　　　　　　　　　　　　　　　　　　　＿＿＿＿＿＿

4．銀行から客の個人情報が流出していたことが判明した。

　　　　　　　　　　　　　　　　　　　　　　　　＿＿＿＿＿＿

5．大江健三郎(おお え けんざぶろう)の新しい評論は評判が良い。作家（1935〜 ）

　　　　　　　　　　　　　　　　　　　　　　　　＿＿＿＿＿＿

6．私はこの論文の中で、以下のことを主張したい。《論》

　　　　　　　　　　　　　　　　　　　　　　　　＿＿＿＿＿＿

7．本論文は、この作品における戦争の影響を指摘している。《論》

　　　　　　　　　　　　　　　　　　　　　　　　＿＿＿＿＿＿

8．彼の指摘は、問題の核心に触れている。　　　　　＿＿＿＿＿＿

9．首相は、その質問に対しては、肯定も否定もしなかった。

　　　　　　　　　　　　　　　　　　　　　　　＿＿＿＿　＿＿＿＿

第Ⅰ部

〔3〕下線部の言葉の読み方を書き、意味を考えなさい。

1. 週五日制に対して、当初は<u>否定的</u>な意見が多かった。＿＿＿＿＿＿

2. 地球の中心の方向に<u>引っ張る</u>力を重力という。＿＿＿＿＿＿

3. モーツァルトの作品は、生前、すべてが<u>好評</u>だったわけではない。
＿＿＿＿＿＿

4. 小中学校の評価方法は、<u>相対</u>*評価から<u>絶対</u>*評価に変わった。 relative, absolute
＿＿＿＿＿＿

5. 本大学の教育環境は<u>理想的</u>である。＿＿＿＿＿＿

6. 夫婦とその子供から構成されている家族を「<u>核</u>家族」という。
＿＿＿＿＿＿

7. コピーを繰り返したため、原稿の文字が<u>判別</u>できなくなった。
＿＿＿＿＿＿

8. 北部で地震が発生し、約1000人の<u>安否</u>が確認されていない。
＿＿＿＿＿＿

〔4〕（　）に入る最も適当な言葉を、下の｛　｝内のa.～f.から選んで、記号を書きなさい。

1. （　）両論とは、賛成と不賛成の両方の意見のことである。

2. 「ロボット」という言葉は、チャペック*の（　）科学小説で最初に使われた。
Capek, Karel (1890－1938) チェコ

3. ディベートとは、（　）を主張する立場と（　）を主張する立場に分かれて行う討論である。

4. 元素の原子番号は原子の（　）を取り巻く電子の数に等しい。

5. 「（　）を突く」とは、問題の大切な部分を指摘するという意味である。

｛a. 肯定　b. 否定　c. 空想　d. 賛否　e. 核　f. 核心｝

〔5〕筆順に注意して、学習漢字を何度も書いて練習しなさい。

V　まとめ

〔1〕この課のテーマの語彙です。声に出して読みなさい。

1．感想　　2．批評　　3．批判　　4．評価　　5．主張

6．指摘　　7．核心　　8．肯定　　9．否定

〔2〕最も適当なものを選びなさい。

　この意見は問題の｛a．批評　b．批判　c．核心　d．感想　e．否定｝を突いている。

〔3〕下線部の言葉を漢字で書きなさい。

1．発表の後で、全員が<u>かんそう</u>や<u>ひひょう</u>を述べ合う。

2．筆者の<u>しゅちょう</u>は高く<u>ひょうか</u>された。

3．彼の<u>してき</u>は<u>かくしん</u>を突いている。

4．首相は<u>ひはん</u>に対して、<u>こうてい</u>も<u>ひてい</u>もしなかった。

第Ⅰ部

第27課　修飾語 2

Ⅰ　ウォーミングアップ

◇　次の文を読みなさい。下線部はこの課のテーマに関する語彙です。

1．このレポートの文章は<u>簡潔</u>で<u>分かりやすい</u>。

2．このレポートは自分の主張を<u>明確</u>に述べている。

3．一般に、遺伝子組み換え作物*に対して<u>批判的</u>な意見が多い。genetically-modified crop

4．ゼミで<u>積極的</u>な意見交換が行われた。

5．アンケート結果では、10%が<u>否定的</u>な意見であった。

6．反省会では、<u>対照的</u>な二つの意見が出た。

Ⅱ　テーマの語彙

〔1〕この課のテーマの語彙です。見たことがあるものに☑を付けなさい。

☐ 貴重　　☐ 賢明　　☐ 独特　　☐ 独自　　☐ 新鮮　　☐ 独創的

☐ 一般的　☐ 単純　　☐ 鋭い　　☐ 根本的　☐ 意欲的

〔2〕声に出して読み、聞いたことがあるものに☑を付けなさい。

☐きちょう　☐けんめい　☐どくとく　☐どくじ　☐しんせん　☐どくそうてき

☐いっぱんてき　☐たんじゅん　☐するどい　☐こんぽんてき　☐いよくてき

III 学習漢字

◇ まず、（　）に読み方を考えて書きなさい。次に、下の答えを見て確かめなさい。
間違っていた場合は、その原因（げんいん）を考えましょう。（太字はテーマの語彙（ごい））

1

貴	とうと・い とうと・ぶ キ	precious / noble 貴　貴 귀할 (귀)	1級 貝	中 虫 貴

12

1　貴い（　　　い）　　　生命（せいめい）ほど貴いものはない*。　　Nothing is more ～ than life.
2　貴重（　　　）ナ precious　これは留学生の実態に関する貴重なデータである。
3　貴族（　　　）aristocracy　10世紀頃（ごろ）、京都において貴族による独自の文化が作られた。

　　　　　　　　　　　　　　　　　　　　1 とうとい　2 きちょう　3 きぞく

2

賢	かしこ・い ケン	wise / clever 賢　賢 어질 (현)	2級 貝	厂 厂 戸 臣 臤 賢

16

1　賢い（　　　い）　　　カラス*は鳥の中で最も賢いといわれている。　　crow
2　賢明（　　　）ナ wise　バスは遅れがち*なので、歩いて行くほうが賢明だ。tend to

　　　　　　　　　　　　　　　　　　　　　　　1 かしこ・い　2 けんめい

3

独	ひと・り ドク	alone 独　獨 홀로 (독)	2級 犭	犭 犲 狆 独 独

9

1　**独特**（　　　）unique　どの国にも、その国独特の文化がある。
2　**独自**（　　　）original　地震（じしん）を10段階で表すのは、日本独自の方法である。
3　**独立**（　　　）スル become independent
　　アメリカ合衆国（がっしゅうこく）*は1776年に独立した。　　USA
4　**独身**（　　　）unmarried　留学生寮には、独身用と家族用がある。

　　　　　　　　　　　　　　1 どくとく　2 どくじ　3 どくりつ　4 どくしん

第 I 部

| 4 | 鮮 | あざ・やか
セン | vivid / fresh
鮮　鮮
고울 (선) | 1級
魚 | ノ　ク　A　魚　魚　鮮
17 |

1　鮮やか（　　　やか）ナ　　　秋になると木々の葉が鮮やかな色に染(そ)まる*。　be dyed
2　鮮明（　　　　　）ナ vivid　　発表に使用した画像は、鮮明で見やすかった。
3　新鮮（　　　　　）ナ fresh　　冷凍技術の進歩によって、新鮮な食品が食べられる。

　　　　　　　　　　　　　　　　1 あざ・やか　2 せんめい　3 しんせん

覚えるためのヒント

・動物（犭）も虫も、独自の形。　　　・羊は新鮮な魚が好き。

| 5 | 創 | つく・る
ソウ | create
创　創
비롯할 (창) | 1級
刂 | ノ　今　戶　倉　創
12 |

1　独創的（　　　　　）ナ original　この研究は、独創的なアイデアが高く評価された。
2　創造（　　　　　）スル create　この研究は、創造的な取り組みとして評価される。
3　創立（　　　　　）スル establish　本大学は明治時代に創立された。

　　　　　　　　　　　　　　　　1 どくそうてき　2 そうぞう　3 そうりつ

| 6 | 般 | ハン | sort
般　般
옮길 (반) | 2級
舟 | ノ　力　月　舟　舩　般
10 |

1　一般的（　　　　　）ナ general　一般的に、白には清潔というイメージがある。
2　全般（　　　　　）whole　　日本のアニメ映画*は全般に、海外で評価が高い。
　　　　　　　　　　　　　　　　　　　　　　　　　animation film

　　　　　　　　　　　　　　　　　　1 いっぱんてき　2 ぜんぱん

覚えるためのヒント

「舟(ふね)」は、ボートに乗っている二人を上から見た形。

第 27 課　修飾語 2

7 純 ジュン / pure / 순수할(순) / 2級 糸 / 糸 紆 紈 純　10

1. 単純（　　　）ナ simple　複雑な内容を単純に説明する。
2. 純粋（　　　）ナ pure　学びたいという純粋な動機*から留学する学生が多い。 motive

1 たんじゅん　2 じゅんすい

8 鋭 するど・い / エイ / sharp / penetrating / 鋭 鋭 / 날카로울(예) / 2級 金 / 金 針 鈷 鋭　15

1. 鋭い（　　　い）　発表の後で、内容について鋭い質問が次々に出された。

1 するど・い

9 根 ね / コン / root / 根 根 / 뿌리(근) / 2級 木 / 木 杧 根 根　10

1. 根（　　　）　植物が地面に根を張る。
2. 根本的（　　　）ナ basic　本稿は、少年問題の根本的な解決方法を探る。《論》
3. 根底（　　　）root　少年問題の根底に、社会構造のゆがみ*がある。 distortion
4. 根気（　　　）perseverance　漢字を学習するのには根気が必要だ。

1 ね　2 こんぽんてき　3 こんてい　4 こんき

10 欲 ほ・しい / ほっ・する / ヨク / want / desire / 欲 欲 / 욕심낼(욕) / 2級 欠 / 八 公 谷 谷 欲　11

1. 欲しい（　　　しい）　発表は良かったが、欲をいえば、理由の説明が欲しい。
2. 意欲的（　　　）ナ highly motivated　学生たちは、意欲的に漢字学習に取り組んでいる。
3. 欲求（　　　）スル desire　本来、人は知的*欲求を持っているものだ。 intellectual

1 ほしい　2 いよくてき　3 よっきゅう

Ⅳ 練習問題

〔1〕異なる部分に注目して、下線部の言葉の書き方、あるいは読み方を選びなさい。
　　（一方の語には実際に使われていないものもあります。）

1．この方法を用いたのは<u>けんめい</u>とはいえない。　　{a. 堅明　　b. 賢明}

2．<u>たんじゅん</u>な計算を間違える。　　　　　　　　　{a. 単鈍　　b. 単純}

3．これは<u>しんせん</u>な発想だ。　　　　　　　　　　　{a. 新鮮　　b. 新群}

4．問題の核心がシステムにあるというのは、<u>するどい</u>指摘だ。
　　　　　　　　　　　　　　　　　　　　　　　　　　{a. 鋭い　　b. 鈍い}

5．このアイデアは<u>どくそうてき</u>だ。　　　　　　　　{a. 独創的　b. 独走的}

6．このレポートは<u>いよくてき</u>なものである。　　　　{a. 意欲的　b. 意浴的}

7．50年前、海外旅行は<u>いっぱんてき</u>ではなかった。　{a. 一船的　b. 一般的}

8．この方法は、<u>こんぽんてき</u>に問題がある。　　　　{a. 銀本的　b. 根本的}

9．時間ほど<u>貴重</u>なものはない。　　　　　　　　　　{a. きちょう　b. きじゅう}

〔2〕下線部の言葉の読み方を書きなさい。

1．<u>従来</u>（じゅうらい）の手法を<u>根本的</u>に見直した。　　_____

2．この方法は<u>独創的</u>すぎて理解しにくい。　　　　　_____

3．この作品はアイデアが<u>新鮮</u>である。　　　　　　　_____

4．筆者は、日本文化を<u>独自</u>の<u>視点</u>（してん）からとらえている。viewpoint
　　　　　　　　　　　　　　　　　　　　　　　　　　_____

5．このレポートは未完成だが<u>意欲的</u>なものである。　_____

6．若いときに外国で<u>暮らす</u>（く）のは、<u>貴重</u>な経験だ。live
　　　　　　　　　　　　　　　　　　　　　　　　　　_____

7．最初から辞書を使って読むのは、<u>賢明</u>ではない。　_____

第27課　修飾語2

8．この方法は、発想は単純だが、実行するのは難しい。　_____

9．日本では西欧に比べ、日光浴*はそれほど一般的ではない。sunbathing

　　_____

10．発表の後で鋭い指摘や参考意見が出される。　_____

〔3〕下線部の言葉の読み方を書き、意味を考えなさい。

1．貴重品とは、現金、宝石*など高価なものを指す。jewelry

　　_____

2．20世紀に多くの国が独立した。　_____

3．漢字は独学でも学べるが、クラスで学ぶと、より効果的に学べる。

　　_____

4．「日本文化Ⅰ」では、俳句の創作を通じて日本語の美しさを学ぶ。

　　_____

5．アルキメデス*は、金の純度を測る方法を発見したとき、「eureka」と叫んだ*。
　　　　　　　　　　　　Archimedes(287?-212BC), cry　_____

6．近年になって、食欲と脳の関係が明らかになってきた。　_____

7．ギリシャの哲学者タレス*は「万物*の根源は水である」と言った。
　　　　　　　　　　　　　Thales(640–546? BC), all things　_____

8．この問題は根が深くて、簡単には解決できそうもない。　_____

9．環境は、専門家だけでなく、一般の人にも関心が高いテーマだ。

　　_____

10．発表の後で、核心に触れる鋭い意見が出された。　_____

11．これは単独研究ではなく、共同研究である。　_____

〔4〕筆順に注意して、学習漢字を何度も書いて練習しなさい。

Ⅴ　まとめ

〔1〕この課のテーマの語彙(ごい)です。声に出して読みなさい。

1．貴重　2．賢明　3．独特　4．独自　5．新鮮　6．独創的

7．一般的　8．単純　9．鋭い　10．根本的　11．意欲的

〔2〕最も適当なものを選びなさい。

考え方が {a．意欲的　b．独創的　c．根本的　d．賢明} に間違っている。

〔3〕下線部の言葉を漢字で書きなさい。

1．授業のときに親切な友人の隣に座るのは、たんじゅんだがけんめいな問題解決法だ。

2．いっぱん的に、内陸の土地ではしんせんな魚はきちょうだ。

3．彼の発表はいよく的で、内容もどくそう的である。

4．内容について、こんぽん的に間違っているというするどい意見が出た。

第Ⅱ部

論文、レポートなどに使われる語彙を学習します。

第Ⅱ部

第28課　序論(じょろん)

第28～35課では、論文・レポートに使われる漢字語彙(ごい)を学習します。
論文・レポートの構成に従(したが)って、次のような内容で学習していきます。

```
序論      ・・・・・・   第 28 課
     ┌ 実験、観察 ・・・  第 29 課
     │ 調査 ・・・・・・  第 30 課
     │ 数値 ・・・・・・  第 31 課
本論 │ 図表 ・・・・・・  第 32 課
     │ 結果と考察1 ・・  第 33 課
     └ 結果と考察2 ・・  第 34 課
結論
       （修飾語）・・・・  第 35 課
```

第28課では「序論」に用いられる語彙(ごい)を学習します。

Ⅰ　テーマの語彙(ごい)

〔1〕この課のテーマの語彙(ごい)です。見たことがあるものに レ を付けなさい。

☐ 序論　　☐ 視点　　☐ 考察　　☐ 背景　　☐ 焦点

☐ 枠組み　☐ 従来　　☐ 略す　　☐ 方針

〔2〕声に出して読み、聞いたことがあるものに レ を付けなさい。

☐ じょろん　☐ してん　　☐ こうさつ　☐ はいけい　☐ しょうてん

☐ わくぐみ　☐ じゅうらい　☐ りゃくす　☐ ほうしん

第 28 課　序論

II　学習漢字

◇ まず、（　）に読み方を考えて書きなさい。次に、下の答えを見て確かめなさい。
　間違っていた場合は、その原因を考えましょう。（太字はテーマの語彙）

1

| 序 | ジョ | beginning / order
序　序
차례 (서) | 1級
广 | 广 广 序 序 | 7 |

1　序論（　　　　　）introduction　　論文の第1章は「序論」、「緒言」、「前書き」などとする。
2　序文（　　　　　）preface　　　　この本の序文に、著作の動機*が書かれている。　　motive
3　順序（　　　　　）an order　　　参考文献の順序は、引用*順にすること。　　citation

　　　　　　　　　　　　　　　　　　　　　　1 じょろん　2 じょぶん　3 じゅんじょ

2

| 視 | シ | regard
視　視
볼 (시) | 1級
見 | ネ 視 | 11 |

1　～視（～　　　　）　　　　　　　この問題をメーカー側は軽視しているが、消費者側は重要視している。
2　**視点**（　　　　　）viewpoint　　**経済学の視点から環境問題を考える。**
3　視野（　　　　　）outlook　　　留学してから視野が広くなった。
4　重視（　　　　　）スル regard ~ as important　この授業は、出席を重視して評価する。
5　無視（　　　　　）スル ignore　信号を無視したため、事故が起こった。

　　　　　　　　　　　　　　　　　　1 ～し　2 してん　3 しや　4 じゅうし　5 むし

3

| 察 | サツ | inspect / guess
察　察
살필 (찰) | 2級
宀 | 宀 夕 㝉 察 | 14 |

1　察する（　　　する）guess　　犬には、飼い主*の気持ちを察する能力がある。　　owner
2　考察（　　　　　）スル consider　本稿では、1960～70年代の景気変動を考察する。

　　　　　　　　　　　　　　　　　　　　　　　　　　1 さっ・する　2 こうさつ

第Ⅱ部

4 背　せ／せい　そむ・く　ハイ　back / disobey　背　背　등(배)　2級月　⺼　丬　北　背　9

1. 背（　　　　）back 「背が高い」の「背」は身長*の意味である。　height
2. **背景**（　　　　）background **序論で研究の背景を述べる。**
3. **背後**（　　　　）behind 言葉の背後にある意味を推測する。

1 せ／せい　2 はいけい　3 はいご

覚えるためのヒント

月は体、北は後ろを表す。体の後ろ、つまり、「背」の意味。

5 景　ケイ　scene　景　景　볕(경)　2級日　日　旦　昙　景　12

1. **景気**（　　　　）business conditions 社会全体の経済の状態を景気という。
2. **風景**（　　　　）landscape 日本各地の風景をビデオに録画している。
3. **景色**（　　　　）scenery 山水画とは、自然の景色を描いた絵である。

1 けいき　2 ふうけい　3 けしき

6 焦　こ・げる　こ・がす　あせ・る　ショウ　scorch / hurry　焦　焦　그을릴(초)　1級灬　亻　亻　隹　焦　12

1. 焦げる（　　げる）scorch 魚を焼き続けると、やがて焦げ、燃えはじめる。
2. **焦る**（　　る）be impatient **試験が近づくと、気持ちが焦る。**
3. **焦点**（　　　　）focus **電子部品に焦点を当てて、日中貿易を論じる。**　ぼうえき

1 こ・げる　2 あせる　3 しょうてん

覚えるためのヒント

火(灬)の上に鳥(隹)を置いて焼いていると、やがて焦げる。

7 枠 わく / frame / 테두리(*) / 1級 木

1. 枠（　　　）　発表用のスライドのタイトルは、枠で囲んだほうがよい。
2. **枠組み**（　　み）framework　序論に研究の枠組みを書く。

1 わく￣　2 わくぐ・み

8 従 したが・う / したが・える / ジュウ / follow / 从 從 / 좇을(종) / 1級 イ

1. 従う（　　う）　先生の指示に従う。
2. 〜に従って（　　って）with　人口の増加に従って、学校の数が増える。
3. **従来**（　　）in the past　従来の研究には、いくつかの問題点がある。

1 したが・う　2 したが・って　3 じゅ￣うらい

9 略 リャク / omit / abbreviate / 略 略 / 간략할(략) / 2級 田

1. 略す（　　す）abbreviate　1990年を90年と略す。
2. **省略**（　　）スル omit　日本語は、主語を省略することが多い。

1 りゃく￣・す　2 しょうりゃく

10 針 はり / シン / needle / 针 針 / 바늘(침) / 2級 金

1. 針（　　）　磁石*の針のN極は、北を指している。 compass
2. **方針**（　　）plan　第1章では、研究の背景と方針を述べる。
3. **指針**（　　）guideline　このパンフレットは、安全な実験の指針を示している。

1 は￣り　2 ほうしん　3 ししん

Ⅲ 練習問題

〔1〕異なる部分に注目して、下線部の言葉の書き方、あるいは読み方を選びなさい。
　　（一方の語には、実際に使われていないものも含まれています。）

1. <u>じょろん</u>には、目的、先行研究などを書く。　　{a. 予論　　b. 序論}
2. 子供の問題行動の<u>はいご</u>にある要因を考える。　{a. 背後　　b. 肯後}
3. <u>けいき</u>変動に影響を与える要因を考える。　　　{a. 影気　　b. 景気}
4. 序論の中で、<u>じゅうらい</u>の研究の問題点を挙げる。{a. 従来　　b. 徒来}
5. 本論文は、この問題について<u>こうさつ</u>する。　　{a. 考察　　b. 考祭}
6. 話し言葉では助詞を<u>しょうりゃく</u>することがある。{a. 省格　　b. 省略}
7. 研究の<u>ほうしん</u>を立てる。　　　　　　　　　　{a. 方針　　b. 方計}
8. 留学生の<u>してん</u>から日本文化を考える。　　　　{a. 視点　　b. 規点}
9. 序論で研究の<u>わくぐみ</u>を示す。　　　　　　　　{a. 枠組み　b. 核組み}
10. 18世紀の海上交通に<u>焦点</u>を当てる。　　　{a. しゅうてん　b. しょうてん}

〔2〕下線部の言葉の読み方を書きなさい。

1. 第1章では、この小説の社会的<u>背景</u>を述べる。　　＿＿＿＿＿＿＿
2. 来日半年以内の留学生のストレスに<u>焦点</u>を絞る。　＿＿＿＿＿＿＿
3. <u>従来</u>の研究は、実験によるものがほとんどであった。＿＿＿＿＿＿＿
4. 留学生の作文中の「こと」について<u>考察</u>する。　　＿＿＿＿＿＿＿
5. 本研究では、これまでと異なる<u>視点</u>から検討する。　＿＿＿＿＿＿＿
6. 環境問題を検討するための新しい<u>枠組み</u>を提示する。＿＿＿＿＿＿＿

7．通信販売(はんばい)(以下、通販と略す)について述べる。　　　　　　　　　＿＿＿＿＿＿＿＿＿＿

8．研究の方針を立てる。　　　　　　　　　＿＿＿＿＿＿＿＿＿＿

〔3〕下線部の言葉の読み方を書き、意味を考えなさい。

1．文書の背景に色を付けることができる。《コ》　　　　　＿＿＿＿＿＿＿＿＿＿

2．景気は、好景気と不景気を繰り返す。　　　　　＿＿＿＿＿＿＿＿＿＿

3．日本の風景写真を添付ファイルで家族に送った。　　　　　＿＿＿＿＿＿＿＿＿＿

4．文字を枠で囲む。《コ》　　　　　＿＿＿＿＿＿＿＿＿＿

5．スペースがないため、説明を省略する。　　　　　＿＿＿＿＿＿＿＿＿＿

6．デジカメはデジタルカメラの略語である。　　　　　＿＿＿＿＿＿＿＿＿＿

7．凸(とつ)レンズを使って紙に太陽光(たいようこう)を集めると、紙が焦げる。　　　　　＿＿＿＿＿＿＿＿＿＿

8．説明書に従ってパソコンを組み立てる。　　　　　＿＿＿＿＿＿＿＿＿＿

Ⅳ　応用練習

論文等の「序論」に見られる文に基づいた例文です。下線部に注意して文を読みなさい。

1．本論文は、漫画(まんが)『サザエさん』に見られる家族間の敬語の変化を取り扱う。

2．このテーマを取り扱う目的は、以下のとおりである。

3．日本の家族間の尊敬語(そんけいご)の変化については、これまで明らかになっていない。

4．家族間の意識の変化を探るためには、家族間の会話の検討が必要である。

5．林(1999、pp.109-111)に『サザエさん』の敬語に関する記述がある。

6．本研究では、植物歴史学の視点から環境問題の一端を究明する。

7．本稿では、中流意識を、生活レベルが中流階級に属するという意識と定義する。

8．生活の場以外における不適応※は、これまで重要視されてこなかった。
maladaptation

9．そこで本研究は、この問題について異文化間教育の立場から捉え、検討する。

10．日本の宗教※と山の関係を、山開きの行事に焦点を合わせて考察する。　religion

11．そこで本稿では、父親に対する敬語に焦点を絞って検討する。

12．自動車税の仕組み※を検討し、環境問題の背後にある経済政策の問題点を探る。
mechanism

13．この問題を解明することには意義があると考える。

14．第2章に先行研究と本研究の方針を述べる。

◇　筆順に注意して、学習漢字を何度も書いて練習しなさい。

Ⅴ　まとめ

〔1〕この課のテーマの語彙です。声に出して読みなさい。

1．序論　　2．視点　　3．考察　　4．背景　　5．焦点

6．従来　　7．枠組み　8．略す　　9．方針

〔2〕最も適当なものを選びなさい。

｛a. 序論　b. 考察　c. 視点　d. 焦点｝で、論文の課題、目的、構成を紹介する。

〔3〕下線部の言葉を漢字で書きなさい。

1. <u>じょ</u>論には研究の<u>はいけい</u>、先行研究、目的、<u>ほうしん</u>などについて書く。

2. 本研究では自動車に<u>しょうてん</u>を当て、環境経済学の<u>してん</u>から<u>こうさつ</u>する。

3. 本研究のねらい*は、<u>じゅうらい</u>と違う環境経済学の新しい<u>わくぐみ</u>を示すことである。
　　　　　　　　　　　　　　　　　　　　　　　　　　　　　　　　　　aim

4. ダイレクトメール（以下、DMと<u>りゃく</u>す）に表れた敬語の誤用について論じる。

第Ⅱ部

第29課　実験・観察(かんさつ)

論文の中で「実験」「観察」に関して用いられる語彙(ごい)を学習します。

Ⅰ　テーマの語彙(ごい)

〔1〕この課のテーマの語彙(ごい)です。見たことがあるものに ☑ を付けなさい。

- ☐ 手順
- ☐ 観察
- ☐ 材料
- ☐ 装置
- ☐ 機械
- ☐ 分析
- ☐ 条件
- ☐ 被験者
- ☐ 実施

〔2〕声に出して読み、聞いたことがあるものに ☑ を付けなさい。

- ☐ てじゅん
- ☐ かんさつ
- ☐ ざいりょう
- ☐ そうち
- ☐ きかい
- ☐ ぶんせき
- ☐ じょうけん
- ☐ ひけんしゃ
- ☐ じっし

Ⅱ　学習漢字

◇　まず、(　　)に読み方を考えて書きなさい。次に、下の答えを見て確かめなさい。
　　間違っていた場合は、その原因(げんいん)を考えましょう。（太字はテーマの語彙(ごい)）

| 1 | 順　ジュン | order
順　順
순할(순) | 2級
頁 | 川 順 | 12 |

1　順（　　　　）　　　　　　この資料の索引(さくいん)*は、題名のアルファベット順になっている。
　　　　　　　　　　　　　　　　　　　　　　　　　　　　　　　　　　　　　　index

2　**手順**（　　　　）procedure　**実験の手順は次のとおりである。**

3　順番（　　　　）order　　「法学演習」では、学生が順番に資料を読む。

4　順調（　　　　）ナ satisfactory/smooth　研究が順調に進む。

---

1 じゅん　2 てじゅん　3 じゅんばん　4 じゅんちょう

第29課　実験・観察

2 観 カン / view / 観 観 / 볼(관) / 2級 見

1. 観察（　　　　）スル observe　日本人女性の笑い方を観察した。
2. 観点（　　　　）viewpoint　一つの問題を、様々な観点から論じる。
3. 観測（　　　　）スル observe　大気中のCO_2濃度の変化を観測した。
4. 主観（　　　　）subjectivity　「～と思う」は主観的な表現である。
5. 客観（　　　　）objectivity　観察した結果を客観的に述べる。
6. 観光（　　　　）スル go sightseeing　外国人に最も人気のある観光地は京都と奈良である。

1 かんさつ　2 かんてん　3 かんそく　4 しゅかん　5 きゃっかん　6 かんこう

3 材 ザイ / material / 材 材 / 재목(재) / 2級 木

1. 材料（　　　　）　実験材料には針金*を用いた。　wire
2. 材質（　　　　）materials　教室の机は、傷*が付きにくい材質でできている。scratch
3. 素材（　　　　）material　新しい金属素材を開発した。
4. 人材（　　　　）able person　大学は社会に役立つ人材を育てる。

1 ざいりょう　2 ざいしつ　3 そざい　4 じんざい

4 装 よそお・う / ソウ / ショウ / wear / furnish / 装 装 / 꾸밀(장) / 2級 衣

1. 装う（　　　う）dress　美しく装いたいという気持ちは、男性も女性も同じだ。
2. 装置（　　　　）equipment, device　教室に暖房装置と冷房装置がある。
3. 衣装（　　　　）clothes　国際祭りで、留学生たちはそれぞれの国の民族衣装を着た。

1 よそお・う　2 そうち　3 いしょう

5 械 カイ — machine 械 械 기계(계) — 2級 木 — 木 杧 械 械 — 11

1. 機械（　　　）machine　　初期のコンピューターは、単なる計算する機械だった。
2. 機械的（　　　）ナ mechanical　日本語の文型を機械的に暗記する。

1 きかい　2 きかいてき

6 析 セキ — analyze 析 析 쪼갤(석) — 1級 木 — 木 杧 析 — 8

1. 分析（　　　）スル analyze　地方都市の発展の要因を分析した。
2. 解析（　　　）スル analyze　実験を行い、得られたデータを解析した。

1 ぶんせき　2 かいせき

7 条 ジョウ — article 条 條 조목(조) — 1級 木 — 夂 条 — 7

1. 条件（　　　）condition　この実験は、温度と湿度の条件が悪いと不可能だ。
2. 条約（　　　）treaty　二国間で平和条約を結ぶ。

1 じょうけん　2 じょうやく

8 件 ケン — matter 件 件 사건(건) — 2級 イ — イ 件 — 6

1. ～件（　　　）case　経済学の文献のデータベースに、約70万件の論文が登録されている。
2. 事件（　　　）event　19世紀に日本国内で起こった歴史的な事件について調べた。

1 ～けん　2 じけん

第29課　実験・観察

| 9 | 被 | こうむ・る
ヒ | receive / suffer
被 被
입을 (피) | 2級
衤 | ネ 衤 衤 衻 被 | 10 |

1　被る（　　　　る）　　　　島は津波によって大きな被害を被った。
2　**被験者**（　　　　）subject　この実験の被験者は、外国人留学生15名である。
3　被害（　　　　）damage　青葉山における酸性雨*の被害を調査した。　　acid rain

1 こうむ・る　2 ひけんしゃ　3 ひがい

| 10 | 施 | ほどこ・す
シ
セ | give / carry out
施 施
베풀 (시) | 1級
方 | 方 方 扩 扩 施 | 9 |

1　施す（　　　　す）　　　　本大学は学生に最先端の教育を施すことを目的としている。
2　実施（　　　　）スル carry out　電子メールによるアンケート調査を実施した。
3　施設（　　　　）facility　本研究では、大学内の動物実験施設を使った。

1 ほどこ・す　2 じっし　3 しせつ

III　練習問題

〔1〕異なる部分に注目して、下線部の言葉の書き方、あるいは読み方を選びなさい。
　　（一方の語には、実際に使われていないものも含まれています。）

1．次のてじゅんで実験を行った。　　　　　　　　　　　　｛a. 手順　　b. 手須｝
2．携帯電話における会話の終結部をかんさつした。　　　　｛a. 勧察　　b. 観察｝
3．タマネギ*をざいりょうに実験を行った。onion　　　　　｛a. 材料　　b. 林料｝
4．実験そうちは以下のとおりである。　　　　　　　　　　｛a. 装置　　b. 壮置｝
5．実験には大型きかいを使った。　　　　　　　　　　　　｛a. 機会　　b. 機械｝
6．都市の発展要因のぶんせきを行った。　　　　　　　　　｛a. 分折　　b. 分析｝
7．この奨学金は女性であることがじょうけんである。　　　｛a. 冬件　　b. 条件｝

第Ⅱ部

8．実験は10日間連続してじっしした。　　　　　{a. 実施　　b. 実旋}
9．留学生をひけんしゃとして実験を行った。　　{a. 皮験者　　b. 被験者}

〔2〕下線部の言葉の読み方を書きなさい。

1．次の1～9の手順で実験を行った。　　　　　　　＿＿＿＿＿＿＿＿
2．集団における幼児の行動を観察した。　　　　　　＿＿＿＿＿＿＿＿
3．最初の実験で作った標本を、次の実験の材料にした。　＿＿＿＿＿＿＿＿
4．超音波解析装置を使って実験を行った。　　　　　＿＿＿＿＿＿＿＿
5．実験に用いた機械は以下のとおりである。　　　　＿＿＿＿＿＿＿＿
6．テレビが子供の言語発達に与える影響を分析した。　＿＿＿＿＿＿＿＿
7．温度、湿度に関して同一の条件で実験を行った。　　＿＿＿＿＿＿＿＿
8．実験の被験者は、滞在1年未満の留学生である。　　＿＿＿＿＿＿＿＿
9．遺伝子組み換え*の実験を実施した。gene recombination　＿＿＿＿＿＿＿＿

〔3〕下線部の言葉を読み、意味を考えなさい。

1．この実験施設を使うためには、講習会を受講していることが必要条件である。
2．大学は地球環境のために、階段の自動消灯装置、トイレの消音装置を設置した。
3．地震の被害が少なかった背景には、地震発生が深夜だったことがある。
4．レポートや論文では、主観的な表現でなく客観的な表現をするべきだ。
5．他の国の学生たちと人生観を話し合うのは興味深い。
6．漢字は、機械的に何度も書くより、構成部分に注目して覚えるほうが効果的だ。
7．雇用者*は被雇用者*に賃金*を支払う。　　　　　employer, employee, wage
8．土に返るプラスチックなど、地球環境に良い新素材が開発されている。
9．食器の材質が味覚*に及ぼす影響を考察した。　　　sense of taste

第29課　実験・観察

Ⅳ　応用練習

論文等の「実験」「観察」に関する文に基づいた例文です。下線部に注意して文を読みなさい。

1. 「カラス*の自動車利用行動」について、行動観察を行った。　　　　　crow
2. ニュースの表現について、話し言葉と書き言葉の比較という観点から分析を行った。
3. 小動物を用いる動物実験を実施した。
4. 実験手順の詳細は、次のとおりである。
5. 実験の装置としてAコンピューターを使用した。
6. 実験の材料は、録音テープに録音した四つの音である。
7. 留学生の敬語使用の変化を、3段階に分けて分析を試みた。
8. パソコンを用いて、仙台方言のアクセント解析を試みた。
9. 授業をビデオに録画し、分析を行った。
10. 条件を変えて、実験を3回行った。
11. 難解な文章を被験者に読ませ、疲労が見えはじめる時間を記録した。

◇　筆順に注意して、学習漢字を何度も書いて練習しなさい。

Ⅴ　まとめ

〔1〕この課のテーマの語彙です。声に出して読みなさい。

1. 手順　　2. 観察　　3. 材料　　4. 装置　　5. 機械
6. 分析　　7. 条件　　8. 被験者　　9. 実施

第Ⅱ部

〔2〕最も適当なものを選びなさい。

男女15名を {a. 条件　b. 手順　c. 装置　d. 被験者} として、聞き取り実験を行った。

〔3〕下線部の言葉を漢字で書きなさい。

1．留学生10名をひけん者として、聞き取り実験を行った。

2．実験のてじゅんは以下のとおりである。

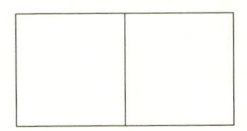

3．ビデオそうちと歩行きかいを用い、ロボットの歩行実験をじっしした。

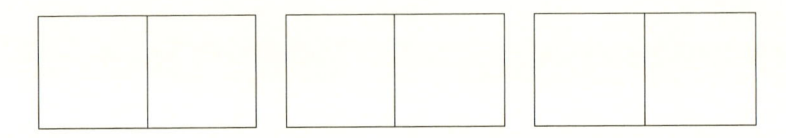

4．同じじょうけんで実験を3回繰り返し、結果をぶんせきした。

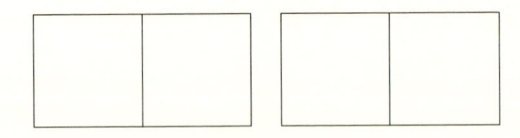

5．読解における辞書の使用をかんさつした。ざいりょうとして、このために作成した文章を用いた。

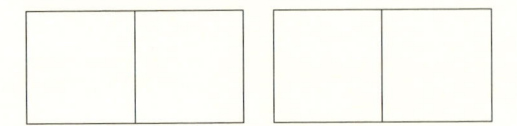

第30課　調査

論文の中で「調査」に関して用いられる語彙を学習します。

Ⅰ　テーマの語彙

〔1〕この課のテーマの語彙です。見たことがあるものに☑を付けなさい。

☐ 概要　　☐ 対象　　☐ 仮説　　☐ 無作為　　☐ 抽出

☐ 考慮　　☐ 質問票　☐ 該当　　☐ 欄　　　　☐ 回収

〔2〕声に出して読み、聞いたことがあるものに☑を付けなさい。

☐ がいよう　☐ たいしょう　　☐ かせつ　　☐ むさくい　☐ ちゅうしゅつ

☐ こうりょ　☐ しつもんひょう　☐ がいとう　☐ らん　　　☐ かいしゅう

Ⅱ　学習漢字

◇ まず、（　）に読み方を考えて書きなさい。次に、下の答えを見て確かめなさい。
　間違っていた場合は、その原因を考えましょう。（太字はテーマの語彙）

1

| 概 | ガイ | general
概 概
대개 (개) | 1級
木 | 木 ね ね ね 概 概
14 |

1　**概要**（　　　　）summary　　　第1章に調査の概要を書く。

2　概念（　　　　）concept　　　「文化」の概念は、人によって違う。

3　概論（　　　　）introduction　経済学概論の授業を取っている。

4　概説（　　　　）スル outline　　講義の最初に、内容について概説する。

---

1 がいよう　2 がいねん　3 がいろん　4 がいせつ

2 象 ショウ/ゾウ — image / elephant 象 象 코끼리(상) 2級 豕 ノ ⌒ ⌒ 免 象 象 12

1 対象（　　　） object, target　留学生を対象として、アンケート調査を行った。
2 現象（　　　） phenomenon　オーロラ*は、北極や南極で見られる現象である。 aurora
3 気象（　　　） meteorology　人工衛星*を用いて気象を観測する。 satellite
　　　　　　　　　　　　　　　えいせい

1 たいしょう　2 げんしょう　3 きしょう

3 仮 かり/カ — tentative / temporary 假 假 거짓(가) 1級 イ イ 仃 仮 6

1 仮（　　　）　　　　　　　　　研究計画書のタイトルは仮のものでよい。
2 仮に（　　に） suppose, if　　ここは雨が降らない。仮に降ったとしても、わずかだ。
3 仮説（　　　） hypothesis　　仮説を立て、それに基づいて調査を行った。
4 仮定（　　　）スル presume　　AはBであると仮定する。

1 かり　2 かり・に　3 かせつ　4 かてい

4 為 イ — do / sake 为 爲 할(위) 1級 灬 ソ ヴ 为 為 為 9

1 作為的（　　　）ナ artificial　　　このデータは作為的に選んだものである。
2 無作為抽出（　　　） random sampling　無作為抽出法で調査対象を選んだ。
3 行為（　　　） behavior　　　　　ソフトウェアをコピーするのは違法行為だ。
　　　　　　　　　　　　　　　　　　　　　　　　　　　　　　　　　いほう
4 人為的（　　　）ナ artificial　　　人為的な原因による温暖化を「地球温暖化」という。

1 さくいてき　2 むさくいちゅうしゅつ　3 こうい　4 じんいてき

第30課　調査

5. 抽 チュウ — extract 抽 抽 뽑을(추) 1級 扌 才 扌 扚 抽 抽　8

1. 抽出（　　　　）スル sample　学生名簿から、3人おきに機械的に標本を抽出した。
2. 抽象的（　　　　）ナ abstract　この記述は抽象的で、分かりにくい。
3. 抽選（　　　　）スル lot　ゼミへの応募者が多い場合は、抽選で決める。

1 ちゅうしゅつ　2 ちゅうしょうてき　3 ちゅうせん

6. 慮 リョ — consider 慮 慮 생각할(려) 1級 心 ト 广 卢 虘 慮　15

1. 考慮（　　　　）スル consider　企業は社員の経験と能力を考慮して給料を決める。
2. 配慮（　　　　）スル concern　都市開発の際は、環境に配慮しなくてはならない。
3. 遠慮（　　　　）スル hesitate　「ご遠慮なく」は「どうぞ」という意味だ。

1 こうりょ　2 はいりょ　3 えんりょ

7. 票 ヒョウ — slip / vote 票 票 표(표) 1級 示 一 冖 襾 西 票　11

1. 票（　　　　）vote　今回の市長選挙では、過半数の票がP氏に集まった。
2. 投票（　　　　）スル vote　支持する候補者*に投票する。　candidate
3. 質問票（　　　　）　質問票を作成し、発送する。

1 ひょう　2 とうひょう　3 しつもんひょう

8. 該 ガイ — correspond to 該 該 그(해) 1級 言 言 言 訂 訡 該　13

1. 該当（　　　　）スル applicable　アンケート用紙の回答欄の、該当する項目に○を付ける。

1 がいとう

第Ⅱ部

| 9 | 欄 ラン | column 栏　欄 난간(란) | 1級 木 | 木　椚　欄 20 |

1　欄（　　　　）　　　　回答は回答欄に記入する。
2　欄外（　　　　　）margin　質問票の欄外に、集計のための記号を書いておく。
3　解答欄（　　　　　）　　試験の解答は解答欄に記入する。

　　　　　　　　　　　　　　　1　らん　2　らんがい　3　かいとうらん

| 10 | 収 おさ・まる おさ・める シュウ | put in / gain 收　収 거둘(수) | 2級 又 | レ　屮　収 4 |

1　収める（　　　める）put in　20万語の語彙がデータベースに収められている。
2　回収（　　　　）スル collect　調査票を回収する。
3　収入（　　　　）income　毎月、収入より支出のほうが多い。

　　　　　　　　　　　　　　　1　おさめる　2　かいしゅう　3　しゅうにゅう

Ⅲ　練習問題

〔1〕異なる部分に注目して、下線部の言葉の書き方、あるいは読み方を選びなさい。
　　　（一方の語には、実際に使われていないものも含まれています。）

1．留学生をたいしょうにして、聞き取り調査を行った。｛a. 対象　　b. 対像｝
2．本報告は、アンケート調査のがいようである。　　　｛a. 既要　　b. 概要｝
3．100名の学生に質問ひょうを送った。　　　　　　　｛a. 標　　　b. 票｝
4．標本をちゅうしゅつした。　　　　　　　　　　　　｛a. 抽出　　b. 押出｝
5．試験の答えは解答らんに書く。　　　　　　　　　　｛a. 欄　　　b. 簡｝
6．かせつを立てる。　　　　　　　　　　　　　　　　｛a. 板説　　b. 仮説｝
7．がいとうする全項目に〇を付ける。　　　　　　　　｛a. 該当　　b. 核当｝
8．回答者が男女同数になるように考慮した。｛a. こうりょ　b. こうりょう｝

9. 回答者を<u>無作為</u>に選んだ。　　　　　　　　　　{a. むさい　b. むさくい}

10. 55%の回答用紙を<u>かいしゅう</u>した。　　　　　　{a. 回集　b. 回収}

〔2〕下線部の言葉の読み方を書きなさい。

1. 留学生100名を<u>対象</u>として、調査を実施した。　　　_____

2. 調査対象は、<u>無作為抽出法</u>で抽出した。　　　　　_____

3. 「画数が多いと難しく感じる」という<u>仮説</u>を立てた。　_____

4. 調査の費用を<u>考慮</u>に入れて、対象を20人とした。　_____

5. <u>質問票</u>には、30項目の質問を<u>設</u>けた。　　　　　_____

6. 質問票は直接<u>回収</u>した。　　　　　　　　　　　　_____

7. 回答は<u>選択肢</u>から選び、<u>空欄</u>には自由に記入する。　_____

8. ウェブ検索の結果、<u>該当</u>するデータはなかった。　　_____

9. 論文の<u>概要</u>を、英文10行程度で書く。　　　　　　_____

〔3〕下線部の言葉の読み方を書き、意味を考えなさい。

1. 「ご<u>遠慮</u>ください」は「～するな」という意味だ。　_____

2. この災害は<u>人為的</u>災害だと考えられる。　　　　　_____

3. 最近の<u>異常気象</u>は温暖化の影響だと考えられる。　　_____

4. この表現は<u>抽象的</u>で、分かりにくい。　　　　　　_____

5. 発表のスライドには、<u>印象的</u>な画像を使うとよい。　_____

6. ゼミへの参加者は、応募者の中から<u>抽選</u>で決めた。　_____

7. 原稿の<u>欄外</u>にページ番号を書くこと。　　　　　　_____

8. 学生の主な<u>収入源</u>は、両親からの援助である。　　_____

9. 世界各国の切手を<u>収集</u>している。　　　　　　　　_____

第Ⅱ部

10. 再試験の該当者は、10時に201教室へ来ること。　_____

11. 大気がないと仮定して、地球の気温を計算した。　_____

12. 森教授は、日本語による『英文学概論』を著(あらわ)した。　_____

Ⅳ　応用練習

論文等の「調査」に関する文に基づいた例文です。下線部に注意して文を読みなさい。

1. 本大学における研究留学生の生活に関する実態調査を実施した。

2. 60歳以上の男女を対象に、ロボットに関する意識調査と分析を行った。

3. 観光地の現地ガイドにおける敬語の使用に関して、現地調査を行った。

4. 国会図書館において、日本の海上貿易史(ぼうえきし)について文献調査を行った。

5. まず、フィールド調査に基づいて仮説を立て、分析を通じて検証する。

6. 画数の少ない漢字ほど用例が多い、という仮説に基づいて、文献調査を実施した。

7. 面接調査と質問紙調査の2種類の調査法を用いた。

8. サンプリングは、留学生1000人から、層化二段抽出法によって行った。

9. 一人の対象者に対して、同じ質問を3回繰(く)り返した。

10. 郵送*(ゆうそう)による回収率の低さを考慮に入れて、訪問による回収も行った。　by mail

◇　筆順に注意して、学習漢字を何度も書いて練習しなさい。

Ⅴ　まとめ

〔1〕この課のテーマの語彙(ごい)です。声に出して読みなさい。

1. 対象	2. 仮説	3. 概要	4. 無作為	5. 抽出
6. 考慮	7. 質問票	8. 該当	9. 欄	10. 回収

〔2〕最も適当なものを選びなさい。

　調査票の｛a. 考慮する　b. 該当する　c. 仮定する　d. 回収する｝欄に○を付ける。

〔3〕下線部の言葉を漢字で書きなさい。

1. 研究留学生を<u>たいしょう</u>として、質問<u>ひょう</u>による調査を行った。

2. <u>かせつ</u>を立て、聞き取り調査を行った。調査の<u>がいよう</u>は以下のとおりである。

3. サンプルは、留学生リストから<u>むさくいちゅうしゅつ</u>法によって選んだ。

4. 個人情報の保護(ほご)を<u>こうりょ</u>して無記名とし、郵送による<u>かいしゅう</u>を行った。

5. 質問は10項目で、回答らんの<u>がいとう</u>する項目に○を付ける。

第Ⅱ部

第31課　数値(すうち)

論文の中で「数値」に関して用いられる語彙(ごい)を学習します。

Ⅰ　テーマの語彙(ごい)

〔1〕この課のテーマの語彙(ごい)です。見たことがあるものに レ を付けなさい。

- □ 差
- □ 数値
- □ 複数
- □ 計算
- □ 倍
- □ 率
- □ 等しい
- □ 平均
- □ 余り

〔2〕声に出して読み、聞いたことがあるものに レ を付けなさい。

- □ さ
- □ すうち
- □ ふくすう
- □ けいさん
- □ ばい
- □ りつ
- □ ひとしい
- □ へいきん
- □ あまり

Ⅱ　学習漢字

◇　まず、（　）に読み方を考えて書きなさい。次に、下の答えを見て確かめなさい。
　　間違っていた場合は、その原因(げんいん)を考えましょう。（太字はテーマの語彙(ごい)）

| 1 | 差 | さ・す　サ | difference　差　差　어긋날(차) | 2級　エ | ヽ　羊　差　10 |

1　差（　　　　）　アンケート調査の結果、男性が35%、女性が8%と、大きな差が見られた。

2　差別（　　　　）スル discriminate　社会学研究室で、性差別の問題を研究している。

3　時差（　　　　）time difference　日本と韓国の間に時差はない。

　　　　　　　　　　　　　　　　　　　　　　1 さ　2 さべつ　3 じさ

236

第31課　数値

2 値 — あたい / ね / チ — value 値 値 값(치) — 2級 イ　イ 仁 値 値　10

1. 値（　）price　　　景気が上向きのときは、土地の値が上がる。
2. 値段（　）price　　買う前に値段を確かめる。
3. 値（　）スル be worth　この本は読むに値する。
   値（　）value　　次の式の値を求めよ。
4. 数値（　）numerical value　レポートの評価は、1から5までの数値で表される。
5. 価値（　）worth　　この問題は研究する価値がある。

1 ね　2 ねだん　3 あたい　4 すうち　5 かち

3 複 — フク — plural / compound 复 複 겹칠(복) — 2級 ネ　ネ 衤 衵 複　14

1. 複数（　）plural　　日本語の単数形・複数形を、韓国語と比較した。
2. 複雑（　）ナ complicated　A型機械は構造が単純だが、B型機械は複雑だ。

1 ふくすう　2 ふくざつ

4 算 — サン — calculate 算 算 셈할(산) — 2級 竹　竹 笪 笪 算　14

1. 計算（　）スル calculate　データを式に入れ、計算する。
2. 算出（　）スル calculate　公式に基づいて、偏差値＊を算出する。　deviation value
3. 予算（　）budget　旅行の予算を立てる。

1 けいさん　2 さんしゅつ　3 よさん

5 倍 — バイ — double / ~times — 2級 イ

1. 倍（ばい） アンケート調査の回答数は、男性が女性の倍であった。
2. 〜倍（〜ばい） ~ times　AはBの2.5倍だ。
3. 倍率（ばいりつ） magnification　高倍率のデジタルカメラが開発された。

6 率 — ひき・いる／リツ／ソツ — lead / rate — 2級 十

1. 率いる（ひき・いる） Q教授の率いる研究グループが新素材の開発に成功した。
2. 率（りつ） rate　アンケート用紙の回収率は76%であった。
3. 比率（ひりつ） ratio　このクラスの男女の比率は3対2である。
4. 効率（こうりつ） efficiency　エネルギー利用の効率を上げる。
5. 能率（のうりつ） efficiency　実験を分担して行うと能率が上がる。

7 等 — ひと・しい／トウ／〈など〉 — equal / and so on — 2級 竹

1. 等しい（ひと・しい） この二つの物体は、大きさは異なるが重さは等しい。
2. 同等（どうとう） equivalent　この子供は6歳だが、高校卒業と同等の学力がある。
3. 平等（びょうどう） ナ equal　「すべての国民は法の下に平等である」憲法第14条
4. 〜等（〜とう） and so on　大学院の出願には、願書、成績証明書等の書類が必要だ。

第31課　数値

8 均　キン　average　均均　고를(균)　2級　土　± 均均　7

1　平均（　　　）スル　　　1～3群の平均点は、それぞれ、75、80、85である。
2　均等（　　　）ナ equal　父親は財産*を子供たちに均等に分けた。　asset
3　均一（　　　）ナ uniform　この店の商品は、値段が均一である。

1 へいきん　2 きんとう　3 きんいつ

9 余　あま・る　あま・す　ヨ　remain / residual　余余　남을(여)　2級　人　ノ 合 仐 余　7

1　余る（　　る）　発表のとき、練習したときより速く話したので、時間が余った。
2　余り（　　り）over　80件余りの回答が回収された。
3　余分（　　　）ナ surplus　調査の質問用紙は、余分に準備したほうがよい。

1 あま・る　2 あま・り　3 よぶん

III　練習問題

〔1〕異なる部分に注目して、下線部の言葉の書き方、あるいは読み方を選びなさい。
　　（一方の語には、実際に使われていないものも含まれています。）

1．式の値をけいさんする。　　　　　　　　　　　｛a. 計算　　b. 計質｝
2．ふくすうの人に、同時にメールを送る。　　　　｛a. 復数　　b. 複数｝
3．新しいコンピューターは、今までの4ばいの速さだ。　｛a. 部　　b. 倍｝
4．山の上は、昼と夜の気温のさが大きい。　　　　｛a. 差　　b. 左｝
5．出席りつが高い学生は、成績が良い。　　　　　｛a. 率　　b. 卒｝

第Ⅱ部

6．100人あまりの学生を対象に調査を行った。　{a. 金り　b. 余り}

7．このテーマは研究するかちがあると考える。　{a. 価値　b. 値価}

8．必要な生活費は1カ月へいきん7〜10万円である。　{a. 平的　b. 平均}

9．線ABと線CDの長さはひとしい。　{a. 等しい　b. 筆しい}

〔2〕下線部の言葉の読み方を書きなさい。

1．式を計算して解を求める。　＿＿＿＿＿＿＿

2．単位互換制度のため、複数の大学で講義が聞ける。　＿＿＿＿＿＿＿

3．A国とB国は面積がほぼ*等しい。almost　＿＿＿＿＿＿＿

4．1回目と2回目で、結果に2秒の差が出た。　＿＿＿＿＿＿＿

5．被験者の正答率の平均をグラフにした。　＿＿＿＿＿＿＿

6．30人余りの学生が実験に参加した。　＿＿＿＿＿＿＿

7．原稿を書き直すには、最初に書いた時間の何倍もの時間が必要だ。
　＿＿＿＿＿＿＿

8．アンケートの回収率は76%であった。　＿＿＿＿＿＿＿

9．このアンケート調査では、町の印象の強さを数値で表す。
　＿＿＿＿＿＿＿

〔3〕下線部の言葉の読み方を書き、意味を考えなさい。

1．選挙の投票率は天気に左右*されるといわれている。influence
　＿＿＿＿＿＿＿

2．単純計算を繰り返すことは、脳の老化を防ぐそうだ。
　＿＿＿＿＿＿＿

第31課　数値

3．1時間は1日を24等分した長さである。　_____

4．ページの余白は上下それぞれ30㎜、左右それぞれ25㎜とする。《コ》
　_____

5．環境汚染*には数多くの要因が複合している。pollution
　_____

6．この古本には学術的価値がある。　_____

7．石油の値上がりは物価全体に影響する。　_____

8．大雪の影響で野菜の値段が上がった。　_____

Ⅳ　応用練習

論文等の「数値」に関する文に基づいた例文です。下線部に注意して文を読みなさい。

1．計算ソフトCAL3を用いて結果を算出した。

2．日本文化に対する留学生の興味の強さを数値で表し、アンケート調査を行った。

3．日本語における複数形「～たち」の使用範囲について調べた。

4．青葉大学の公開講座に対する市民の認知度を、5年間にわたり調査した。知っていると答えた人は1995年には3割弱であったが、2000年には5割強に増えている。

5．ユネスコ*の調査によると、2000年末に、世界中の留学生の数は160万人余りに達している。
　　　　　　　　　　　　　　　　　　　　　　　　　　　　UNESCO

6．青葉大学の学生300人を対象に睡眠時間を調査した結果、留学生の平均睡眠時間は6.5時間で、日本人学生の7.6時間より少ないことが明らかになった。

7．観光客の反応に関しては、全項目において有意差*が見られた。

significant difference

第Ⅱ部

8. 大学生の環境への意識について研究した。大学生を対象として「スーパーのレジ袋*の使用率」についてアンケート調査を行い、その集計データから被調査者の平均値を算出した。

plastic shopping bag

◇ 筆順に注意して、学習漢字を何度も書いて練習しなさい。

Ⅴ まとめ

〔1〕この課のテーマの語彙です。声に出して読みなさい。

1. 差　　2. 数値　　3. 複数　　4. 計算　　5. 倍
6. 率　　7. 等しい　　8. 平均　　9. 余り

〔2〕最も適当なものを選びなさい。

100、50、30の {a. 計算　b. 倍　c. 差　d. 平均値} は60である。

〔3〕下線部の言葉を漢字で書きなさい。

1. <u>すうちけいさん</u>の結果、二つの集団に有意な<u>さ</u>が見られた。

□□□□□　□

2. <u>ふくすう</u>の大学と共同実験を行った。

□□

3．オーストラリアの面積は日本の22ばいだが、海岸線の全長は日本とほぼひとしい。

□ □

4．Aクラスの出席りつのへいきんは、半年前に比べて7.5ポイントあまり上がった。

□ □ □ □

コラム5：助数詞*		counters
1．〜冊（さつ）	本を100冊読んだ。	
2．〜部（ぶ）	1部5ページのレジュメを20部作るなら、紙は100枚必要だ。	
3．〜枚（まい）		
4．〜巻（かん）	この本は第1巻から第5巻まである。	
5．〜編（へん）	80編の論文と5冊の著書を書いた。	
6．〜章（しょう）	「図2-3-1」は「第2章-第3節-第1図」を意味する。	
7．〜件（けん）	条件に該当する回答は20件あった。	
8．〜歳（さい）	調査対象の留学生の平均年齢は28歳であった。	
9．〜秒（びょう）	0.01秒の誤差がある。	
10．〜匹（ひき）	10匹のマウスのうち、3匹に反応が見られた。	
11．〜軒（けん）	大学付近の5軒の商店で調査を行った。	

第Ⅱ部

第32課　図表
（ずひょう）

論文の中で「図表」の説明に用いられる語彙（ごい）を学習します。

Ⅰ　テーマの語彙（ごい）

〔1〕この課のテーマの語彙です。見たことがあるものに☑を付けなさい。

☐ 占める　　☐ 軸　　☐ 満たない　　☐ 未満　　☐ 除く

☐ 上昇　　☐ 大幅　　☐ 斜線　　☐ 超える　　☐ 鈍化

〔2〕声に出して読み、聞いたことがあるものに☑を付けなさい。

☐ しめる　　☐ じく　　☐ みたない　　☐ みまん　　☐ のぞく

☐ じょうしょう　　☐ おおはば　　☐ しゃせん　　☐ こえる　　☐ どんか

Ⅱ　学習漢字

◇　まず、（　）に読み方を考えて書きなさい。次に、下の答えを見て確かめなさい。
　　間違っていた場合は、その原因（げんいん）を考えましょう。（太字はテーマの語彙（ごい））

| 1 | 占 | し・める
うらな・う
セン | occupy / divine
占　占
점칠 (점) | 2級
ト | 丨　卜　占　　　5 |

1　**占める**（　　める）occupy　　地球の表層の7割を、海洋が占めている。

2　占有（　　）スル occupy　　ビール市場におけるB社の占有率は45％に上（のぼ）る。

3　独占（　　）スル monopolize　　A社が自転車業界のシェア*を独占している。　　share

4　占う（　　う）tell fortune　　古代中国では、牛の骨（ほね）*などに漢字を刻（きざ）んで占った。bone

1　し・める　2　せんゆう　3　どくせん　4　うらな・う

244

第32課　図表

2 軸 — ジク — axis / 軸 軸 / 굴대 (축) — 1級 — 車 車 軌 軌 軸 — 12

1. 軸（　　　）axis　　図1で、横軸は時間、縦*軸は温度である。　vertical
2. 座標軸（　　　）coordinate axis　　ツールを使って座標軸を描く。《コ》

1 じく　2 ざひょうじく

3 満 — み・ちる / み・たす / マン — fill / full / 満 満 / 찰 (만) — 2級 — 氵 氵 浐 浐 満 満 — 12

1. 満たす（　　たす）　　容器に水を満たす。
2. 満たない（　　たない）less than　　現在、機械工学科では、女子学生は10%に満たない。
3. 未満（　　）less than　　計算し、100未満の数は切り捨てる*。　ignore
4. 満足（　　）スル be satisfied　　国民の約4割が今の生活に満足している。
5. 不満（　　）ナ unsatisfactory　　主婦の大半は、現在の生活に不満を感じている。

1 み・たす　2 み・たない　3 みまん　4 まんぞく　5 ふまん

4 除 — のぞ・く / ジョ / ジ — exclude / remove / 除 除 / 덜 (제) — 2級 — 阝 阝 阧 除 — 10

1. 除く（　　く）　　標本から1％未満のものを除いた。
2. 〜を除いて（　　いて）except　　1名を除いて全員が90%を超す正答率であった。
3. 除外（　　）スル exclude　　正答率1％未満の標本は、分析から除外した。
4. 削除（　　）スル delete　　不必要なファイルを削除する。《コ》
5. 免除（　　）スル exempt　　基準以上の成績の学生は、授業料を免除する。
6. 掃除（　　）スル clean　　部屋を掃除する。

1 のぞ・く　2 のぞ・いて　3 じょがい　4 さくじょ　5 めんじょ　6 そうじ

第Ⅱ部

5 昇 — のぼ・る / ショウ — rise — 升 昇 — 오를(승) — 2級 日 — 日 戸 旦 昇 — 8

1 昇る（　　る）　海岸*で、太陽が海から昇るのを見た。　beach
2 上昇（　　）スル ascend　景気が好転するのに伴って、物価が上昇した。

1 のぼ・る　2 じょうしょう

6 幅 — はば / フク — width — 幅 幅 — 폭(幅) — 2級 巾 — 冂 巾 巾 巾 幅 — 12

1 幅（　　）　河口に近くなるに従って、川の幅が広くなる。
2 大幅（　　）ナ large extent　この 10 年間に、欧米からの留学生が大幅に増加した。

1 はば　2 おおはば

7 斜 — なな・め / シャ — diagonal — 斜 斜 — 비낄(사) — 1級 斗 — 八 余 余 斜 斜 — 11

1 斜め（　　め）　漢字は、縦、横、斜めの線から構成される。
2 斜線（　　）slanted line　解答欄の右上から左下に、斜線を引く。

1 なな・め　2 しゃせん

8 超 — こ・える / こ・す / チョウ — exceed — 超 超 — 뛰어넘을(초) — 2級 走 — 土 走 起 超 — 12

1 超える（　　える）　100 万人を超える難民*が、国境を越えた。　refugee
2 超過（　　）スル exceed　ゼミの応募者が定員を超過した場合は、抽選を行う。

1 こ・える　2 ちょうか

| 9 | 鈍 | にぶ・い
にぶ・る
ドン | dull
鈍 鈍
둔할(둔) | 2級
金 | 金 釒 釦 鈍 | 12 |

1　鈍い（　　　い）　　　　　　痛みには、鋭い痛みと鈍い痛みがある。
2　鈍化（　　　　）スル slow down　P市の人口増加は、2000年から鈍化している。

1　にぶ・い　2　どんか

Ⅲ　練習問題

〔1〕異なる部分に注目して、下線部の言葉の書き方、あるいは読み方を選びなさい。
　　（一方の語には、実際に使われていないものも含まれています。）

1．横<u>じく</u>をXじく、縦じくをYじくとも呼ぶ。　　　　{a. 軸　　b. 抽}
2．前回の調査と比べ、<u>おおはば</u>な変化は見られない。　{a. 大幅　b. 大福}
3．図2は、年間平均気温<u>じょうしょう</u>率を表す。　　　{a. 上昇　b. 上星}
4．図1から、合格率は10%<u>みまん</u>であることが分かる。{a. 末満　b. 未満}
5．大学院における社会人の<u>しめる</u>割合を、図で示す。
　　　　　　　　　　　　　　　　　　　　　　　　　　　{a. 占める　b. 古める}
6．独身者は調査対象から<u>じょがい</u>する。　　　　　　　{a. 徐外　b. 除外}
7．図2の<u>しゃせん</u>部分は都市部である。　　　　　　　{a. 斜線　b. 除線}
8．携帯電話を所有する学生は8割を<u>こえて</u>いる。　　　{a. 起えて　b. 超えて}
9．経済成長率の伸びが<u>どんか</u>している。　　　　　　　{a. 鈍化　b. 鋭化}

第Ⅱ部

〔2〕下線部の言葉の読み方を書きなさい。

1．図1で、横軸は年、縦軸は年間平均気温を表す。　＿＿＿＿＿＿＿＿

2．携帯(けいたい)電話の数は、固定電話を大幅に上回る。　＿＿＿＿＿＿＿＿

3．大学進学率は上昇を続けている。　＿＿＿＿＿＿＿＿

4．教育関係のサイトは全分野の3割を占めている。　＿＿＿＿＿＿＿＿

5．留学生の自習時間は週20時間を超えている。　＿＿＿＿＿＿＿＿

6．一方、日本人学生は週6時間未満にすぎない。　＿＿＿＿＿＿＿＿

7．試験期間を除くと、前者は後者の3倍である。　＿＿＿＿＿＿＿＿

8．女子学生の就職率の伸びは2％に満たない。　＿＿＿＿＿＿＿＿

9．図3で、斜線部はアルバイトによる収入である。　＿＿＿＿＿＿＿＿

10．ここ数年、日系人労働者の伸びは鈍化している。　＿＿＿＿＿＿＿＿

〔3〕下線部の言葉を読み、意味を考えなさい。

1．大学に全体的には満足しているが、部分的には不満を感じている学生が多い。

2．自由経済を促(そく)進するため、独占禁止法*が定(さだ)められた。　　　Antimonopoly Law

3．研究室のゼミでは、基礎から応用まで、幅広い内容の資料を読んでいる。

4．イルカは超音波*を使って、他のイルカと交信することができる。 supersonic wave

5．人間の目は明るさの変化には敏感(びんかん)*だが、色の変化には鈍感だ。　　sensitive

6．論文の印刷ページ数が6ページを超えた場合、超過料金を支払う。

第 32 課　図表

〔4〕下の図1.を見て、1.～4.の｛　｝内の適当なものに○を付けなさい。

1．｛a. 横軸　b. 縦軸｝は来日後の滞在期間、｛a. 横軸　b. 縦軸｝は満足度を表す。

2．満足度は｛A　B　C　D｝を除いて、どの学生も3カ月までは上昇している。

3．｛A　B　C　D｝の満足度は、短期間に上昇と下降を繰り返している。

4．｛A　B　C　D｝の満足度は、6カ月目を境に大幅に上昇した。

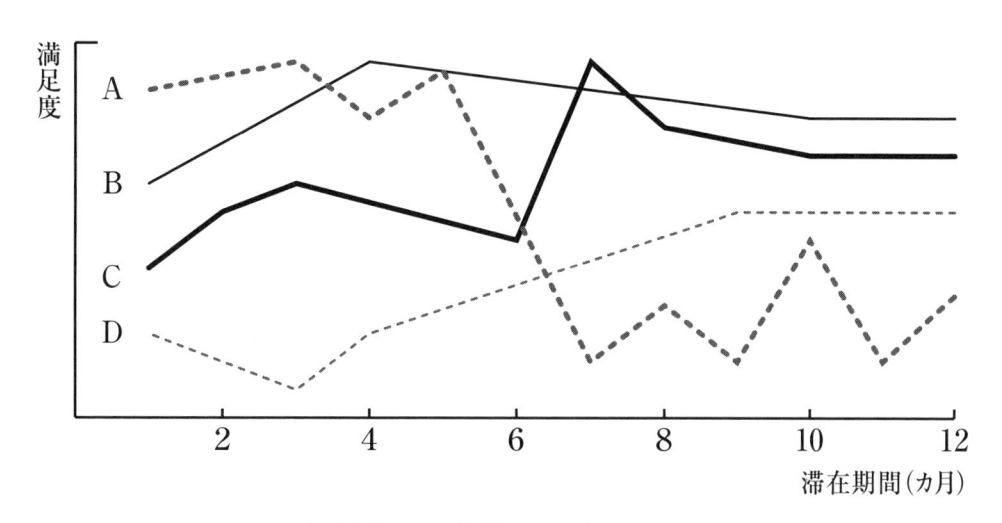

図1．留学生の大学生活に対する満足度の変化

Ⅳ　応用練習

論文等の「図表」に関する部分に見られる文に基づいた例文です。下線部に注意して文を読みなさい。

1．以下の条件を満たすサンプルを分析対象とした。

2．図2で、斜線部は方言「おばんです」の使用率が1％未満の地域を示す。

3．表3を見ると、1960年から進学率が大幅に伸び、1990年には9割を超えている。

4．図4を見ると、大型ごみの量の伸びは鈍化してきたが、減少はしていない。

5．この図から、研究生では年間収入総額100万円未満が<u>半数近くを占め</u>、120万円未満を含めると<u>8割に達している</u>ことが分かる。

6．表5は、本大学の大学生協の時間別利用者数の比較である。利用者数は土曜日を<u>除いて</u>11時から1時が最も多く、全体の<u>7割に及ぶ</u>。

7．回答のうち「快適(かいてき)だ*」(図3太線部分)は<u>5％足(た)らず</u>である。また、「極めて快適だ」(図3斜線部分)は<u>0.5％にとどまる</u>。
comfortable

8．あいづち*の観察で、うなずき*などの非言語行動によるあいづちは、<u>対象から除外した</u>。
supportive responses, nod

◇ 筆順に注意して、学習漢字を何度も書いて練習しなさい。

V まとめ

〔1〕この課のテーマの語彙(ごい)です。声に出して読みなさい。

1．占める　　2．軸　　3．満たない　　4．未満　　5．除く
6．上昇　　　7．大幅　8．斜線　　　　9．超える　10．鈍化

〔2〕最も適当なものを選びなさい。

　図1から、増加率が大幅に｛a. 上昇して　b. 除いて　c. 占めて｝いるのがわかる。

〔3〕下線部の言葉を漢字で書きなさい。

1．図1の<u>よこじく</u>が時間、縦じくが生存率を示している。

2．図2は65歳以上の人口がおおはばにじょうしょうしたことを示す。

　　☐☐　☐☐

3．留学生が工学系大学院にしめる割合（しゃせん部）は、50％をこえている。

　　☐☐　☐☐☐　☐

4．病欠をのぞいて、出席回数が2/3みまんの者は、受験することができない。

　　☐☐　☐☐

5．インターネット利用者の伸びはどんかしはじめた。

　　☐☐

第Ⅱ部

第33課　結果・考察1

論文の中で「結果・考察」の部分で用いられる語彙を学習します。

Ⅰ　テーマの語彙

〔1〕この課のテーマの語彙です。見たことがあるものに☑を付けなさい。

□ 挙げる　　□ 統計　　□ 処理　　□ 存在　　□ 誤差

□ 一致　　　□ 傾向　　□ 列挙　　□ 特殊

〔2〕声に出して読み、聞いたことがあるものに☑を付けなさい。

□ あげる　　□ とうけい　　□ しょり　　□ そんざい　　□ ごさ

□ いっち　　□ けいこう　　□ れっきょ　　□ とくしゅ

Ⅱ　学習漢字

◇　まず、（　）に読み方を考えて書きなさい。次に、下の答えを見て確かめなさい。
　　間違っていた場合は、その原因を考えましょう。（太字はテーマの語彙）

1	挙	あ・げる キョ	raise / pick up 挙　擧 들 (거)	1級 手	⺍ 丷 兴 挙　10

1　挙げる（　　げる）　　　　従来の研究における問題点を挙げ、検討した。
2　選挙（　　　　）スル elect　日本では、十八歳から選挙権が与えられる。

1 あ・げる　2 せんきょ

252

第33課　結果・考察1

2 統 トウ — control 統 統 거느릴(통) — 1級 糸 — 糸 紅 紂 統　12

1. 統計（　　　）statistics　　留学生数の5年ごとの増減を調査し、統計を取った。
2. 伝統（　　　）tradition　　都会より地方のほうが、伝統を重んじる傾向がある。
3. 統合（　　　）スル integrate　都立の4大学を統合し、「首都大学東京」ができた。
4. 統一（　　　）スル unify　　東西ドイツが統一され、ベルリンの壁が取り除かれた。
5. 大統領（　　　）president　　大統領を見るために、5万人を超える人々が集まった。

1 とうけい　2 でんとう　3 とうごう　4 とういつ　5 だいとうりょう

3 処 ショ — deal with 処 處 곳(처) — 2級 夂 — ク 夂 処　5

1. 処理（　　　）スル treat　　統計ソフト*を用いてデータを処理した。 statistical software
2. 対処（　　　）スル deal with　留学生がどのように適応の問題に対処したか調べた。
3. 処分（　　　）スル dispose of　帰国のため、教科書を除くすべての本を処分した。

1 しょり　2 たいしょ　3 しょぶん

4 存 ソン／ゾン — exist 存 存 있을(존) — 2級 子 — 一 ナ オ 存 存　6

1. 存在（　　　）スル exist　　地球外生物が存在するかどうか、明らかになっていない。
2. 現存（　　　）スル exist　　法隆寺は、現存する世界最古の木造建築である。
3. 保存（　　　）スル ① preserve　昔は、肉を保存するために、塩が使われた。
　　　　　　　　　 ② save　文書をテキストファイル形式で保存した。《コ》
4. 存ずる（　　　ずる）know/think　「存じます」は「知っている」「思う」の敬語である。

1 そんざい　2 げんそん／げんぞん　3 ほぞん　4 ぞん・ずる

5 誤

あやま・り / あやま・る / ゴ	error 误 誤 그르칠(오)
2級 言	言 訁 訊 誤 誤 誤 (14)

1 誤り（　　り）　論文に文字の誤りがないかどうか確認する。
2 誤る（　　る）make a mistake　データが誤っていると、正しい結果が出ない。
3 誤差（　　）error　コンピューターによる小数*の計算には誤差がある。 decimal
4 誤解（　　）スル misunderstand　言葉の違いのために誤解が生じることがある。

　　　　　　　　　1 あやま・り　2 あやま・る　3 ごさ　4 ごかい

6 致

チ / 〈いた・す〉	reach 致 致 이를(치)
1級 至	一 云 至 致 (10)

1 一致（　　）スル correspond　実験結果は、予測した数値と一致した。

　　　　　　　　　1 いっち

7 傾

かたむ・く / かたむ・ける / ケイ	incline / decline 倾 傾 기울어질(경)
2級 イ	イ 化 傾 (13)

1 傾く（　　く）　地軸*は約23度傾いている。 the earth's axis
2 傾向（　　）tendency　中級学習者は、読解において細部に注意し過ぎる傾向がある。

　　　　　　　　　1 かたむ・く　2 けいこう

8 列

レツ	row 列 列 벌일(렬)
2級 刂	一 ア 歹 列 (6)

1 列（　　）　表1は、1列目に著者、2列目に書名を表示している。
2 列挙（　　）スル list　調査の結果、判明した項目を以下に列挙する。
3 列島（　　）chain of islands　地理*的には、日本を「日本列島」と呼ぶ。 geographic

　　　　　　　　　1 れつ　2 れっきょ　3 れっとう

第33課　結果・考察1

9	殊	こと シュ	special 殊　殊 다를(수)	1級 歹	ア 殊殊

1　特殊（　　　　）ナ　special　　この病気は、特殊な手術でなく一般的な手術で治療する。

1　とくしゅ

Ⅲ　練習問題

〔1〕異なる部分に注目して、下線部の言葉の書き方、あるいは読み方を選びなさい。
　　（一方の語には、実際に使われていないものも含まれています。）

1．山林開発に3種のパターンが<u>そんざい</u>することが分かった。
　　　　　　　　　　　　　　　　　　　　　　　　　　　｛a．存在　　b．在存｝

2．表から、高さ3cmの<u>ごさ</u>があることが分かった。　　｛a．後差　　b．誤差｝

3．分析結果として、②に<u>とうけい</u>的に有意な差が現れた。｛a．統計　　b．絞計｝

4．実験結果は、1章で述べた理論と<u>いっち</u>した。　　　　｛a．一致　　b．一到｝

5．観察されたことを<u>れっきょ</u>する。　　　　　　　　　　｛a．列挙　　b．例挙｝

6．例1は極めて<u>とくしゅ</u>な例である。　　　　　　　　　｛a．特株　　b．特殊｝

7．近年、経済格差は大きくなる<u>けいこう</u>にある。　　　　｛a．頃向　　b．傾向｝

8．表計算ソフト*でデータを<u>しょり</u>した。spreadsheet　　｛a．処理　　b．拠理｝

9．医学用語の外来語について、具体的な例を<u>あげて</u>検討した。
　　　　　　　　　　　　　　　　　　　　　　　　　　　｛a．上げて　　b．挙げて｝

〔2〕下線部の言葉の読み方を書きなさい。

1．モーツァルトの未発表の作品が<u>存在</u>しているかもしれない。
　　　　　　　　　　　　　　　　　　　　　　　　　　　_____

2．<u>統計処理</u>ソフトを用いて、t検定*を行った。t-test　　_____

第Ⅱ部

3．測定値に0.5mmの誤差がある。　　　　　　　　＿＿＿＿＿＿＿＿＿

4．会議の出席者全員の意見が一致した。　　　　　＿＿＿＿＿＿＿＿＿

5．「参考文献」の部分に、本文で言及した文献の書名を列挙する。
　　　　　　　　　　　　　　　　　　　　　　　＿＿＿＿＿＿＿＿＿

6．以下に挙げるように、変化には12のパターンが見られた。＿＿＿＿

7．図2から、A市の人口は減少傾向に向かっていることが分かる。
　　　　　　　　　　　　　　　　　　　　　　　＿＿＿＿＿＿＿＿＿

8．現在、この手術方法は、特殊な例を除いて、使われていない。
　　　　　　　　　　　　　　　　　　　　　　　＿＿＿＿＿＿＿＿＿

〔3〕下線部の言葉の読み方を書き、意味を考えなさい。

1．東北地方における伝統的な祭りの形式について調査した。
　　　　　　　　　　　　　　　　　　　　　　　＿＿＿＿＿＿＿＿＿

2．欧州通貨＊統合は国際貿易＊に大きな影響を与えた。currency, trade
　　　　　　　　　　　　　　　　　　　　　　　＿＿＿＿＿＿＿＿＿

3．教育学部で特殊教育を専攻した。　　　　　　　＿＿＿＿＿＿＿＿＿

4．日本は耕地＊が少ないため、傾斜地を利用して農業を行ってきた。arable land
　　　　　　　　　　　　　　　　　　　　　　　＿＿＿＿＿＿＿＿＿

5．株価＊は下落傾向にある。stock prices　　　　　＿＿＿＿＿＿＿＿＿

6．新型ウイルスは、低温で生存可能なことが判明した。＿＿＿＿＿＿

7．冷凍保存技術の進歩によって、魚、肉の長期保存が可能になった。
　　　　　　　　　　　　　　　　　　　　　　　＿＿＿＿＿＿＿＿＿

8．留学生は、日本においては、選挙権＊も被選挙権も持たない。right
　　　　　　　　　　　　　　　　　　　　　　　＿＿＿＿＿＿＿＿＿

9．原稿の誤字・脱字＊に注意する。skipped letter　＿＿＿＿＿＿＿＿＿

10．このプログラムによって、大量の情報処理が可能になる。
　　　　　　　　　　　　　　　　　　　　　　　＿＿＿＿＿＿＿＿＿

Ⅳ 応用練習

論文等の「結果と考察」に関する文に基づいた例文です。下線部に注意して文を読みなさい。

1．単語の覚え方には二つのタイプが<u>存在する</u>ことが判明した。一つは暗記*型で、もう一つは連想*型である。　　　　　　　　　　　　　learn by heart, associate

2．サルモネラ菌*は5℃で24時間後に18％の<u>生存</u>が認められた。　　salmonella

3．図3から、情報リテラシーには世代*による<u>差異</u>*が存在することが分かる。
　　　　　　　　　　　　　　　　　　　　　　　　　　　　generation, difference

4．子供を持つ留学生の実態調査を行った。サンプルに女子留学生の回答数が少ないため、<u>誤差</u>がかなり大きくなった。

5．年齢別の携帯電話による会話の終結部の長さに関して観察を行った。年齢分布は<u>統計的な誤差</u>を考慮して10歳を区切りとした。

6．評価実験の結果、<u>特殊なケースを除いて</u>、1と2に大きな違いがないことが確認できた。

7．表1が示すように、各回答者は平均3.5件の理由を<u>挙げ</u>ている。

8．3人以上の被験者に共通して読まれた書名を、五十音順に<u>列挙</u>する。

9．合計4回の実験のうち、第3回目の実験結果が第1回の結果と<u>一致</u>した。

10．実験の途中で、被験者全員に連続して頭をかく*動作が<u>観察された</u>。　scratch

11．本研究では、留学生の作文における「コ・ソ・ア」の<u>誤用</u>パターンの分析を試みた。（略）その結果、「コ・ソ・ア」全体では、<u>統計的に有意な結果</u>は見られなかった。

◇　筆順に注意して、学習漢字を何度も書いて練習しなさい。

V　まとめ

〔1〕この課のテーマの語彙です。声に出して読みなさい。

1．統計　　2．処理　　3．存在　　4．誤差　　5．一致

6．傾向　　7．挙げる　　8．列挙　　9．特殊

〔2〕最も適当なものを選びなさい。

　t検定の結果、{a．誤差　b．統計　c．存在　d．傾向}的に有意な差が見られた。

〔3〕下線部の言葉を漢字で書きなさい。

1．とうけいしょりソフトCALCを用いてデータを分析した。ごさは±1である。

2．調査の結果、とくしゅな例を除くと、二つのパターンがそんざいすることが判明した。

3．観察の結果判明したことを以下にれっきょし、その具体例をあげる。

4．この結果は第1回調査の回答者のけいこうといっちする。

第34課　結果・考察 2

論文の中で「結果・考察」の記述に用いられる語彙を学習します。

I　テーマの語彙

〔1〕この課のテーマの語彙です。見たことがあるものに☑を付けなさい。

- □ 根拠
- □ 要因
- □ 判断
- □ 著しい
- □ 解釈
- □ 矛盾
- □ 示唆
- □ 妥当

〔2〕声に出して読み、聞いたことがあるものに☑を付けなさい。

- □ こんきょ
- □ よういん
- □ はんだん
- □ いちじるしい
- □ かいしゃく
- □ むじゅん
- □ しさ
- □ だとう

II　学習漢字

◇　まず、（　）に読み方を考えて書きなさい。次に、下の答えを見て確かめなさい。間違っていた場合は、その原因を考えましょう。（太字はテーマの語彙）

1

拠	キョ コ	grounds / basis 据 據 의지할 (거)	1級 扌	扌 扌 扨 拠　8

1　根拠（　　　）grounds　　健康食品の宣伝には、科学的根拠のないものもある。
2　証拠（　　　）evidence　　指紋＊が証拠となって犯人＊が捕まった。　fingerprint, criminal
3　拠点（　　　）base　　本研究所は、環境経済研究の拠点となっている。

1 こんきょ　2 しょうこ　3 きょてん

第Ⅱ部

2 因 — イン — cause — 因 因 — 인할(인) — 2級口 — 冂 囚 因 — 6

1. 原因（　　　）スル cause　失敗の原因は、準備が十分でなかったことである。
2. 要因（　　　）factor　環境問題の背後には多くの要因がある。
3. 起因（　　　）スル caused by　失敗の多くは準備不足に起因する。
4. 因果関係（　　　）causal relationship　ある種の癌と喫煙には、因果関係がある。

1 げんいん　2 よういん　3 きいん　4 いんがかんけい

3 断 — ことわ・る／た・つ／ダン — decline / decide / cut — 断 断 — 끊을(단) — 2級斤 — 丶 米 迷 断 断 — 11

1. 断る（　　る）reject　「考えておきます」は、日本語の断る表現の一つである。
2. 判断（　　　）スル judge　写真から、AとBを同一のものと判断する。
3. 断定（　　　）スル conclude　十分に検討しないと断定できない。
4. 断言（　　　）スル assert　データが少ないため、温度が原因であるとは断言できない。

1 ことわ・る　2 はんだん　3 だんてい　4 だんげん

4 著 — いちじる・しい／あらわ・す／チョ — remarkable / write — 著 著 — 나타날(저) — 2級艹 — 艹 芏 荖 著 — 11

1. 著しい（　　しい）remarkable　光は植物に著しい影響を与える。
2. 著す（　　す）publish　森教授は、10冊の本と100編余りの論文を著した。
3. 著者（　　　）author　論文の終わりに、参考文献の著者名と書名を書く。
4. 顕著（　　　）ナ remarkable　A群とB群に、顕著な違いは見られない。

1 いちじる・しい　2 あらわ・す　3 ちょしゃ　4 けんちょ

第34課 結果・考察2

5 釈 シャク
elucidate
释 釋
풀(석)
1級 采
一 ぐ 采 釈 釈
11

1 解釈（　　　　）スル explain　実験結果から、Aを発生要因の一つと解釈できる。
2 注釈（　　　　）スル note　追加説明などの注釈（ついか）は、章末に付ける。

1 かいしゃく　2 ちゅうしゃく

6 矛 ほこ／ム
spear
矛 矛
창(모)
1級 矛
フ マ ヌ 予 矛
5

7 盾 たて／ジュン
shield
盾 盾
방패(순)
1級 目
厂 斤 盾
9

1 矛盾（　　　　）スル contradict　この結果はClark (1972)の導いた理論と矛盾しない。

1 むじゅん

覚えるためのヒント

武器*を売る店に、客が矛と盾を買いに来た。店の主人が言った。　weapon
「うちの矛は強い矛です。どんな盾も破ることができます。それに、うちの盾は強い盾です。どんな矛でも破ることができません」。すると、客が聞いた。「では、この矛とこの盾で戦ったら、どうなりますか？」。主人は答えられなかった。
主人の言ったことは矛盾している。「矛盾」はここからできた。《中国の昔話》

8 唆 そそのか・す／サ
instigate
唆 唆
부추길(사)
1級 口
口 叱 唆 唆
10

1 唆す（　　　す）　犯罪*を唆した者も犯罪者である。　criminal
2 示唆（　　　　）スル suggest　先生の示唆と助言に従って研究テーマを選んだ。

1 そそのか・す　2 しさ

| 9 | 妥 | ダ | moderate 妥妥 온당할(타) | 1級 女 | 妥 | 7 |

1　妥当（　　　）ナ valid　　**日本を単一民族国家とするのは妥当ではない。**
2　妥協（　　　）スル compromise　**A国際会議では、どの国も妥協せず、結論が出なかった。**

1 だとう　2 だきょう

Ⅲ　練習問題

〔1〕異なる部分に注目して、下線部の言葉の書き方、あるいは読み方を選びなさい。
　　（一方の語には、実際に使われていないものも含まれています。）

1．人は付き合っている友達ではんだんされる。　　　{a. 判断　　b. 半断}
2．インターネット上の情報にはこんきょのないものもある。{a. 根処　　b. 根拠}
3．火事のげんいんの第2位は、たばこである。　　　{a. 原因　　b. 原因}
4．この訳本は間違ったかいしゃくをしている。　　　{a. 解釈　　b. 解訳}
5．本研究の仮説はだとうであるといえる。　　　　　{a. 打倒　　b. 妥当}
6．彼は言葉と行動がむじゅんしている。　　　　　　{a. 務盾　　b. 矛盾}
7．脳科学研究の進歩はいちじるしい。　　　　　　　{a. 著しい　b. 箸しい}

〔2〕下線部の言葉の読み方を書きなさい。

1．本稿では、留学生の満足度の要因を考察した。　　_____
2．結論の根拠となるデータは、以下のとおりである。_____
3．実験結果から、仮説1は妥当であると認められる。_____
4．このデータは、本論文が挙げた仮説と矛盾しない。_____

5．この実験結果からだけでは、判断は困難である。　　＿＿＿＿＿＿＿＿＿＿

6．これらの特徴は、火山活動の活発化の表れと解釈できる。　　＿＿＿＿＿＿＿＿＿＿

7．この手法の作文教育における可能性を示唆した。　　＿＿＿＿＿＿＿＿＿＿

8．実験1の後で、B群の正答率が著しく上昇した。　　＿＿＿＿＿＿＿＿＿＿

〔3〕下線部の言葉を読み、意味を考えなさい。

1．作文に見られる名詞の誤用のうち、母語に起因すると思われる誤用を分析した。

2．精神的*ストレスとある種の病気との間には、因果関係がある。　　mental

3．『竹取物語』における敬語表現の意味解釈を行った。

4．実験の結果により、この手法の妥当性が確認された。

5．MRIは、体の断面像を見ることができる装置である。

6．『源氏物語』は、女性が著した長編小説としては世界最古のものである。

7．これまでのところ、茶がシルクロードを通って各国に伝わったという証拠はない。

8．引用文献は、著者名(共著の場合は第一著者)の姓のアルファベット順に列挙する。

9．温暖化防止会議で、議長から妥協案が提示された。

Ⅳ　応用練習

論文等の「結果と考察」に関する文に基づいた例文です。下線部に注意して文を読みなさい。

1．学生の満足度の調査および変動の要因分析を行った。（略）分析から、満足度には季節によって変動があることが明らかになった。

2．様々な環境要因の中から、騒音に着目して調査を行った。

3．信号における自動車の通過時間を判断基準として、交通混雑を評価した。

第Ⅱ部

4. 調査結果から、女性言葉は特に若年層において減少傾向にあると解釈できる。

5. 本稿は、断りの「ちょっと」に対する年齢別の解釈の違いについて検討を行った。

6. このデータは、GPSによる測定結果と大きな矛盾はないと考える。

7. 本稿では、これまでの論文報告と矛盾しない、交通量調査の新しいモデルを構築した。

8. このような家族制度の衰退*も、少子化を説明するための理論的な根拠の一つである。
   decline

9. この調査結果は前述の仮説の証拠となっている。

10. 著しい傾向として、この分野における女子の増加が見られた。

11. この結果は、作文力向上のために日誌*作成が有効であることを示唆するものである。
    diary

12. 漢字語の使用における誤用分析を行った結果、字形誤用型と字音誤用型という二つの因子が抽出された。

13. 幼児*における「可能性の判断」に関して実験を行い、上述の結果を得た。この結果は、本論1章で述べた仮説を裏付けるものである。
    infant

14. 温度変化に関しては、1群と2群の差が最も顕著であった。

15. 本研究で開発した手法の妥当性の検証は、今後の課題である。

◇　筆順に注意して、学習漢字を何度も書いて練習しなさい。

Ⅴ　まとめ

〔1〕この課のテーマの語彙です。声に出して読みなさい。

1. 根拠　　2. 要因　　3. 判断　　4. 著しい

5. 解釈　　6. 矛盾　　7. 妥当　　8. 示唆

〔2〕最も適当なものを選びなさい。

本研究では、動詞の誤用に影響する {a. 矛盾　b. 要因　c. 根拠　d. 判断} を分析した。

〔3〕下線部の言葉を漢字で書きなさい。

1．これを作者の父親の影響であると<u>かいしゃく</u>する<u>こんきょ</u>を挙げる。

2．外見によって人を<u>はんだん</u>するのは間違いだ。

3．「平和のための戦争」という表現は、<u>いちじるしく</u><u>むじゅん</u>している。

4．本研究が提案するモデルが<u>だとう</u>であることを検証した。

5．中級レベルにおける漢字語彙の誤用の<u>よういん</u>を挙げる。

第Ⅱ部

第35課　修飾語3

論文の中でよく用いられる「修飾語」を学習します。

Ⅰ　テーマの語彙

〔1〕この課のテーマの語彙です。見たことがあるものに☑を付けなさい。

□ 危険　　□ 逆　　□ 徐々に　　□ 有益　　□ 密接

□ 厳密　　□ 圧倒的　　□ 組織的　　□ 深刻

〔2〕声に出して読み、聞いたことがあるものに☑を付けなさい。

□ きけん　　□ ぎゃく　　□ じょじょに　　□ ゆうえき　　□ みっせつ

□ げんみつ　　□ あっとうてき　　□ そしきてき　　□ しんこく

Ⅱ　学習漢字

◇　まず、（　）に読み方を考えて書きなさい。次に、下の答えを見て確かめなさい。
　　間違っていた場合は、その原因を考えましょう。（太字はテーマの語彙）

| 1 | 危 | あぶ・ない
あや・うい
あや・ぶむ　キ | dangerous
危 危
위태할（위） | 2級
ク | ク　戸　疒　危　　　6 |

1　危ない（　　　ない）　　　　地震で最も危ないのは、パニックになることだ。
2　**危険**（　　　）ナ dangerous　市内の危険箇所には看板*が立っている。　　signboard
3　危機（　　　）crisis　　　　日本政府は、少子化に対して危機感を持っている。

　　　　　　　　　　　　　　　　　　　　1 あぶ・ない　2 きけん　3 き

第35課　修飾語3

2 険　けわ・しい／ケン　danger / steep　2級　阝　阝 阝ヘ 阝〳 陰 険　11

1　保険（　　　）insurance　留学生のほとんどが、国民健康保険に加入している。

1 ほけん

3 逆　さか・さ／さか・らう／ギャク　reverse　2級　⺌ 屰 逆　9

1　逆（　　　）contrary　物価は下降するという予想だったが、逆に、上昇した。
2　逆さ（　　さ）　凸レンズを通すと、物が逆さに映る。
3　逆転（　　　）スル reverse　試合は、前半は負けていたが、後半で逆転した。

1 ぎゃく　2 さか・さ　3 ぎゃくてん

覚えるためのヒント

屰は、人の頭が下、足が上、つまり逆になった形です。

4 徐　ジョ　slowly　1級　イ　イ 彳 彳ヽ 徉 徐　10

1　徐々に（　　に）gradually　携帯電話は、最初は徐々に、数年後からは急速に普及した。
2　徐行（　　　）スル go slowly　大雪のため、新幹線が徐行している。

1 じょじょ・に　2 じょこう

5 益　エキ　benefit / profit　1級　皿　⺌ 䒑 益 益　10

1　有益（　　　）ナ beneficial　インターネットには、有益な情報と無益な情報がある。
2　利益（　　　）profit　株*の売買によって、利益や損失*が生じる。　stock, loss

1 ゆうえき　2 りえき

第Ⅱ部

6 密 ミツ / close / secret / 密 密 / 빽빽할(밀) / 1級 宀 / 宀宀宀宀密 11

1. 密接（　　　　）ナ close　日本文化と中国文化には、密接な関係がある。
2. 厳密（　　　　）ナ strict　事実と意見を厳密に区別して書く。
3. 密度（　　　　）density　日本の人口密度は2000年に340人/km² であった。

　　　　　　　　　　　　　　　　　　1 みっせつ　2 げんみつ　3 みつど

7 圧 アツ / pressure / 圧 壓 / 누를(압) / 2級 土 / 厂圧 5

1. 圧倒的（　　　　）ナ overwhelming　A群の数量は全体に比べて圧倒的に小さい。
2. 圧力（　　　　）pressure　水の圧力を水圧、血液*の圧力を血圧という。 blood

　　　　　　　　　　　　　　　　　　1 あっとうてき　2 あつりょく

8 倒 たお・れる / たお・す / トウ / fall / collapse / 倒 倒 / 넘어질(도) / 2級 イ / イイ伫侄倒 10

1. 倒れる（　　れる）　風で木が倒れる。
2. 転倒（　　　　）スル stumble　人間工学研究室では、高齢者の転倒予防の研究をしている。
3. 倒産（　　　　）スル go bankrupt　不況の中で、毎月5000社を上回る企業が倒産した。

　　　　　　　　　　　　　　　　　　1 たお・れる　2 てんとう　3 とうさん

9 織 お・る / ショク / シキ / weave / 织 織 / 짤(직) / 1級 糸 / 糸紵締織 18

1. 織る（　　る）　トヨタは最初は布を織る機械を作る会社だった。
2. 組織（　　　　）スル organize　ホームページで、大学の組織を見ることができる。
3. 組織的（　　　　）ナ systematic　全国の森林について、組織的な調査を行った。

　　　　　　　　　　　　　　　　　　1 お・る　2 そしき　3 そしきてき

第35課　修飾語3

| 10 | 刻 | きざ・む
コク | carve
刻 刻
새길 (각) | 2級
リ | 亠 𠆢 亥 刻　8 |

1　刻む（　　む）　　世界最古の漢字は、中国で発見された、動物の骨(ほね)に刻まれているものだ。

2　深刻（　　　）ナ serious　地球温暖化は深刻な問題だ。

3　時刻（　　　）time　鉄道時刻表とは、列車の発着の時刻を書いたものだ。

　　　　　　　　　　　　　　　　　1　きざ・む　2　しんこく　3　じこく

Ⅲ　練習問題

〔1〕異なる部分に注目して、下線部の言葉の書き方、あるいは読み方を選びなさい。
　　（一方の語には、実際に使われていないものも含まれています。）

1．毎日、日本語を聞くと、じょじょに耳が慣れる。｛a. 徐々に　　b. 除々に｝

2．鏡(かがみ)は、左右はぎゃくに映るが、上下はぎゃくに映らない。｛a. 逆　　b. 述｝

3．若いときに読む本は、すべてゆうえきだ。　　　　｛a. 有盛　　b. 有益｝

4．日本語を聞く力と話す力には、みっせつな関係がある。
　　　　　　　　　　　　　　　　　　　　　　　　　｛a. 密接　　b. 蜜接｝

5．この病気はあっとうてきに女性に多い。　　　　　｛a. 圧到的　　b. 圧倒的｝

6．国家によるそしきてきなエネルギー開発を行う。　｛a. 組識的　　b. 組織的｝

7．温暖化は、各国でしんこくな問題になっている。　｛a. 深核　　b. 深刻｝

8．動物にはきけんを感じる本能*がある。instinct　　｛a. 危険　　b. 危検｝

〔2〕下線部の言葉の読み方を書きなさい。

1．日本の景気は徐々に上向きになってきている。　＿＿＿＿＿＿＿＿

第Ⅱ部

2．株価は、上昇するという予想とは逆に、下落した。　　＿＿＿＿＿＿＿＿＿＿

3．大学は社会に有益な人材を育成する。　　＿＿＿＿＿＿＿＿＿＿

4．政治、社会、経済は、密接に結び付いている。　　＿＿＿＿＿＿＿＿＿＿

5．K社は宅配便市場で圧倒的なシェアを占めている。　　＿＿＿＿＿＿＿＿＿＿

6．複数の大学が協力し、組織的な研究を行っている。　　＿＿＿＿＿＿＿＿＿＿

7．ごみの量の増大が深刻な課題となりつつある。　　＿＿＿＿＿＿＿＿＿＿

8．どの国にも危険な場所と安全な場所があるものだ。　　＿＿＿＿＿＿＿＿＿＿

〔3〕下線部の言葉の読み方を書き、意味を考えなさい。

1．「化」の右側の部分は「人」が逆さになった形だ。　　＿＿＿＿＿＿＿＿＿＿

2．ニュートンは力の、パスカルは圧力の単位である。　　＿＿＿＿＿＿＿＿＿＿

3．超過勤務が続き、過労で倒れる医者が続出した。　　＿＿＿＿＿＿＿＿＿＿

4．東京は住宅が密集している。　　＿＿＿＿＿＿＿＿＿＿

5．株式投資は利益を得ることを目的としている。　　＿＿＿＿＿＿＿＿＿＿

6．厳密に言えば、1日は24時間ではない。　　＿＿＿＿＿＿＿＿＿＿

7．留学生相互の交流のため「留学生の会」を組織した。　　＿＿＿＿＿＿＿＿＿＿

8．女性差別の考え方は時代の流れに逆行する。　　＿＿＿＿＿＿＿＿＿＿

9．雪の日は、徐行する自動車のために交通が混雑する。　　＿＿＿＿＿＿＿＿＿＿

10．原子時計によって、正確な時刻を知ることができる。　　＿＿＿＿＿＿＿＿＿＿

11．1990年代後半に、アジアに経済危機が広がった。　　＿＿＿＿＿＿＿＿＿＿

12．外務省のウェブサイトでは、海外危険情報を公開している。

　　＿＿＿＿＿＿＿＿＿＿

Ⅳ 応用練習

論文等に見られる修飾語の用例に基づいた例文です。下線部に注意して文を読みなさい。

1．回答者の年齢別では、20歳台が65%と、<u>圧倒的</u>な割合を占めている。

2．図2は、名古屋港における輸出自動車数の<u>著しい</u>伸びを示している。

3．本研究が提案する手法は、点字による漢字教育システムの構築*に<u>有用</u>な方法であると考える。　　　　construction

4．本論文は、仙台市の「七夕祭」の歴史を、現存する文献の<u>綿密</u>*な調査に基づいて論じたものである。　　　　detailed

5．本研究の背景には、小学生の肥満*という<u>深刻</u>な問題がある。　　　obesity

6．地球環境に<u>多大</u>な影響を与える要因について研究した。

7．3～5月までは、湖*の水位に<u>目立った</u>*変化は見られなかった。lake, remarkable

8．時間による温度の変化は<u>一定</u>*であった。　　　　　　　　constant

9．図1を見ると、不登校はここ5年間に、<u>若干</u>*減少している。　　a little

10．N市の観光客は、90年代に<u>大幅</u>な増加を見たものの、それ以降は伸びが<u>鈍く</u>なっている。

11．<u>多様</u>な意味を持つ動詞「みる」について考察した。

12．経済不況が続く日本と<u>対照的</u>に、急速に発展している中国経済の成長過程について、情報通信産業に焦点を当てて考察した。

13．帰国留学生の家族の言語習得に関する<u>体系的</u>な調査は、まだない。

14．専門分野別の論文の書式の習得方法と<u>具体的</u>な指導法について、提案を行った。

◇　筆順に注意して、学習漢字を何度も書いて練習しなさい。

第Ⅱ部

Ⅴ　まとめ

〔1〕この課のテーマの語彙です。声に出して読みなさい。

1．逆　　2．徐々に　　3．有益　　4．密接　　5．厳密

6．危険　　7．圧倒的　　8．組織的　　9．深刻

〔2〕最も適当なものを選びなさい。

{a. 密接　b. 有益　c. 組織的}なコメントをいただいた森教授に、感謝いたします。

《論文の謝辞 acknowledgment》

〔3〕下線部の言葉を漢字で書きなさい。

1．運動を続けているが、期待とはぎゃくに、体重がじょじょに増えはじめた。

2．日本の文化は、中国、韓国の文化とみっせつな関係にある。

3．この分野は個人の研究より、そしき的な研究のほうがあっとう的に有利だ。

4．「漢字入門」は、げんみつには入門書とはいえないが、ゆうえきな内容だ。

5．子供を取り巻くきけんが増加したのは、しんこくな社会問題だ。

第Ⅲ部

同音異義語、形声文字、同訓語、対義語、和語・漢語によって、
学習した語彙(ごい)を整理します。

第Ⅲ部

第36課　対義語

Ⅰ　ウォーミングアップ

◇　下線部の言葉と反対の意味の言葉を下の{　}から選び、（　）に記号を書きなさい。

1．葉書*の表に住所と名前を書き、（　　）に文を書く。　　　　postcard

2．過去の歴史を知って、（　　）を予想する。

3．日本語の名詞には、基本的に単数と（　　）の区別がない。

4．このサイトはこれまで無料だったが、来月から（　　）になる。

5．場所によっては、国内旅行より（　　）旅行のほうが安い。

6．富士山のふもと*から（　　）まで、5時間で登った。　　　　foot

{a. 裏　　b. 海外　　c. 有料　　d. 複数　　e. 未来　　f. 頂上}

Ⅱ　テーマの語彙

〔1〕この課のテーマの語彙です。見たことがあるものに☑を付けなさい。

☐ 勝つ　　☐ 負ける　　☐ 敗れる　　☐ 許す　　☐ 浮く

☐ 沈む　　☐ 縮む　　　☐ 需要　　　☐ 供給

〔2〕声に出して読み、聞いたことがあるものに☑を付けなさい。

☐ かつ　　☐ まける　　☐ やぶれる　　☐ ゆるす　　☐ うく

☐ しずむ　☐ ちぢむ　　☐ じゅよう　　☐ きょうきゅう

第36課　対義語

III　学習漢字

◇ まず、（　）に読み方を考えて書きなさい。次に、下の答えを見て確かめなさい。
　間違っていた場合は、その原因を考えましょう。（太字はテーマの語彙）

1

| 勝 | か・つ
まさ・る
ショウ | win / excel
胜　勝
이길 (승) | 2級
力 | 月 月゛胖胖勝　12 |

1　**勝つ**（　　つ）win　　Aチームが Bチームに2対1で勝った。〈⇔ 負ける　敗れる〉
2　**勝る**（　　る）excel　AとBを比べると、Bのほうが勝っている。〈⇔ 劣る〉
3　**優勝**（　　　）スル win　相撲で外国人の横綱*が優勝した。　　grand champion

　　　　　　　　　　　　　　　　1 か・つ　2 まさ・る　3 ゆうしょう

2

| 負 | ま・ける
ま・かす
お・う　フ | lose / bear / minus
负　負
짐질 (부) | 2級
貝 | 〃 負　9 |

1　**負ける**（　　ける）lose　Aチームは Bチームを負かし、Cチームに負けた。〈⇔ 勝つ〉
2　**負う**（　　う）bear　保証人は本人に関する一切*の責任を負う。　　all
3　**勝負**（　　　）スル match　どちらの力士も強くて、なかなか勝負がつかない。
4　**負**（　　　）negative　+1は正の数、-1は負の数である。

　　　　　　　　　　　　1 ま・ける　2 お・う　3 しょうぶ　4 ふ

3

| 敗 | やぶ・れる
やぶ・る
ハイ | defeat
败　敗
패할 (패) | 2級
攵 | 貝 敗　11 |

1　**敗れる**（　　れる）　　5対1で試合に敗れた。〈⇔ 勝つ〉
2　**失敗**（　　　）スル fail　最初の実験に失敗したが、2回目には成功した。
3　**勝敗**（　　　）victory or defeat　首相の人気が総選挙の勝敗を決めた。

　　　　　　　　　　　　　1 やぶ・れる　2 しっぱい　3 しょうはい

第Ⅲ部

4 許 | ゆる・す / キョ | permit / forgive　許許　허락할(허) | 2級 言 | 言 許　11

1 許す（　　　す）① permit　戦前は、父親が許さない場合は結婚できなかった。
　　　　　　　　② forgive　罪*を許す。　sin
2 許可（　　　）スル permit　大学構内に駐車する場合は許可が必要だ。〈⇔ 禁止〉

　　　　　　　　　　　　　　　　　　　　　　1 ゆる・す　2 きょか

5 浮 | う・く / う・かぶ / う・かべる / フ | float　浮浮　뜰(부) | 2級 氵 | シ ジ 浮 浮　10

1 浮く（　　　く）　比重*が1より小さい物質は、水に浮く。〈⇔ 沈む〉　specific gravity
2 浮上（　　　）スル come up　一つの問題が解決したら、新しい問題が浮上してきた。

　　　　　　　　　　　　　　　　　　　　　　1 う・く　2 ふじょう

6 沈 | しず・む / しず・める / チン | sink　沉沉　잠길(침) | 2級 氵 | シ シ 汎 沈　7

1 沈む（　　　む）　船は氷山*に衝突*して沈んだ。〈⇔ 浮く〉　iceberg, collide
2 沈下（　　　）スル sink　地震のため、地盤*が沈下した。　ground
3 沈黙（　　　）スル become silent　「沈黙は金、雄弁*は銀」ことわざ　eloquence

　　　　　　　　　　　　　　　1 しず・む　2 ちんか　3 ちんもく

7 縮 | ちぢ・む/める / ちぢ・れる/らす / シュク | shrink　縮縮　오그라들(축) | 1級 糸 | 糸 紵 紵 縮　17

1 縮む（　　　む）　ゴムは低温で伸び、高温で縮む。〈⇔ 伸びる〉
2 縮小（　　　）スル reduce　画像を拡大・縮小するには、ここをクリックする。《コ》

　　　　　　　　　　　　　　　　　　　　　　1 ちぢ・む　2 しゅくしょう

276

| 8 | 需 | ジュ | demand 需 需 구할 (수) | 1級 雨 | 需 需 需 需 14 |

1. 需要（　　　）demand　冬は灯油*の需要が多くなる。〈⇔ 供給〉kerosene
2. 必需品（　　　）essential goods　漢字を学ぶ留学生にとって、辞書は必需品だ。

1 じゅよう　2 ひつじゅひん

| 9 | 供 | そな・える とも キョウ | offer 供 供 이바지할 (공) | 2級 イ | イ 仏 供 供 8 |

1. 供える（　　　える）　墓*に花を供える習慣は、どの宗教にも共通だ。grave
2. 供給（　　　）スル supply　供給が需要を上回ると、価格が下がる。〈⇔ 需要〉
3. 提供（　　　）スル provide　このサイトは、留学に関する情報を提供している。

1 そな・える　2 きょうきゅう　3 ていきょう

| 10 | 給 | キュウ | supply 給 給 줄 (급) | 2級 糸 | 糸 糸 給 給 12 |

1. 支給（　　　）スル pay　学会に参加した学生に、交通費が支給される。
2. 給料（　　　）salary　給料が高い会社に勤めたい。
3. 需給（　　　）supply and demand　エネルギー資源の需給関係は安定していない。

1 しきゅう　2 きゅうりょう　3 じゅきゅう

IV 練習問題

〔1〕異なる部分に注目して、下線部の言葉の書き方、あるいは読み方を選びなさい。
　　（一方の語には、実際に使われていないものも含まれています。）

1. 試合の後、かった国の国歌が演奏される。　{a. 勝った　b. 騰った}
2. 日本の農業は、外国との低価格競争にまけた。　{a. 負けた　b. 貧けた}

第Ⅲ部

3．ロケットの打ち上げにしっぱいした。　　　{a. 失販　　b. 失敗}
4．寂しいときは、家族の顔を思いうかべる。　{a. 浮かべる　b. 乳かべる}
5．海岸で太陽が海にしずむのを見ていた。beach　{a. 沈む　　b. 況む}
6．軍備しゅくしょう会議が開かれた。arms　　{a. 宿少　　b. 縮小}
7．市は、市民に水道水をきょうきゅうしている。{a. 供給　　b. 共給}
8．試験の結果、入学が許可された。　　　　　{a. きょか　b. きょうか}
9．ロボットの需要が広がっている。　　　　　{a. じゅよう　b. じゅうよう}

〔2〕下線部の言葉の読み方を書きなさい。

1．失敗の原因を考える。　　　　　　　　　　_____

2．高性能コンピューターの需要が伸びている。　_____

3．裁判で市民側が勝ち、会社側が負けた。trial　_____

4．リストラによって会社を縮小した。restructuring　_____

5．石は沈み、木の葉は浮く。　　　　　　　　_____

6．アルバイトをするときは、出入国在留管理局の許可が必要だ。_____

7．ゲーム機の需要が増え、供給が追い付かない。_____

8．国内の経済格差を縮めることが、政府の課題である。_____

〔3〕下線部の言葉の対義語を下の{　}から選び、（　）に記号を書きなさい。

1．首相は質問に対して肯定も（　　）もしなかった。
2．賛成した人が7人、（　　）した人が3人だった。
3．物価は上昇と（　　）を繰り返す。
4．需要を予測し、（　　）を計画する。
5．断食期間中は、日中の飲食は禁じられているが、日没後は（　　）ている。

fast, sunset

278

6．「需要」の「要」は既習の漢字だが、「需」は（　　）の漢字だ。

7．「失敗は（　　）の母」ことわざ

8．縮小コピーと（　　）コピーを1枚ずつとる。

{a. 成功　b. 未習　c. 拡大　d. 許され　e. 反対　f. 供給　g. 否定　h. 下降}

〔4〕下線部は（　　）内の対義語を組み合わせた熟語です。読んで意味を考えなさい。

1．（収入　支出）　日本の国際収支は、大幅な黒字*を続けている。　　　surplus

2．（需要　供給）　エネルギーの需給のバランス*をとる。　supply-demand balance

3．（勝つ　敗れる）　テニスの試合では、一瞬の判断が勝敗を分ける。

4．（勝つ　負ける）　ゲームは勝ち負けを争うものだ。

5．（伸びる　縮む）　鉄道のレール*は、温度によって伸縮する。　　　rail

6．（伸びる　縮む）　体の動きに合わせて伸び縮みするシャツが発売された。

7．（増加　減少）　人口の増減をグラフに示す。

8．（出席　欠席）　授業の最初に出欠を取る。

9．（原因　結果）　彼の自殺*と過労との間に、因果関係が考えられる。　suicide

10．（浮く　沈む）　成功したり失敗したり、人生には浮き沈みがあるものだ。

〔5〕筆順に注意して、学習漢字を何度も書いて練習しなさい。

Ⅴ　まとめ

〔1〕この課のテーマの語彙です。声に出して読みなさい。

1．勝つ　2．負ける　3．敗れる　4．許す　5．縮む

6．浮く　7．沈む　8．需要　9．供給

第Ⅲ部

〔2〕下線部の言葉を漢字で書きなさい。

1. 試合に<u>か</u>つために練習したが、<u>ま</u>けてしまった。

2. 比重が1より小さいものは水に<u>う</u>き、1より大きい物は<u>しず</u>む。

3. <u>じゅよう</u>と<u>きょうきゅう</u>の関係で、価格が決まる。

4. 学部学生には学内の駐車が禁じられているが、大学院生には<u>ゆる</u>されている。

5. ゴムは温度によって伸びたり<u>ちぢ</u>んだりする。

6. 「<u>しっぱい</u>は成功の母」ことわざ

第37課　形容詞の対義語

I　ウォーミングアップ

◇　下線部の言葉と反対の意味の言葉を下の｛　｝から選び、（　）に記号を書きなさい。

1．努力は<u>不可能</u>なことを（　）にする。

2．品質が（　）製品は、品質が<u>劣った</u>製品よりよく売れる。

3．痛みには、<u>鈍い</u>痛みと（　）痛みがある。

4．昼間は<u>安全</u>な町も、夜は（　）になる。

5．土には、粒子*の<u>粗い</u>*ものと（　）ものがある。　　　　　grain, coarse

6．「アメリカ」は、<u>広い</u>意味では南北アメリカ大陸を、（　）意味では合衆国*を指す。　　　　　　　　　　　　　　　　　　　　　　　　　U.S.A.

｛a. 細かい　　b. 優れた　　c. 可能　　d. 狭い　　e. 鋭い　　f. 危険｝

II　テーマの語彙

〔1〕この課のテーマの語彙です。見たことがあるものに☑を付けなさい。

□ 浅い　　□ 厚い　　□ 薄い　　□ 濃い

□ 汚い　　□ 貧しい　□ 精神　　□ 幸福

〔2〕声に出して読み、聞いたことがあるものに☑を付けなさい。

□ あさい　□ あつい　□ うすい　□ こい

□ きたない　□ まずしい　□ せいしん　□ こうふく

III 学習漢字

◇ まず、（　）に読み方を考えて書きなさい。次に、下の答えを見て確かめなさい。
間違っていた場合は、その原因を考えましょう。（太字はテーマの語彙）

1

| 浅 | あさ・い
セン | shallow
浅　浅
얕을 (천) | 2級
氵 | 氵 氵 浅 浅 浅
9 |

1　浅い（　　　い）　**ある魚は海の浅い所に、ある魚は深い所に生息する。**〈⇔ 深い〉live

　　　　　　　　　　　　　　　　　　　　　　　　　　　　　　　　1　あさ・い

2

| 厚 | あつ・い
コウ | thick / kind
厚　厚
두터울 (후) | 2級
厂 | 厂 戸 厚 厚
9 |

1　厚い（　　　い）　**中央が周囲より厚いレンズを凸レンズという。**〈⇔ 薄い〉
2　温厚（　　　）ナ good-natured　森教授は温厚な人だが、授業では厳しい。

　　　　　　　　　　　　　　　　　　　　　　　　1　あつ・い　2　おんこう

3

| 薄 | うす・い
ハク | thin / weak
薄　薄
엷을 (박) | 2級
艹 | 艹 艹 萍 蒲 蒲 薄
16 |

1　薄い（　　　い）　**中央が周囲より薄いレンズを凹レンズという。**〈⇔ 厚い〉
2　薄利多売（　　　　　）　薄利多売とは、少ない利益で多く売り、利益を上げることである。

　　　　　　　　　　　　　　　　　　　　　　　1　うす・い　2　はくりたばい

第37課　形容詞の対義語

4

| 濃 | こ・い
ノウ | thick / strong
浓　浓
짙을 (농) | 2級
氵 | 氵 沪 沪 沪 濃 濃
16 |

1　濃い（　　い）　　濃い色の野菜は、薄い色の野菜よりビタミンの含有量が多い。　〈⇔ 薄い〉

2　濃度（　　）concentration　大気中のCO₂の濃度を測定する。

　　　　　　　　　　　　　　　　　　　　　　1　こ・い　2　のうど

5

| 汚 | きたな・い
よご・れる/す
けが・れる/す　オ | dirty / disgrace
污　污
더러울 (오) | 2級
氵 | 氵 氵 汚
6 |

1　汚い（　　い）　　汚い空気は住民の健康に良くない。〈⇔ きれいな〉

2　汚す（　　す）pollute　沈没した船から流れ出た油が海を汚した。

3　汚す（　　す）disgrace　収賄など、職を汚す行いを汚職*という。　corruption

4　汚染（　　）スル pollute　自動車や工場からの排*ガスが大気を汚染する。　exhaust

　　　　　　　　　　1　きたな・い　2　よご・す　3　けが・す　4　おせん

6

| 貧 | まず・しい
ヒン
ビン | poor
贫　贫
가난할 (빈) | 2級
貝 | 八 分 貧
11 |

1　貧しい（　　しい）　彼は貧しい家庭に生まれたが、金持ちになった。
　　　　　　　　　　　　　　　　　　　　　　〈⇔ 裕福な　豊かな〉

2　貧乏（　　）ナ poor　貧乏なときの1万円は、豊かなときの1万円より価値がある。

3　貧困（　　）poverty　世界の貧困問題は深刻化している。

4　貧富（　　）rich and poor　政策の失敗によって、貧富の差が広がった。

　　　　　　　　　1　まず・しい　2　びんぼう　3　ひんこん　4　ひんぷ

覚えるためのヒント

少ししかないお金（貝）をほかの人と分けると、貧しくなってしまう。

7 精 — セイ、ショウ — essence 精 精 / 정성(정) — 2級 米 — ヽ 米 粐 精 — 14

1. 精神（　　　） spirit — 肉体的*、精神的なストレスから、病気になった。 physical
2. 精密（　　　） ナ minute — カメラ、時計、顕微鏡*などを、精密機器という。 microscope

1 せいしん　2 せいみつ

8 神 — かみ、シン、ジン — god 神 神 / 귀신(신) — 2級 ネ — ネ 衤 衦 神 — 9

1. 神（　　　） — 昔、日本人は、あらゆるものに神が存在すると考えていた。
2. 神道（　　　） Shinto — 神道は日本古来の宗教*で、多神教*である。 religion, polytheism
3. 神経（　　　） nerve — 視神経*は、目に映った像を脳に伝達する。 optic nerves
4. 神経質（　　　） ナ nervous — 神経質なため、試験のときは緊張*する。 feel the strain

1 かみ　2 しんとう　3 しんけい　4 しんけいしつ

9 幸 — さいわ・い、しあわ・せ、さち、コウ — happy 幸 幸 / 다행(행) — 2級 土 — 土 幸 幸 幸 — 8

1. 幸い（　　い） ナ／スル lucky — 交通事故に遭ったが、幸い、命*は無事だった。 life
2. 幸せ（　　せ） ナ happy — だれでも幸せになりたいと思う。〈⇔ 不幸せ〉
3. 幸福（　　　） ナ happy — 幸福か不幸かというのは、感じ方による。〈⇔ 不幸〉
4. 幸運（　　　） ナ lucky — 幸運にも、日本に来てすぐに友人ができた。〈⇔ 不運〉

1 さいわ・い　2 しあわせ　3 こうふく　4 こううん

覚えるためのヒント

土の下にあったお金(¥)を見つけて、幸せな気持ちになった。

第37課　形容詞の対義語

| 10 | 福　フク | fortune 福福 복(복) | 2級 ネ | ネ ネ 祀 福 | 13 |

1　福（　　　）　　　　節分には、「鬼*は外、福は内」と言いながら豆をまく*風習がある。
　　　　　　　　　　　　　　　　　　　　　　　　　　　　　　　　　　demon, scatter

2　福祉（　　　）welfare　　近年、全国の大学に、福祉学科が徐々に増えている。

1　ふく　2　ふくし

Ⅳ　練習問題

〔1〕異なる部分に注目して、下線部の言葉の書き方、あるいは読み方を選びなさい。
　　（一方の語には、実際に使われていないものも含まれています。）

1．<u>あさい</u>湖*は、深い湖より凍りやすい。lake　　　｛a. 浅い　　b. 残い｝

2．<u>こい</u>お茶は眠気を防止する。　　　　　　　　　｛a. 農い　　b. 濃い｝

3．<u>あつさ</u>が1cmに満たないテレビが発売された。　　｛a. 原さ　　b. 厚さ｝

4．<u>うすがた</u>のパソコンが販売されている。　　　　　｛a. 薄型　　b. 博型｝

5．<u>よごれた</u>皿を洗った水が、川や海をよごす。　　　｛a. 汗れた　b. 汚れた｝

6．世界には、<u>まずしい</u>人と豊かな人がいる。　　　　｛a. 負しい　b. 貧しい｝

7．人は<u>こうふく</u>を求めるものだ。　　　　　　　　　｛a. 辛副　　b. 幸福｝

8．<u>せいしん</u>的にも肉体的にも疲れた。　　　　　　　｛a. 精神　　b. 情神｝

第Ⅲ部

〔2〕下線部の言葉の読み方を書きなさい。

1. 地図の<u>濃い</u>青い色の部分は、深い海を表している。　_____

2. 一方、<u>薄い</u>色の部分は<u>浅い</u>海を表している。　_____　_____

3. アメリカ風ピザ*は<u>厚く</u>、イタリア風ピザは<u>薄い</u>。 pizza
　_____　_____

4. 空気中の<u>汚染物質</u>の<u>濃度</u>を下げる。　_____　_____

5. 家族が物質的にも<u>精神</u>的にも支えてくれた。　_____

6. 成功するためには、努力、根気*、それに、<u>幸運</u>が必要だ。 patience
　_____

〔3〕下線部の言葉の反対語を下の｛　｝から選び、（　）に記号を書きなさい。

1. 眠りには、<u>深い</u>眠りと（　）眠りがある。

2. 一般に、東日本では<u>濃い</u>味が好まれ、西日本では（　）味が好まれる。

3. <u>薄い</u>鍋*より（　）鍋のほうが、料理が焦げ*にくい。　　　　pot, burn

4. 植物には、<u>湿った</u>土地に生える*ものと、（　）土地に生えるものがある。
　　　　　　　　　　　　　　　　　　　　　　　　　　　　　　　grow

5. 彼は知識は<u>豊か</u>だが、経験は（　）。

6. <u>豊かな</u>人々と（　）人々の、所得格差*が拡大している。　income disparity

｛a. 厚い　b. 濃い　c. 浅い　d. 薄い　e. 貧しい　f. 乏しい　g. 乾いた｝

第37課　形容詞の対義語

〔4〕下線部の言葉と反対の意味になるように、言葉、あるいは1字を〔　〕に書きなさい。

1．「〔　　　〕の後には<u>不幸</u>が、不幸の後には幸福が来る」ことわざ

2．〔　　　〕な図形を重ねていくと、<u>複雑</u>な図形になる。

3．「<u>不運だ</u>」という気持ちは、「〔　　　〕だ」という気持ちより長く持続する* そうだ。　　　　　　　　　　　　　　　　　　　　　　　　continue

4．留学する前は<u>消極的</u>な性格だったが、留学して以来、〔　　　〕になった。

5．民主主義*は〔　　　〕が原則だが、現実には様々な<u>不平等</u>*が存在する。
　　　　　　　　　　　　　　　　　　　　　　　　　　democracy, inequality

6．<u>必要</u>なファイルを保存し、〔　　　〕必要なファイルを削除する*。《コ》delete

7．ローマ字入力が〔　　　〕<u>正確</u>だと、正確な漢字に変換されない。《コ》

8．昔からの言い伝え*には、<u>科学的</u>なものと〔　　　〕科学的なものがある。
　　　　　　　　　　　　　　　　　　　　　　　　　　　　　　　legend

9．資本主義経済は、<u>好景気</u>と〔　　　〕景気を交互に繰り返しながら発展する。

10．<u>低価格</u>でも品質の良い商品がある一方、〔　　　〕価格でも品質の悪い商品がある。

11．水にカリウム*が<u>多量</u>に含まれていると塩*味を感じ、〔　　　〕量だと甘さ*を感じる。　　　　　　　　　　　　　　　　　　　kalium, salt, sweetness

12．<u>正常</u>なときは青いランプ、〔　　　〕常な場合は赤いランプがつく。

13．インターネットのサイトには、<u>有益</u>な情報もあるが、〔　　　〕益な情報もある。

〔5〕筆順に注意して、学習漢字を何度も書いて練習しなさい。

Ⅴ まとめ

〔1〕この課のテーマの語彙です。声に出して読みなさい。

1．浅い　　2．濃い　　3．薄い　　4．厚い

5．汚い　　6．貧しい　　7．精神的　　8．幸福

〔2〕下線部の言葉を漢字で書きなさい。

1．深い川は静かに流れ、あさい川は音を立てて流れる。

2．発表用のスライドは、うすい色よりこい色のほうが見やすい。

3．物質的にまずしくても、せいしん的なこうふくを得ることは可能だ。

4．あつい辞書よりうすい電子辞書のほうが、学生に好まれている。

5．きたない水をきれいな水にする装置を開発した。

第38課　同訓語(どうくんご)

Ⅰ　テーマの語彙(ごい)

〔1〕この課のテーマの語彙です。見たことがあるものにレを付けなさい。

- □ 鳴く　　□ 登る　　□ 勤める　　□ 固い　　□ 硬い
- □ 替える　□ 納める　□ 贈る　　　□ 柔らかい　□ 軟らかい

〔2〕声に出して読み、聞いたことがあるものにレを付けなさい。

- □ なく　　□ のぼる　□ つとめる　□ かたい　□ かたい
- □ かえる　□ おさめる　□ おくる　□ やわらかい　□ やわらかい

Ⅱ　学習漢字

◇　まず、（　）に読み方を考えて書きなさい。次に、下の答えを見て確かめなさい。
　　間違っていた場合は、その原因を考えましょう。（太字はテーマの語彙(ごい)）

| 1 | 鳴 | な・く　な・る　な・らす　メイ | cry / sound　鳴　鳴　울(명) | 2級　鳥 | 口　鳴　14 |

1　鳴く（　　く）　日本では、ニワトリの鳴き声(こえ)を「コケコッコー」と表現する。〈cf. 泣く〉
2　鳴る（　　る）ring　授業中に携帯(けいたい)電話の着信音が鳴り出した。
3　共鳴（　　）スル sympathize　この大学の建学精神に共鳴して、入学した。

　　　　　　　　　　　　　　　　　　　　1　な・く　2　な・る　3　きょうめい

2 登

| | のぼ・る
ト
トウ | climb
登 登
오를 (등) | 2級
癶 | フ ⺦ ⺦ ⺦ 登 | 12 |

1 登る（　　る）　富士山のふもと*から頂上まで、歩いて登った。〈cf. 上る・昇る〉
　　　　　　　　　　　　　　　　　　　　　　　　　　　　　　　　　　　　foot
2 登山（　　　　）スル climb a mountain　中高年の登山者が増えている。
3 登録（　　　　）スル register　今月中に受講登録を行わなければならない。

　　　　　　　　　　　　　　　　　　　1 のぼ・る　2 とざん　3 とうろく

3 勤

| | つと・まる
つと・める
キン | work
勤 勤
부지런할 (근) | 2級
月 | ⺾ 芦 苢 堇 勤 | 12 |

1 勤める（　　める）　卒業後は貿易会社に勤めたい。〈cf. 務める　努める〉
　　　　　　　　　　　ぼうえき
2 通勤（　　　　）スル commute　統計によれば、首都圏勤労者の平均通勤時間は64分
　　　　　　　　　　　　　　　である。
3 勤勉（　　　　）ナ diligent　日本人に関するイメージ調査では、「勤勉」が最多で
　　　　　　　　　　　　　　　あった。

　　　　　　　　　　　　　　　　　　　1 つと・める　2 つうきん　3 きんべん

4 固

| | かた・い
かた・まる
コ | solid
固 固
굳을 (고) | 2級
口 | 冂 固 固 | 8 |

1 固い（　　い）　タンパク質*は熱を加えると固くなる。
　　　　　　　　　〈cf. 硬い　堅い〉　　　　　　　　　　　　　　　　　protein
2 固体（　　　　）solid　H₂Oは、固体の状態を氷、液体の状態を水という。
　　　　　　　　　　　　　　　　　　こおり　えきたい

　　　　　　　　　　　　　　　　　　　　　　　　　1 かた・い　2 こたい

覚えるためのヒント

古いパンは固い。

第38課　同訓語

5 硬

| 硬 | かた・い / コウ | hard 硬 硬 굳을(경) | 2級 石 | 石 石 砳 砳 硬 硬　12 |

1　硬い（　　い）　　ダイヤモンドは鉱物*の中で最も硬い。〈cf. 固い　堅い〉　　mineral

2　硬貨（　　）coin　　1円硬貨を1円玉と呼ぶ。

　　　　　　　　　　　　　　　1　かた・い　2　こ̄うか

6 替

| 替 | か・わる / か・える / タイ | replace 替 替 바꿀(체) | 2級 日 | 夫 夫 替　12 |

1　替わる（　　わる）　　石油に替わるエネルギーを開発している。〈cf. 代わる〉

2　替える（　　える）change　ドルを円に替える。〈cf. 代える　換える　変える〉

3　為替（　　）exchange　外国為替は、大手の*都市銀行で扱っている。　major

　　　　　　　　　　　　　　　1　か・わる　2　か・える　3　かわせ

7 納

| 納 | おさ・まる / おさ・める / ノウ ナッ | pay / accept 纳 納 들일(납) | 1級 糸 | 糸 紈 納　10 |

1　納める（　　める）pay　大学に授業料を納めた。〈cf. 治める　修める　収める〉

2　納入（　　）スル　　郵便為替*で授業料を納入することができる。　money order

3　納得（　　）スル　assent　医者は、患者*が納得するまで説明してから治療する。　patient

　　　　　　　　　　　　　　　1　おさ・め̄る　2　のうにゅう　3　な̄っとく

8 贈

| 贈 | おく・る / ゾウ | present 贈 贈 줄(증) | 2級 貝 | 貝 貝゛贈 贈　18 |

1　贈る（　　る）　　2月14日に、女性が男性にチョコレートを贈る。〈cf. 送る〉

　　　　　　　　　　　　　　　1　おく・る

第Ⅲ部

| 9 | 柔 | やわ・らかい
ジュウ
ニュウ | soft
柔 柔
부드러울(유) | 2級
木 | マ ヱ 予 予 柔 |

1　柔らかい（　　　らかい）　脳は豆腐のように柔らかい。〈cf. 軟らかい〉
2　柔道（　　　　）judo　柔道は日本の伝統的な武道*の一つである。　martial arts

　　　　　　　　　　　　　　　　　　　　1 やわ・らかい　2 じゅうどう

| 10 | 軟 | やわ・らかい
ナン | soft
軟 軟
연할(연) | 2級
車 | 車 軟 |

1　軟らかい（　　　らかい）　タコ*やイカ*は軟体動物で、体が軟らかい。
　　　　　　　　　　　　　　　〈cf. 柔らかい〉　　　　　　　　octopus, squid
2　柔軟（　　　　）ナ flexible　優れた研究者は柔軟な発想*をする。　way of thinking

　　　　　　　　　　　　　　　　　　　　1 やわ・らかい　2 じゅうなん

Ⅲ　練習問題

〔1〕異なる部分に注目して、下線部の言葉の書き方、あるいは読み方を選びなさい。
　　（一方の語には、実際に使われていないものも含まれています。）

1．日本には、結婚のお祝いに現金を<u>おくる</u>習慣がある。　{a. 贈る　　b. 増る}

2．富士山の頂上まで<u>のぼった</u>。　　　　　　　　　　　{a. 発った　b. 登った}

3．父は定年まで同じ銀行に<u>つとめて</u>いた。　　　　　　{a. 勤めて　b. 働めて}

4．パソコンを、新しいモデルに<u>かえた</u>。　　　　　　　{a. 賛えた　b. 替えた}

5．卵は熱すると<u>かたまる</u>。　　　　　　　　　　　　　{a. 固まる　b. 個まる}

6．セラミックス*は鉄より<u>かたい</u>。 ceramics 　　　　｛a. 硬い　　b. 便い｝

7．幼児は手触りの<u>やわらかい</u>物を好む。 touch 　　｛a. 柔らかい　　b. 矛らかい｝

8．地盤*が<u>やわらかい</u>所は、地震の揺れ*が大きい。 ground, tremor
　　　　　　　　　　　　　　　　　　　　　　　　｛a. 較らかい　　b. 軟らかい｝

9．入学金を<u>おさめる</u>。　　　　　　　　　　　　　｛a. 納める　　b. 紀める｝

〔2〕｛　｝内は同訓の漢字です。下線部の言葉の漢字としてより適当なほうを選びなさい。

1．① 人間以外の生物が声を出すことを「<u>な</u>く」という。　　｛a. 鳴　b. 泣｝

　　② 涙を流して<u>な</u>くことは、ストレスを減らす。　　　　　｛a. 鳴　b. 泣｝

2．① 最も優れた研究に賞が<u>おく</u>られる。　　　　　　　　　｛a. 贈　b. 送｝

　　② 添付ファイルを<u>おく</u>る。　　　　　　　　　　　　　　｛a. 贈　b. 送｝

3．① 環境シンポジウムの参加者は1000人に<u>のぼ</u>った。｛a. 上　b. 登　c. 昇｝

　　② 太陽は東から<u>のぼ</u>り、西に沈む*。 set 　　　　　　 ｛a. 上　b. 登　c. 昇｝

　　③ ごみを拾い*ながら<u>のぼ</u>る登山を「清掃*登山」という。 pick up, cleaning
　　　　　　　　　　　　　　　　　　　　　　　　　　　　 ｛a. 上　b. 登　c. 昇｝

4．① 日本企業に<u>つと</u>めている。　　　　　　　　　　　　｛a. 勤　b. 務　c. 努｝

　　② なるべく*日本語で話すように<u>つと</u>めている。 as much as possible
　　　　　　　　　　　　　　　　　　　　　　　　　　　　 ｛a. 勤　b. 務　c. 努｝

　　③ シンポジウムで司会者*を<u>つと</u>めた。 chairperson　 ｛a. 勤　b. 務　c. 努｝

5．① 写真は時間がたつと色が<u>かわ</u>る。　　　　　　　　　 ｛a. 替（代）　b. 変｝

　　② 繰り返し職業を<u>かえ</u>る若者が多くなった。　　　　　 ｛a. 替（代）　b. 変｝

　　③ 林先生が病気の間、森先生が<u>かわ</u>って授業を行う。｛a. 替（代）　b. 変｝

第Ⅲ部

6. ① 国をおさめることを政治という。　　　　　　　｛a. 収　b. 納　c. 治｝

　② 税金*をおさめることを納税という。tax　　　　｛a. 収　b. 納　c. 治｝

　③ この会社は貿易で大きな利益をおさめた。　　　｛a. 収　b. 納　c. 治｝

〔3〕下線部は同じ訓読みの言葉です。前後の語に注意して読み、意味・用法を考えなさい。

1．家を建てるために、計画を立てる。

2．修理人は故障を直し、医者は患者の病気を治す。

3．道が右と左に分かれている所で友達と別れた。

4．a. 段落の最初は1文字空ける。

　　b. 和室のふすま*は、座って開けるのが正式なマナーだ。　　　　　sliding door

　　c. 夜が明けるまで本を読み続けた。

5．a. 火山の下には、軟らかくて熱いマグマ*が存在する。　　　　　　magma

　　b. 日本の夏は蒸し暑い*のが特徴だ。　　　　　　　　　　　　　muggy

　　c. 厚い本を読み切ったときは、達成感*を感じる。　　　　sense of achievement

6．a. 卵をゆでる*時間を、砂時計*で計る。　　　　　　　　　　boil, sandglass

　　b. アインシュタインの死後、医者たちは彼の脳の重さを量った。

　　c. コンパクトカメラには、距離を測る装置がついている。

7．a. 太陽が姿*を現した。　　　　　　　　　　　　　　　　　　　shape

　　b. 頂上から見た日の出*は、言葉では表せない美しさだった。　　　sunrise

　　c. ソクラテス*は、自分では本を一冊も著さなかった。　　　　　Socrates

〔4〕下線部は、（　）の読み方の漢字を組み合わせた熟語です。読んで意味を考えなさい。

1. （つとめる）　　　大学に勤務しながら、大学院で学んでいる。

2. （かわる/かえる）　石油代替エネルギー*の開発が求められている。

   alternative energy

3. （かわる/かえる）　ローマ字で入力して漢字に変換する。《コ》

4. （やわらかい）　　人は、年を取るに従って、考え方が柔軟ではなくなる。

5. （おさめる）　　　押し入れというのは、ふとんなどを収納する場所である。

6. （のぼる）　　　　午後になって気温が上昇した。

7. （おりる）　　　　上昇を続けた株価が下降した。

8. （はかる）　　　　GPSを使って、森林の面積を測量する。

9. （はかる）　　　　画像を用いて、脳の機能を計測する。

10. （あう）　　　　 留学生の会合に出席した。

11. （あらわす）　　 自分の考えを日本語で的確に表現するのは難しい。

12. （もと）　　　　 五十音の発音は日本語の基本である。

13. （あたたかい）　 瀬戸内海に面した地方は、気候が温暖だ。

〔5〕筆順に注意して、学習漢字を何度も書いて練習しなさい。

第Ⅲ部

Ⅳ　まとめ

〔1〕この課のテーマの語彙です。声に出して読みなさい。

1．鳴く　　2．贈る　　3．登る　　4．勤める　　5．固い

6．硬い　　7．替える　8．納める　9．柔らかい　10．軟らかい

〔2〕下線部の言葉を漢字で書きなさい。

1．友達の結婚のおくりものを、きんむ先へ送った。

2．金をりょうがえして、授業料をおさめた。

3．山にのぼると、様々な鳥のなき声が聞こえる。

4．体はかたいが、考え方がじゅうなんだ。

　　＊漢字を二つ書く

第39課　漢字の音読み

- 「部首」と「音記号」から構成される漢字を「形声文字」といいます。
  時→日＋寺　　案→安＋木
- 初めて見る漢字は、音記号に注目して読み方を類推しましょう。
- 同じ記号を持つ漢字でも、音読みが異なるものがあります。
- 形声文字と同音異義語を学習しながら、覚えた漢字語彙を整理しましょう。

Ⅰ　テーマの語彙

〔1〕この課のテーマの語彙です。見たことがあるものにレを付けなさい。

□ 郊外　　□ 公害　　□ 家庭　　□ 金額

□ 通貨　　□ 姿勢　　□ 死亡

〔2〕声に出して読み、聞いたことがあるものにレを付けなさい。

□こうがい　　□こうがい　　□かてい　　□きんがく

□つうか　　　□しせい　　　□しぼう

第Ⅲ部

Ⅱ　学習漢字

◇ まず、（　）に読み方を考えて書きなさい。次に、下の答えを見て確かめなさい。
　間違っていた場合は、その原因を考えましょう。（太字はテーマの語彙(ごい)）

1

| 郊 | コウ | suburb 郊 郊 들(교) | 2級 阝 | 亠 六 交 交⁷ 郊　9 |

1　郊外（　　　　）suburbs　　**郊外に住み、都心に通勤している。**〈cf. 公害〉

1 こうがい

2

| 害 | ガイ | harm 害 害 해칠(해) | 2級 宀 | 宀 宝 害　10 |

1　害（　　　　）　　　　　　たばこは健康に害を与える。
2　公害（　　　　）pollution　**産業の発達に伴って、公害の問題が生じた。**〈cf. 郊外〉
3　被害（　　　　）damage　　震源地が浅い地震は、より大きい被害をもたらす。

1 がい　2 こうがい　3 ひがい

3

| 庭 | にわ テイ | garden 庭 庭 뜰(정) | 2級 广 | 广 庁 庄 庭 庭　10 |

1　庭（　　　　）　　　　　郊外の庭のある家か、都心のマンションに住みたい。
2　家庭（　　　　）home　　**家庭教師(きょうし)のアルバイトをする。**〈cf. 課程　過程　仮定〉

1 にわ　2 かてい

覚えるためのヒント

「裏庭(うらにわ)には2羽、庭には2羽ニワトリ*がいる」早口言葉　　　　　　　　chicken

第39課　漢字の音読み

4　額　ひたい／ガク　forehead / amount　額 額　이마(액)　2級 頁　宀 安 客 額　18

1　額（　　　）forehead　話し言葉では、額を「おでこ」という。
2　額（　　　）amount　旅行にかかった費用は、予定していた額より多かった。
3　額（　　　）frame　家族の写真を額に入れて、壁(かべ)にかけた。
4　金額（　　　）amount of money　金額の前に「¥」マークを付ける。

1 ひたい　2 がく　3 がく　4 きんがく

5　貨　カ　money / goods　貨 貨　재화(화)　2級 貝　イ 化 貨　11

1　通貨（　　　）currency　日本の通貨単位は円である。〈cf. 通過〉
2　貨幣（　　　）currency　貨幣とは、狭義では硬貨、広義では通貨全般をいう。

1 つうか　2 かへい

6　姿　すがた／シ　figure　姿 姿　맵시(자)　1級 女　冫 次 姿　9

1　姿（　　　）　休日は、キャンパスに人の姿がほとんど見られない。
2　容姿（　　　）appearance　人を容姿で判断すべきではない。〈cf. 要旨〉

1 すがた　2 ようし

7　勢　いきお・い／セイ　force　勢 勢　기세(세)　2級 力　土 夫 坴 埶 埶 勢　13

1　勢い（　　い）　風の勢いは、午後になって弱まった。
2　姿勢（　　　）posture　良い姿勢で書くと、字が上手に書ける。〈cf. 市政〉
3　勢力（　　　）force　10世紀ごろから、武士(ぶし)が勢力を伸ばしていった。

1 いきお・い　2 しせい　3 せいりょく

第Ⅲ部

8	死	し・ぬ / シ	die 死 死 죽을 (사)	3級 歹	一ブ死

1 死ぬ（　　ぬ）　　　高齢者（こうれいしゃ）の多くが、病院でなく家庭で死にたいと願う。
2 死亡（　　　　）スル die　この交差点は、死亡事故が多く、危険な場所だ。〈cf. 志望〉

　　　　　　　　　　　　　　　　　　　　1 し・ぬ　2 しぼう

9	亡	な・い / な・くなる / ボウ	die 亡 亡 망할 (망)	2級 亠	亠亡

1 亡くなる（　　くなる）　　人には、「死ぬ」より「亡くなる」のほうが丁寧（ていねい）だ。
2 亡命（　　　　）スル exile oneself　アインシュタインは、亡命から22年目に亡くなった。

　　　　　　　　　　　　　　　　　　　1 な・くなる　2 ぼうめい

Ⅲ　練習問題

〔1〕1.〜12.の語群の漢字には〔　〕に示された音記号が含まれています。各語の読み方を書きなさい。未習の漢字は音記号から類推しましょう。

1．〔召〕　紹介　_____　　参照　_____
　　　　　招待　_____　　昭和　_____

2．〔亡〕　多忙　_____　　志望　_____
　　　　　死亡　_____　　忘年会　_____

3．〔求〕　要求　_____　　地球　_____　　救助　_____

4．〔則〕　規則　_____　　推測　_____　　側面　_____

5．〔責〕　責任　_____　　面積　_____　　成績　_____

6．〔其〕　期末　_____　　基礎　_____　　国旗*　_____　national flag

300

7. 〔票〕投票＿＿＿＿　目標＿＿＿＿　漂流*＿＿＿＿ drift

8. 〔僉〕検査＿＿＿＿　実験＿＿＿＿

　　　　危険＿＿＿＿　剣道＿＿＿＿

9. 〔冓〕構造＿＿＿＿　講義＿＿＿＿

　　　　購入＿＿＿＿　海溝*＿＿＿＿ trench

10. 〔复〕復習＿＿＿＿　複数＿＿＿＿　空腹＿＿＿＿

11. 〔氐〕低下＿＿＿＿　海底＿＿＿＿　邸宅*＿＿＿＿ mansion

12. 〔尞〕学生寮＿＿＿＿　治療＿＿＿＿　同僚*＿＿＿＿ colleague

〔2〕次の語群の漢字には〔　〕に示された音記号が含まれていますが、その中に一つだけ読み方が他と異なるものがあります。それを○で囲みなさい。

1. 〔古〕a. 事故　　b. 固体　　c. 個人　　d. 苦労

2. 〔正〕a. 正確　　b. 政治　　c. 証明　　d. 整理

3. 〔青〕a. 青年　　b. 情報　　c. 精神　　d. 晴天

4. 〔羊〕a. 同様　　b. 西洋　　c. 教養　　d. 詳細

5. 〔方〕a. 予防　　b. 訪問　　c. 方法　　d. 放送

6. 〔反〕a. 返事　　b. 販売　　c. 初版　　d. ご飯

第Ⅲ部

〔3〕下線部の語の漢字には同じ部分が含まれていますが、読み方は異なっています。各語の読み方を書きなさい。

1. 漢字の<u>用例</u>を<u>列挙</u>する。　　　　　　　　　　　＿＿＿＿　＿＿＿＿

2. <u>観光客</u>は多いが、消費する<u>金額</u>が少ない。　　　＿＿＿＿　＿＿＿＿

3. 発表用のスライドは、<u>印象</u>的な<u>画像</u>があるとよい。＿＿＿＿　＿＿＿＿

4. 台風は<u>勢力</u>を弱め、<u>熱帯性</u>低気圧に変わった。　＿＿＿＿　＿＿＿＿

5. 論文の<u>目次</u>を見ると、筆者の研究<u>姿勢</u>がわかる。＿＿＿＿　＿＿＿＿

6. このデータ<u>処理</u>が違法*だという<u>根拠</u>はない。illegal　＿＿＿＿　＿＿＿＿

7. <u>到達</u>目標と<u>指導</u>目標は<u>一致</u>している。　　　　＿＿＿＿　＿＿＿＿

〔4〕{　}内の言葉は同音異義語（読み方が同じで意味が異なる語）です。文の中で適当なものに○を付けなさい。

1. 〔かてい〕　野口英世*は福島県の貧しい{a. 家庭　b. 過程　c. 課程}に生まれた。　医学者（1875～1928）

2. 〔こうがい〕　騒音*は{a. 郊外　b. 公害　c. 校外}の一種だ。　noise

3. 〔つうか〕　ヨーロッパは{a. 通貨　b. 通過}統合を行った。

4. 〔そうぞう〕　100年後に世界がどうなっているか{a. 想像　b. 創造}する。

5. 〔しぼう〕　{a. 死亡　b. 志望}する学科に願書を出す。

6. 〔しじ〕　国民は新首相を{a. 私事　b. 支持　c. 指示}した。

7. 〔きげん〕　レポート提出の{a. 起源　b. 期限　c. 紀元}は月末だ。

8. 〔きかん〕　ユネスコは教育、科学を専門とする国際{a. 期間　b. 機関}だ。

9. 〔いじょう〕　大雨は温暖化による{a. 異常　b. 以上}現象の一つだ。

10.〔ふつう〕　地震が起こると、電話が一時的に{a. 普通　b. 不通}になる。

11.〔きかい〕　留学は外国の文化に触れる{a. 機械　b. 器械　c. 機会}だ。

12.〔きき〕　この会社は精密{a. 危機　b. 機器}を製造している。

13.〔しょうてん〕　敬語に{a. 焦点　b. 商店}を当てて言語変化を論じた。

〔5〕{ }内の言葉は1字が共通の同音異義語です。適当なほうに○を付けなさい。

1．アンケート調査の{a. 解答　b. 回答}を集計した。

2．大学院前期の{a. 課程　b. 過程}を修了した。

3．救急車が、サイレンを鳴らしながら交差点を{a. 通過　b. 通貨}した。

4．ゼミでは、発表の後で、全員で{a. 講評　b. 好評}し合う。

5．納豆は植物性タンパク質が豊富で{a. 消火　b. 消化}が良い。

6．自分が{a. 関心　b. 感心}を持っているテーマを選んで研究する。

7．小学校を見学し、生徒*のパソコン操作に{a. 関心　b. 感心}した。　　pupil

8．強い{a. 意思　b. 意志}を持って勉強している。

9．アクセントが違うと、言葉の意味も{a. 意思　b. 意志}も通じないことがある。

〔6〕筆順に注意して、学習漢字を何度も書いて練習しなさい。

Ⅳ　まとめ

〔1〕この課のテーマの語彙です。声に出して読みなさい。

1．公害　　2．郊外　　3．家庭　　4．通貨

5．金額　　6．姿勢　　7．死亡

〔2〕下線部の言葉を漢字で書きなさい。

1．アスベスト*の<u>こうがい</u>による<u>しぼう</u>者は、世界中で50万人以上いるという。

　　　□□　　　□□　　　　　　　　　　　　　　　　　　asbestos

2．子供が問題に取り組む<u>しせい</u>は、<u>かてい</u>の中で育っていく。

　　　□□　　　□□

3．<u>つうか</u>の種類と為替レート*から、両替<u>きんがく</u>を計算する。　　exchange rate

　　　□□　　　□□

コラム6：複数の音読みがある漢字

1	大（ダイ）	大学	重大	拡大	大規模	
	大（タイ）	大量	大会	大半	大群	
2	人（ニン）	人間	人気	他人	病人	人形
	人（ジン）	人類	人物	人口	人格	日本人
3	作（サク）	作文	作成	制作	作物	
	作（サ）	動作	操作	作業	作法	
4	行（コウ）	旅行	行動			
	行（ギョウ）	行事	行列	行間		
5	下（カ）	下降	低下	以下	地下	
	下（ゲ）	上下	下校	下車		
6	一（イチ）	一番	一位	万一（まんいち）		
	一（イツ）	単一	同一	統一		

第40課　和語・漢語

- 日本語の漢字語彙には和語（主に訓読み）と漢語（主に音読み）があります。
- 漢語は和語より詳しい意味を表し、一つの和語は複数の漢語に言い換えられます。
  〔和語〕助ける　→〔漢語〕救助する　支援する　救援する　援助する

I　テーマの語彙

〔1〕この課のテーマの語彙です。見たことがあるものに レ を付けなさい。

☐ 建築　　☐ 製造　　☐ 休息　　☐ 拝見

☐ 治療　　☐ 診察　　☐ 採用　　☐ 撮影

〔2〕声に出して読み、聞いたことがあるものに レ を付けなさい。

☐ けんちく　☐ せいぞう　☐ きゅうそく　☐ はいけん

☐ ちりょう　☐ しんさつ　☐ さいよう　　☐ さつえい

II　学習漢字

◇　まず、（　）に読み方を考えて書きなさい。次に、下の答えを見て確かめなさい。
　　間違っていた場合は、その原因を考えましょう。（太字はテーマの語彙）

1

| 築 | きず・く
チク | construct
筑　築
쌓을 (축) | 2級
竹 | 竹 竹 筑 筑 築　16 |

1　築く（　　　く）　　　　16世紀、大阪に城＊が築かれた。　　　　castle

2　**建築**（　　　）スル construct　日本の近代建築は西欧の影響を受けている。

1　きず・く　2　けんちく

2 製 — セイ — manufacture 制製 지을(제) — 2級 衣 — 亠 产 制 制 製 — 14

1. 製造（　　　）スル manufacture　世界の乗用車の約4分の1が、日本で製造されている。
2. 製作（　　　）スル manufacture　この会社は、医療用の精密器械を製作している。
3. 製品（　　　）product　外国人が好む日本の土産(みやげ)の第1位は電気製品だ。

1 せいぞう　2 せいさく　3 せいひん

3 息 — いき／ソク — breath 息息 숨쉴(식) — 2級 心 — 自 息 — 10

1. 息（　　　）　息を吸って*吐く*ことを、呼吸という。 breathe in, breathe out
2. 休息（　　　）スル rest　適度の休息は、仕事の能率を上げる。

1 いき　2 きゅうそく

4 拝 — おが・む／ハイ — worship 拝拝 절(배) — 2級 扌 — 扌 拌 拝 — 8

1. 拝む（　　　む）　登山者たちは、富士山に登って日の出を拝む。
2. 拝見（　　　）スル see　「拝見する」は「見る」の謙譲語(けんじょうご)*である。 humble expression
3. 参拝（　　　）スル worship　この神社は建築様式が有名で、参拝する人も多い。

1 おが・む　2 はいけん　3 さんぱい

5 療 — リョウ — treat 疗療 병고칠(료) — 2級 疒 — 广 疒 疒 疹 療 — 17

1. 治療（　　　）スル treat　研究所に勤め、遺伝子(いでんし)*治療の研究をしている。 gene
2. 医療（　　　）medical care　留学生の医療費を補助する制度がある。

1 ちりょう　2 いりょう

6 診 み・る / シン — diagnose (1級)

1 診る（　る）　昨夜から鈍い腹痛があるので、病院で診てもらった。
2 診察（　　　）スル medical examination　病院で医者の診察を受けた。
3 診断（　　　）スル diagnose　毎年、全学生を対象に、健康診断を行っている。

1 みる　2 しんさつ　3 しんだん

> **覚えるためのヒント**
> 医者は3本の指（彡）を手首*に当て、体（月）の脈*を診る。　wrist, pulse

7 採 と・る / サイ — pick / adopt (2級)

1 採る（　る）adopt　当研究室では、やる気のある優秀な学生を採っている。
2 採用（　　　）スル employ　アルバイトに応募し、幸運にも採用された。
3 採点（　　　）スル mark　先生が学生の答案*を採点し、成績をつける。　exam papers

1 と・る　2 さいよう　3 さいてん

8 撮 と・る / サツ — photograph (1級)

1 撮る（　る）　デジタルカメラで写真を撮り、パソコンに取り込む。
2 撮影（　　　）スル take a picture　願書には6カ月以内に撮影された写真を貼る。

1 と・る　2 さつえい

III 練習問題

[1] 異なる部分に注目して、下線部の言葉の書き方、あるいは読み方を選びなさい。
（一方の語には、実際に使われていないものも含まれています。）

1. 食品には必ず<u>せいぞう</u>年月日（ねんがっぴ）が記（しる）されている。　　{a. 製造　　b. 制造}

2. 法隆寺（ほうりゅうじ）は世界最古の木造<u>けんちく</u>だ。　　{a. 建築　　b. 建策}

3. 精神的な疲れを取るためにも、<u>きゅうそく</u>は大切だ。　　{a. 休思　　b. 休息}

4. 「お手紙を<u>はいけん</u>しました」　　{a. 排見　　b. 拝見}

5. 医者は、<u>しんさつ</u>し、精密に検査し、診断する。　　{a. 診察　　b. 該察}

6. 奨学生に応募し、<u>さいよう</u>になった。　　{a. 採用　　b. 菜用}

7. 漢方薬を用いて病気を<u>治療</u>する。　　{a. ちりょう　　b. じりょう}

8. 美術館内は<u>撮影</u>禁止になっている。　　{a. さいえい　　b. さつえい}

[2] { } 内は下線部の和語と同じ意味を表す漢語です。最も適当なものを選んで（　）に記号を書きなさい。

1. <u>とる</u>　{a. 取得　　b. 除去　　c. 解釈　　d. 採用　　e. 撮影　　f. 選択}

① （　）「食べながら歩く人を見ていた」という文は二つの意味に<u>とる</u>ことができる。

② （　）5年間研究して、博士号を<u>とる</u>ことができた。

③ （　）入社試験の結果、新入社員20名を<u>とった</u>。

④ （　）軟らかい歯ブラシで舌＊（した）の汚れを<u>とって</u>、口の中を清潔にする。　tongue

⑤ （　）三つの方法の中から、最も適したものを<u>とった</u>。

⑥ （　）東京の風景をビデオに<u>とった</u>。

第40課　和語・漢語

2．やすむ ｛a. 欠席　　b. 休憩(きゅうけい)　　c. 休息｝

① (　　) 授業をやすむときは届けを出す。

② (　　) 授業と授業の間に15分のやすみがある。

③ (　　) 医者から、精神的にも十分にやすみをとるように助言された。

3．わける ｛a. 分類　　b. 分担　　c. 分解　　d. 分配　　e. 分割｝

① (　　) 画面をいくつかにわけて、複数のファイルを同時に編集する。《コ》

② (　　) ゼミで、資料を一人5ページずつわけて読む。

③ (　　) 漢字は1字をいくつかの部分にわけると、覚えやすい。

④ (　　) 株式(かぶしき)会社は株主(かぶぬし)*に利益をわける。　　　　　　stockholder

⑤ (　　) 一般に、水は含まれるミネラルの量によって、硬水(こうすい)、軟水(なんすい)にわけられる。

4．つくる ｛a. 製造　　b. 作成　　c. 制作　　d. 創作　　e. 建築｝

① (　　) 発表用の原稿とスライドをつくった。

② (　　) この建物がいつごろつくられたか、明らかではない。

③ (　　) この電気製品は日本製だが、部品はタイでつくられたものだ。

④ (　　) 将来は、映画やテレビ番組をつくる仕事をしたい。

⑤ (　　) この物語は、筆者がつくったものではなく、実際にあったことだ。

5．なおす ｛a. 修正　　b. 訂正　　c. 改善　　d. 治療　　e. 修理｝

① (　　) 医者はこの病気をなおすために、抗生物質(こうせい)*を使った。　　antibiotics

② (　　) 作文の中の漢字の間違いをなおす。

③ (　　) この作文は論理の流れが悪いので、全体をなおしたほうがよい。

④ (　) 悪い習慣をなおしたほうがよい。

⑤ (　) パソコンが壊れた場合は、なおすより新品を買ったほうが安い。

6．みる ｛a. 観察　　b. 診察　　c. 拝見　　d. 観賞｝

① (　) 日本文化の授業で、歌舞伎、能などの伝統芸能をみた。

② (　) 「お宅のお庭を見せていただきたいのですが。」

③ (　) 日本人同士が会話をするときの動作をみているのは、興味深い。

④ (　) 胃が痛いので、病院でみてもらった。

7．かえる ｛a. 変更　　b. 変換　　c. 交換　　d. 両替｝

① (　) 病気のため、旅行の予定をかえた。

② (　) ひらがなを漢字にかえる。《コ》

③ (　) 古い機械を新しいものにかえる。

④ (　) 千円札を100円硬貨10枚にかえる。

〔3〕下線部分に共通する意味の言葉を｛　　｝から選んで記号で書きなさい。

(　) 1.「日本事情」を聴講する。

　　　　　手を挙げて質問する。

　　　　　電話で問い合わせる。

第40課　和語・漢語

(　　) 2. この授業は、出席を重視して評価する。

　　　　同じ人生観を持つ人と結婚する。

　　　　学生食堂は、様々な宗教(しゅうきょう)の学生を考慮して、食材を明記している。

　　　　文部科学省は、クローン技術*に関する見解を発表した。
　　　　　　　　　　　　　　　　　　　　　　　　　　　cloning technology

(　　) 3. 水質を検査する。

　　　　都内に残る19世紀の近代建築について、現地調査を行った。

　　　　年2回、X線撮影による肺(はい)*の検診を実施している。　　lung

　　　　得られたデータを注意深く検討した。

(　　) 4. 書類に必要事項を記入する。

　　　　自分の国の環境問題について記述せよ。

　　　　試験は筆記試験と面接試験がある。

　　　　彼には、建築に関する多くの著作がある。

｛a. 書く　　b. 聞く　　c. 考える　　d. 調べる｝

〔4〕筆順に注意して、学習漢字を何度も書いて練習しなさい。

Ⅳ まとめ

〔1〕この課のテーマの語彙(ごい)です。声に出して読みなさい。

1．製造　　2．建築　　3．休息　　4．拝見

5．診察　　6．採用　　7．治療　　8．撮影

〔2〕下線部の言葉を漢字で書きなさい。

1．医者はしんさつの結果に基づいてちりょうする。

2．映画のさつえいの合間(あいま)に*きゅうそくを取った。　　　　　　　　in the interval

3．「しんちく*されたお宅をはいけんさせていただきたいです」と手紙を書いた。

newly built

4．おもちゃ*せいぞう会社の入社試験を受けて、さいようされた。　　　　toy

学習漢字索引

ひらがなは訓読み、カタカナは音読み。五十音の順になっている。コはコラムの意味。

	あ	
アイ	愛	12
アク	握	4
あ・げる	挙	33
あさ・い	浅	37
あざ・やか	鮮	27
あず・かる	預	12
あず・ける	預	12
あせ・る	焦	28
あたい	値	31
あた・える	与	19
アツ	圧	35
あつ・い	厚	37
あつか・う	扱	21
あぶ・ない	危	35
あま・す	余	31
あま・る	余	31
あ・む	編	25
あや・うい	危	35
あやつ・る	操	14
あや・ぶむ	危	35
あやま・り	誤	33
あやま・る	謝	8
あやま・る	誤	33
あらそ・う	争	17
あらた・まる	改	15
あらた・める	改	15
あらわ・す	著	34

	い	
イ	囲	10
イ	易	16
イ	異	18
イ	為	30
イキ	域	20
いき	息	40
いきお・い	勢	39
いさぎよ・い	潔	24
いだ・く	抱	14
〈いた・す〉	致	33
いただき	頂	10
いただ・く	頂	10
いちじる・しい	著	34
いな	否	26
イン	印	24
イン	因	34

	う	
ウ	宇	9
う・える	植	9
う・かぶ	浮	36
う・かべる	浮	36
う・く	浮	36
うす・い	薄	37
うたが・う	疑	4
う・つ	討	22
う・まる	埋	21
う・める	埋	21
う・もれる	埋	21
うら	裏	10
うらな・う	占	32

	え	
エイ	永	6
エイ	影	19
エイ	鋭	27
えが・く	描	14
エキ	役	16
エキ	易	16
エキ	益	35
エツ	越	15
え・る	獲	4
エン	延	6
エン	援	17
エン	演	22

	お	
オ	汚	37
オウ	応	3
オウ	央	10
お・う	追	15
お・う	負	36
おが・む	拝	40
おぎな・う	補	22
オク	憶	5
おく・る	贈	38
おこ・る	興	4
おさ・まる	修	1
おさ・まる	収	30
おさ・まる	納	38
おさ・める	修	1
おさ・める	収	30
おさ・める	納	38
お・す	推	23
おと・る	劣	16
おび	帯	7
お・びる	帯	7
およ・ぶ	及	19
およ・ぼす	及	19
お・る	織	35

	か	
カ	可	16
カ	箇	24
カ	仮	30
カ	貨	39
カイ	解	4
カイ	介	8
カイ	界	9
カイ	改	15
カイ	壊	17

カイ	械	29	か・わる	替	38	キョウ	況	18
ガイ	概	30	カン	環	9	キョウ	響	19
ガイ	該	30	カン	乾	11	キョウ	供	36
ガイ	害	39	カン	慣	13	キョク	極	16
かえり・みる	省	22	カン	巻	20	きわ	際	5
か・える	換	25	カン	換	25	きわ・まる	極	16
か・える	替	38	カン	観	29	きわ・める	極	16
かかえ・る	抱	14	ガン	含	19	キン	禁	12
かかり	係	2				キン	均	31
かぎ・る	限	2				キン	勤	38
カク	獲	4		き				
カク	各	7	キ	基	3			
カク	角	10	キ	既	5		く	
〈か・く〉	描	14	キ	紀	6	クツ	掘	21
カク	拡	20	キ	規	13	くわ・しい	詳	16
カク	確	24	キ	寄	21	クン	訓	4
カク	核	26	キ	貴	27	グン	群	7
ガク	額	39	キ	危	35			
かげ	影	19	ギ	義	3		け	
かこ・む	囲	10	ギ	疑	4	ケイ	係	2
かざ・り	飾	25	ギ	技	14	ケイ	型	7
かざ・る	飾	25	きざ・む	刻	35	ケイ	系	7
かしこ・い	賢	27	きず・く	築	40	ケイ	景	28
かた	型	7	きたな・い	汚	37	ケイ	傾	33
かた	片	19	キツ	詰	21	けが・す	汚	37
かた・い	固	38	きび・しい	厳	12	けが・れる	汚	37
かた・い	硬	38	ギャク	逆	35	ゲキ	激	12
かた・まる	固	38	キュウ	級	5	ケツ	潔	24
かたむ・く	傾	33	キュウ	久	6	けわ・しい	険	35
かたむ・ける	傾	33	キュウ	球	9	ケン	圏	7
か・つ	勝	36	キュウ	救	17	ケン	健	13
かつ・ぐ	担	22	キュウ	及	19	ケン	検	17
かど	角	10	キュウ	給	36	ケン	献	22
かま・え	構	23	キョ	去	6	ケン	賢	27
かま・える	構	23	キョ	距	20	ケン	件	29
かみ	神	37	キョ	挙	33	ケン	険	35
かり	仮	30	キョ	拠	34	ケン	軒	コ 5
がわ	側	10	キョ	許	36	ゲン	限	2
かわ・かす	乾	11	キョウ	興	4	ゲン	源	11
かわ・く	乾	11	キョウ	協	8	ゲン	厳	12
か・わる	換	25	キョウ	境	9			
			キョウ	共	12			

314

学習漢字索引

こ

コ	去	6
コ	雇	17
コ	拠	34
コ	固	38
ゴ	互	8
ゴ	誤	33
こ・い	濃	37
コウ	項	1
コウ	講	3
コウ	更	3
コウ	興	4
コウ	康	13
コウ	構	23
コウ	稿	24
コウ	肯	26
コウ	厚	37
コウ	幸	37
コウ	硬	38
コウ	郊	39
こうむ・る	被	29
こ・える	越	15
こ・える	超	32
こ・がす	焦	28
こ・げる	焦	28
コク	刻	35
こころざし	志	1
こころざ・す	志	1
こ・す	越	15
こ・す	超	32
こた・える	応	3
こと	殊	33
こと・なる	異	18
ことわ・る	断	34
こ・む	混	18
こ・む	込	21
こ・める	込	21
こわ・す	壊	17
こわ・れる	壊	17
コン	混	18
コン	根	27

さ

サ	査	17
サ	差	31
サ	唆	34
サイ	際	5
サイ	再	7
サイ	採	40
サイ	歳	コ5
ザイ	在	6
ザイ	材	29
さいわ・い	幸	37
さかい	境	9
さか・さ	逆	35
さが・す	探	14
さか・らう	逆	35
さか・ん	盛	11
サク	策	9
サク	索	25
さぐ・る	探	14
さ・げる	提	2
ささ・える	支	8
さ・す	差	31
さず・かる	授	3
さず・ける	授	3
さち	幸	37
サツ	刷	24
サツ	察	28
サツ	撮	40
サツ	冊	コ5
さ・る	去	6
さわ・る	触	14
サン	参	22
サン	算	31

し

シ	志	1
シ	士	1
シ	示	3
シ	詞	5
シ	支	8
シ	旨	23
シ	視	28
シ	施	29
シ	姿	39
シ	死	39
ジ	示	3
ジ	似	19
ジ	除	32
しあわ・せ	幸	37
シキ	識	4
シキ	織	35
ジク	軸	32
しず・む	沈	36
しず・める	沈	36
したが・う	従	28
したが・える	従	28
シツ	湿	11
し・ぬ	死	39
しめ・す	示	3
しめ・る	湿	11
し・める	占	32
シャ	謝	8
シャ	斜	32
シャク	釈	34
シュ	守	8
シュ	種	16
シュ	殊	33
ジュ	授	3
ジュ	需	36
シュウ	修	1
シュウ	周	10
シュウ	就	13
シュウ	秀	16
シュウ	収	30
ジュウ	従	28
ジュウ	柔	38
シュク	縮	36
ジュツ	述	23
シュン	瞬	6
ジュン	純	27
ジュン	順	29
ジュン	盾	34
ショ	諸	7

ショ	緒	8	すえ	末	5	ソウ	操	14
ショ	処	33	すがた	姿	39	ソウ	争	17
ジョ	助	8	すく・う	救	17	そ・う	添	25
ジョ	序	28	すぐ・れる	優	16	ソウ	想	26
ジョ	除	32	すこ・やか	健	13	ソウ	創	27
ジョ	徐	35	すで・に	既	5	ソウ	装	29
ショウ	証	2	す・る	刷	24	ゾウ	造	23
ショウ	奨	2	するど・い	鋭	27	ゾウ	像	25
ショウ	将	6				ゾウ	象	30
ショウ	紹	8		**せ**		ゾウ	贈	38
ショウ	招	14	セ	世	6	そ・える	添	25
ショウ	詳	16	せ	背	28	ソク	側	10
ショウ	省	22	セ	施	29	ソク	則	13
ショウ	章	23	セイ	世	6	ソク	測	23
ショウ	照	23	セイ	盛	11	ソク	息	40
ショウ	焦	28	セイ	省	22	ゾク	属	2
ショウ	装	29	セイ	整	24	そこ	底	10
ショウ	象	30	せい	背	28	そそのか・す	唆	34
ショウ	昇	32	セイ	精	37	ソツ	率	31
ショウ	勝	36	セイ	勢	39	そな・える	供	36
ショウ	精	37	セイ	製	40	そむ・く	背	28
ジョウ	状	18	セキ	績	2	ソン	存	33
ジョウ	常	18	セキ	籍	13	ゾン	存	33
ジョウ	条	29	セキ	積	20			
ショク	植	9	セキ	責	22		**た**	
ショク	職	13	セキ	析	29	タ	他	19
ショク	触	14	セツ	設	25	ダ	妥	34
ショク	飾	25	せ・める	責	22	タイ	帯	7
ショク	織	35	セン	専	3	タイ	滞	13
しるし	印	24	セン	戦	17	タイ	態	18
シン	伸	15	セン	鮮	27	タイ	替	38
シン	申	21	セン	占	32	たお・す	倒	35
シン	針	28	セン	浅	37	たお・れる	倒	35
シン	神	37	ゼン	然	9	たが・い	互	8
シン	診	40	ゼン	善	15	だ・く	抱	14
ジン	尽	21				たし・か	確	24
ジン	神	37		**そ**		たし・かめる	確	24
			ソ	礎	3	たす・かる	助	8
	す		ソ	素	19	たす・ける	助	8
ス	素	19	ソウ	総	7	たたか・う	戦	17
スイ	推	23	ソウ	層	7	〈たち〉	達	15

〈だち〉	達	15	つく・る	造	23	と・く	解	4
タツ	達	15	つく・る	創	27	ドク	独	27
た・つ	断	34	つ・ける	付	2	と・ける	解	4
たて	盾	34	つと・まる	勤	38	とど・く	届	4
たと・える	例	5	つと・める	務	2	とど・ける	届	4
たね	種	16	つと・める	努	15	とどこお・る	滞	13
たの・む	頼	8	つと・める	勤	38	ととの・う	整	24
たま	球	9	つね	常	18	ととの・える	整	24
たも・つ	保	2	つの	角	10	となり	隣	10
たよ・る	頼	8	つの・る	募	1	とな・る	隣	10
タン	端	10	つ・まる	詰	21	とぼ・しい	乏	11
タン	探	14	つ・む	積	20	とみ	富	11
タン	担	22	つ・む	摘	26	と・む	富	11
ダン	段	18	つ・める	詰	21	とも	共	12
ダン	断	34	つ・もる	積	20	とも	供	36
						ともな・う	伴	19
	ち			て		と・らえる	捕	14
チ	値	31	テイ	程	1	と・る	捕	14
チ	致	33	テイ	提	2	と・る	採	40
チク	築	40	テイ	底	10	と・る	撮	40
ちぢ・む	縮	36	テイ	停	17	ドン	鈍	32
ちぢ・める	縮	36	テイ	訂	24			
ちぢ・らす	縮	36	テイ	庭	39		な	
ちぢ・れる	縮	36	テキ	摘	26	な・い	亡	39
チュウ	宙	9	て・らす	照	23	なが・い	永	6
チュウ	抽	30	て・る	照	23	な・く	鳴	38
チョ	緒	8	テン	展	15	な・くなる	亡	39
チョ	著	34	テン	典	23	ナッ	納	38
チョウ	頂	10	テン	添	25	〈など〉	等	31
チョウ	徴	11				なな・め	斜	32
チョウ	張	26		と		な・らす	慣	13
チョウ	超	32	ト	途	18	な・らす	鳴	38
チン	沈	36	ト	登	38	な・る	鳴	38
			ド	努	15	な・れる	慣	13
	つ		トウ	討	22	ナン	軟	38
ツイ	追	15	トウ	等	31			
つか・まえる	捕	14	トウ	統	33		に	
つ・きる	尽	21	トウ	倒	35	にぎ・る	握	4
つ・く	付	2	トウ	登	38	にな・う	担	22
つ・く	就	13	ドウ	導	22	にぶ・い	鈍	32
つ・くす	尽	21	とうと・い	貴	27	にぶ・る	鈍	32
			とうと・ぶ	貴	27			

ニュウ	柔	38	はげ・しい	激	12	フ	浮	36
に・る	似	19	はし	端	10	ブ	部	コ5
にわ	庭	39	はば	幅	32	フク	復	4
ニン	任	22	はぶ・く	省	22	フク	副	7
ニン	認	24	はり	針	28	フク	複	31
			は・る	張	26	フク	幅	32
ぬ			ハン	伴	19	フク	福	37
ぬの	布	11	ハン	範	20	ふく・む	含	19
			ハン	版	24	ふく・める	含	19
ね			ハン	判	26	ふ・ける	更	3
ね	根	27	ハン	般	27	ふせ・ぐ	防	12
ね	値	31	バン	伴	19	ふたた・び	再	7
ネン	然	9	バン	判	26	ふで	筆	23
						ふ・れる	触	14
の			**ひ**					
ノウ	能	16	ヒ	批	26	**へ**		
ノウ	濃	37	ヒ	否	26	ヘン	片	19
ノウ	納	38	ヒ	被	29	ヘン	編	25
のぞ・く	除	32	ひい・でる	秀	16			
のぞ・み	望	1	ヒキ	匹	コ5	**ほ**		
のぞ・む	望	1	ひき・いる	率	31	ホ	保	2
の・ばす	延	6	ひさ・しい	久	6	ホ	捕	14
の・ばす	伸	15	ひたい	額	39	ホ	補	22
の・びる	延	6	ヒツ	筆	23	ボ	募	1
の・びる	伸	15	ひと・しい	等	31	ボ	模	20
の・べる	述	23	ひと・り	独	27	ホウ	豊	11
のぼ・る	昇	32	ひび・く	響	19	ホウ	抱	14
のぼ・る	登	38	ヒョウ	標	15	ボウ	望	1
			ヒョウ	評	26	ボウ	乏	11
は			ヒョウ	票	30	ボウ	防	12
は	葉	5	ビョウ	描	14	ボウ	亡	39
は	端	10	ビョウ	秒	コ5	〈ほか〉	他	19
ハ	破	14	ヒン	貧	37	ほこ	矛	34
ハイ	背	28	ビン	貧	37	ほ・しい	欲	27
ハイ	敗	36				ほっ・する	欲	27
ハイ	拝	40	**ふ**			ほど	程	1
バイ	倍	31	フ	付	2	ほどこ・す	施	29
はか・る	量	20	フ	富	11	ほ・る	掘	21
はか・る	測	23	フ	布	11			
ハク	博	1	フ	普	18	**ま**		
ハク	薄	37	フ	負	36	マイ	埋	21

学習漢字索引

マイ	枚	コ5
まい・る	参	22
まか・す	任	22
ま・かす	負	36
まか・せる	任	22
まき	巻	20
ま・く	巻	20
ま・ける	負	36
まさ・る	勝	36
ま・ざる	混	18
ま・じる	混	18
まず・しい	貧	37
ま・ぜる	混	18
またた・く	瞬	6
マツ	末	5
まね・く	招	14
まも・る	守	8
まわ・り	周	10
マン	満	32

み

ミ	未	6
み・たす	満	32
みだ・す	乱	18
みだ・れる	乱	18
みちび・く	導	22
み・ちる	満	32
ミツ	密	35
みと・める	認	24
みなもと	源	11
ミャク	脈	11
み・る	診	40

む

ム	務	2
ム	矛	34
むかし	昔	6
むね	旨	23
むら・がる	群	7
む・れ	群	7

め

メイ	鳴	38

も

モ	模	20
モウ	望	1
もう・ける	設	25
もう・す	申	21
もと	基	3
もと・づく	基	3
もど・す	戻	25
もど・る	戻	25
も・る	盛	11

や

ヤク	訳	5
ヤク	役	16
やさ・しい	優	16
やさ・しい	易	16
やしな・う	養	3
やと・う	雇	17
やぶ・く	破	14
やぶ・ける	破	14
やぶ・る	破	14
やぶ・る	敗	36
やぶ・れる	破	14
やぶ・れる	敗	36
やわ・らかい	柔	38
やわ・らかい	軟	38

ゆ

ユウ	優	16
ゆた・か	豊	11
ゆる・す	許	36

よ

よ	世	6
ヨ	預	12
ヨ	与	19
ヨ	余	31
よ・い	善	15
ヨウ	養	3
ヨウ	容	4
ヨウ	葉	5
ヨク	欲	27
よご・す	汚	37
よご・れる	汚	37
よ・せる	寄	21
よそお・う	装	29
よ・る	寄	21

ら

ライ	頼	8
ラン	乱	18
ラン	欄	30

り

リ	裏	10
リク	陸	12
リツ	率	31
リャク	略	28
リョ	慮	30
リョウ	了	1
リョウ	寮	13
リョウ	量	20
リョウ	領	20
リョウ	療	40
リン	隣	10

れ

レイ	例	5
レツ	劣	16
レツ	列	33

ろ

ロウ	労	17
ロク	録	5

わ

わく	枠	28
わけ	訳	5
わざ	技	14

著者： 稲村 真理子（いなむら まりこ）
東北大学高等教育開発推進センター非常勤講師。1987年より日本語教育に従事する。タイ国立タマサート大学非常勤講師を経て現職。『大学・大学院留学生の日本語①読解編』（アルク）、ネットアカデミー日本語コース（アルク）の読解コースの執筆を担当。

監修： アカデミック・ジャパニーズ研究会

〈会員一覧〉

市瀬 智紀（いちのせ とものり）	佐々木 順子（ささき よりこ）	松岡 洋子（まつおか ようこ）
＊稲村 真理子（いなむら まりこ）	佐藤 勢紀子（さとう せきこ）	宮本 律子（みやもと りつこ）
内山 敦子（うちやま あつこ）	高木 裕子（たかぎ ひろこ）	山口 弘美（やまぐち ひろみ）
小山 宣子（おやま のぶこ）	中島 美樹子（なかじま みきこ）	山田 一裕（やまだ かずひろ）
川上 郁雄（かわかみ いくお）	仁科 浩美（にしな ひろみ）	（＊は執筆担当者）
小池 恵己子（こいけ えみこ）	福島 悦子（ふくしま えつこ）	

大学・大学院 留学生の日本語 ⑤漢字・語彙編

発行日	2007年 4月20日 （初版） 2024年12月9日 （第10刷）
著者	稲村真理子
監修	アカデミック・ジャパニーズ研究会
編集	株式会社アルク出版編集部
校正	長田 茂
DTP・編集	有限会社ギルド
印刷・製本	萩原印刷株式会社
発行者	天野智之
発行所	株式会社アルク 〒141-0001　東京都品川区北品川 6-7-29　ガーデンシティ品川御殿山 Website：https://www.alc.co.jp/

落丁本、乱丁本は、弊社にてお取り替えいたしております。
Webお問い合わせフォームにてご連絡ください。
https://www.alc.co.jp/inquiry/
本書の全部または一部の無断転載を禁じます。著作権法上で認められた場合を除いて、本書からのコピーを禁じます。定価はカバーに表示してあります。

ご購入いただいた書籍の最新サポート情報は、以下の「製品サポート」ページでご提供いたします。
製品サポート：https://www.alc.co.jp/usersupport/

©2007 Inamura Mariko/ ALC PRESS INC.
Printed in Japan.

PC：7007058
ISBN：978-4-7574-1179-1

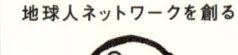

アルクのシンボル「地球人マーク」です。

大学・大学院 留学生の日本語 ⑤漢字・語彙編

解答

[第Ⅰ部]

第1課　進学

Ⅰ　ウォーミングアップ
　1．そつぎょう　けんきゅうせい　だいがくいん　じゅけん　　2．ごうかく　すすんで
　3．にゅうがくしけん　めんせつしけん　じゅんび　　4．じょうほう　　5．がんしょ
Ⅳ　練習問題
　〔1〕1．b　　2．a　　3．b　　4．a　　5．b　　6．b
　〔2〕1．しぼう　　2．しがん　　3．ぼしゅう　　4．しゅうしかてい
　　　　5．ぼしゅうようこう　　6．しゅうりょう　　7．はくし/はかせ
　〔3〕1．だいいちしぼう　　2．しがんしゃ　　3．しがんしゃすう　　4．いし
　　　　5．のぞむ　　6．ぼしゅうあんない　　7．こうもく　　8．ていど
　　　　9．しけんにってい　　10．かんりょう　　11．はくしろんぶん/はかせろんぶん
Ⅴ　まとめ
　〔1〕1．しぼう　　2．しがん　　3．ぼしゅう　　4．かてい　　5．ぼしゅうようこう
　　　　6．しゅうし　　7．はくし/はかせ　　8．しゅうりょう
　〔2〕c
　〔3〕1．志望　志願　　2．募集要項　　3．修士課程　修了　　4．博士

第2課　出願書類

Ⅰ　ウォーミングアップ
　1．しゅつがん　にゅうがくしけん　がんしょ　　2．がくせいぼしゅう
　3．はくし（はかせ）かていぜんき　しぼう　てつづき
　4．ぼしゅうようこう　　5．しゅつがんきかん　　6．しょるい
Ⅳ　練習問題
　〔1〕1．b　　2．a　　3．b　　4．b　　5．b　　6．a　　7．a　　8．b　　9．a
　〔2〕1．ていしゅつきげん　　2．うけつけない　　3．みぶんしょうめいしょ
　　　　4．ほしょうにん　　5．しょぞく　　6．じむしつ　　7．しょうがくきん
　　　　8．かかり　　9．せいせき
　〔3〕1．ア　イ　エ　　2．12月10日　　3．できない　　4．郵送する（郵便で）
　　　　5．係に問い合わせる（係に聞く）
Ⅴ　まとめ
　〔1〕1．しょうめいしょ　　2．せいせき　　3．うけつけ　　4．ほしょうしょ
　　　　5．ていしゅつ　　6．きげん　　7．じむしつ　　8．かかり　　9．しょうがくきん
　　　　10．しょぞく
　〔2〕d
　〔3〕1．証明　成績　保証　　2．期限　係　提出　　3．奨学　所属　事務室　受付

第3課　授業科目

Ⅰ　ウォーミングアップ
　1．かてい　　2．かもく　　3．しゅっせき　　4．ひっしゅうかもく　　5．じかんわり
Ⅳ　練習問題
　〔1〕1．a　　2．b　　3．a　　4．a　　5．a　　6．b　　7．a　　8．a
　〔2〕1．きょうようかもく　　2．じゅぎょう　　3．きそかもく　　4．せんもんかもく
　　　　5．おうようけいざいがく　　6．こうぎ　　7．へんこう　　8．しじ

〔3〕1．a.事務室　2．b.日本語科目　3．c.70％　4．d.4月15日
　　5．e.本学のホームページで見る
〔4〕1．b　2．a　3．b
Ⅴ　まとめ
〔1〕1．じゅぎょう　2．こうぎ　3．きょうよう　4．せんもん　5．きそ　6．おうよう　7．へんこう　8．しじ
〔2〕b
〔3〕1．教養　専門　授業　2．基礎　応用　3．講義　変更　4．指示

第4課　授業

Ⅰ　ウォーミングアップ
1．せんもんかもく　2．しる　3．こうぎ　4．よしゅう　5．しつもん
6．きゅうこう
Ⅳ　練習問題
〔1〕1．b　2．a　3．a　4．a　5．b　6．a　7．a　8．a　9．b
　　10．b
〔2〕1．ちしき　2．かくとく　3．ぎもん　4．ないよう　5．はあく
　　6．りかいりょく　7．くんれん　8．ふくしゅう　9．きょうみ
　　10．じゅうしょへんこうとどけ
〔3〕1．×　2．×　3．×　4．○　5．○
〔4〕a
Ⅴ　まとめ
〔1〕1．ちしき　2．ないよう　3．ふくしゅう　4．かくとく　5．ぎもん
　　6．きょうみ　7．はあく　8．りかい　9．くんれん　10．とどけ
〔2〕c
〔3〕1．知識　獲得　2．疑問　興味　3．復習　内容　理解　4．把握　訓練　5．届

第5課　日本語の学習

Ⅰ　ウォーミングアップ
1．ぶんぽう　かいわ　かんじ　どっかい　さくぶん　ききとり　2．はつおん
3．じしょ　でんしじしょ　よみかた　いみ　4．せんもんご　たんご
5．じゅぎょう　ないよう　りかい
Ⅳ　練習問題
〔1〕1．b　2．b　3．b　4．a　5．b　6．a　7．b　8．a　9．b
〔2〕1．ことば　2．こくさいてき　3．ろくが　4．やくす　5．めいし
　　6．ちゅうきゅう　7．きまつしけん　8．れいぶん　9．きしゅう　10．きおく
〔3〕1．h　2．e　3．d　4．b　5．a　6．f　7．g　8．c
〔4〕1．b　2．b
Ⅴ　まとめ
〔1〕1．ことば　2．ちゅうきゅう　3．やく　4．れい　5．ろくおん　6．きまつしけん
　　7．きおく　8．きしゅう　9．めいし　10．こくさい
〔2〕c
〔3〕1．録音　2．中級　言葉　国際　3．訳　例文　記憶　4．期末　既習　名詞

第6課　時間

Ⅰ ウォーミングアップ
1．じかん　きかんちゅう　2．いぜん　いこう　3．いない　4．けいか
5．さい　うえ　6．とうじつ

Ⅳ　練習問題
〔1〕1．b　2．b　3．b　4．a　5．b　6．b　7．a　8．a　9．a
〔2〕1．げんざい　2．かこ　3．むかし　4．きげんぜん　5．しょうらい
　　 6．みらい　7．えいきゅう　8．えんちょう
〔3〕1．さる　2．いっしゅん　3．みち　4．ざいがくしょうめいしょ
　　 5．えんちょうせん　6．こんせいき　7．げんざい
〔4〕1．○　2．○　3．×　4．×　5．×　6．×

Ⅴ　まとめ
〔1〕1．げんざい　2．かこ　3．みらい　4．しょうらい　5．むかし
　　 6．えいきゅう　7．せいき　8．しゅんかん　9．えんき
〔2〕c
〔3〕1．過去　現在　未来　2．将来　3．昔　世紀　延期　4．瞬間　永眠

第7課　学習の要点1

Ⅰ ウォーミングアップ
1．無意味　2．全課程　3．不自由　4．最重要　5．記憶力
6．世紀末　7．映画館　8．研究所　9．志願者　10．非科学的

Ⅳ　練習問題
〔1〕1．b　2．a　3．a　4．a　5．b　6．b　7．a　8．b　9．a
〔2〕1．ねこがた　2．しゅとけん　3．どくしゃそう　4．おんたい　5．ごぐん
　　 6．しょがいこく　7．かくかもく　8．そうじんこう　9．さいしけん
〔3〕1．×　2．×　3．○　4．×　5．×　6．×　7．○　8．×　9．○
〔4〕1．100年前　当時活躍　2．2005年現在　留学生数　3．来日当初
　　 4．今週末締め切り　5．将来通訳　6．最近発見　7．十数年来
　　 8．30％前後見られる　9．大学院入学　10．国家対国家　個人対個人
　　 11．大学間交流　12．学習上必要　13．前回同様

Ⅴ　まとめ
〔1〕1．ふく　2．そう　3．しょ　4．かく　5．さい　6．たい　7．けん
　　 8．がた　9．けい　10．そう　11．ぐん
〔2〕1．副　2．総　3．諸　4．各　5．再　6．帯　7．圏　8．型
　　 9．系　10．層　11．群

第8課　人間関係

Ⅰ ウォーミングアップ
1．ゆうじん　しんゆう　そうだん　てつだって　りかい
2．うみ　せわ　そだて　おしえ　おやこかんけい

Ⅳ　練習問題
〔1〕1．b　2．b　3．b　4．a　5．b　6．b　7．a　8．a　9．a
〔2〕1．まもって　2．たすけられた　3．ささえ　4．たのんだ　5．たよって
　　 6．きょうりょく　7．かんしゃ
〔3〕1．じょげん　2．しじ　3．しんらい　4．そうごさよう　5．かんしゃ
　　 6．しょうかい　7．こうご

〔4〕1. ささえて　2. ししゅつ　3. そうごしんらい　4. しょうかい　5. まもる
　　 6. しんらいせい　7. たすけ　8. じょげん　9. あやまる　かんしゃ
V　まとめ
　〔1〕1. たすける　2. ささえる　3. しょうかい　4. まもる　5. あやまる
　　 6. かんしゃ　7. たよる　8. たのむ　9. いっしょ　10. きょうりょく
　　 11. たがい
　〔2〕b
　〔3〕1. 守　支　頼　2. 紹介　一緒　3. 協力　頼謝　4. 互　助

第9課　環境

I　ウォーミングアップ
　1. たいきけん　ふえ　おんだんか　2. げんしょう　せいぶつ　3. そう
　4. かいけつ　とりくみ　げんざい　じんるい　みらい
IV　練習問題
　〔1〕1. b　2. a　3. a　4. a　5. a　6. b　7. b　8. a　9. a
　〔2〕1. うちゅう　2. ちきゅう　3. せかい　4. かんきょう　5. しぜん
　　 6. たいさく　7. しょくぶつ　8. うえる
　〔3〕1. ちきゅうぶつりがく　2. せかいてき　3. かんきょうけいざいがく
　　 4. うちゅうりょこう　5. がいこうせいさく　6. てんねんしげん
　　 7. きたはんきゅう　8. いしょく　9. じしんたいさく
　　 10. せかいかんきょうもんだいたいさくかいぎ　11. しょくみんちせいさく
　〔4〕1. ×　2. ○　3. ×　4. ○　5. ×　6. ○　7. ×
V　まとめ
　〔1〕1. ちきゅう　2. せかい　3. うちゅう　4. しぜん　5. かんきょう
　　 6. たいさく　7. しょくぶつ
　〔2〕d
　〔3〕1. 地球　宇宙　2. 環境　世界　3. 対策　4. 自然　植物

第10課　位置

I　ウォーミングアップ
　1. ちゅうしん　いち　2. まうえ　3. みぎて　よこ　おく　4. ひだり　さき
　5. むかいあって　6. めんして
IV　練習問題
　〔1〕1. b　2. b　3. b　4. a　5. a　6. b　7. a　8. b　9. a
　　 10. b
　〔2〕1. となり　2. はし　3. ちゅうおう　4. うら　5. しゅうい
　　 6. かこまれて　7. かど　8. さんかく　9. つの　10. ちょうじょう
　　 11. そこ　12. ひだりがわ
　〔3〕1. うらがわ　2. さいせんたん　3. みぎどなり　4. そくめん
　　 5. しゅうきてき　6. いっしゅう　7. りんせつ　8. まわり
V　まとめ
　〔1〕1. となり　2. はし　3. かわ　4. まわり　5. しゅうい　6. かど／つの
　　 7. ちゅうおう　8. そこ　9. うら　10. ちょうじょう
　〔2〕c
　〔3〕1. 端　隣　2. 底　周囲　3. 中央　角　裏　4. 頂上　右側

第11課　日本の自然

Ⅰ　ウォーミングアップ
  1．はし　しまぐに　　2．ほっかいどう　しこく　きゅうしゅう
  3．ちゅうおう　さんち　たいへいようがわ　にほんかいがわ　　4．へいや
  5．せきゆ　　6．しき

Ⅳ　練習問題
  〔1〕1．a　2．b　3．a　4．a　5．a　6．b　7．b　8．a　9．b
  〔2〕1．かんそう　2．しつど　3．しめった　4．ぶんぷ　5．とくちょう
　　　6．ほうふ　7．さんみゃく　8．てんねんしげん　9．さかん
  〔3〕1．でんげん　2．すいげん　3．けつぼう　4．とくちょうてき　5．ぶんぷず
  〔4〕1．×　2．○　3．○　4．○　5．×　6．×　7．○　8．○　9．○
  〔5〕b

Ⅴ　まとめ
  〔1〕1．しげん　2．とぼしい　3．ゆたか　4．ほうふ　5．とくちょう
　　　6．しつど　7．かんそう　8．ぶんぷ　9．さんみゃく　10．さかん
  〔2〕c
  〔3〕1．湿度　乾　特徴　　2．資源　乏　豊富　　3．盛　分布

第12課　学習の要点2

Ⅲ　練習問題
  〔1〕1．a　2．b　3．b　4．a　5．a　6．b　7．a
  〔2〕1．じゅけん　試験を　　2．ぼうおん　音を　　3．よきん　金を
　　　4．じょうりく　陸に　　5．りりく　陸を／から
  〔3〕1．きゅうへん　変わる　　2．げきぞう　増える　　3．さいりよう　利用する
　　　4．めいじ　示す　　5．きょうせい　生きる　　6．あいどく　読む
　　　7．えいじゅう　住む　　8．せんこう　行われた
  〔4〕1．くにぐに　ひとびと　　2．てがき　てがみ　　3．みぎどなり　おおがた
  〔5〕1．がくせい　がっかい　　2．あくせい　あっか　　3．ほっかいどう　ほくだい
  〔6〕1．はっけん　はつめい　　2．ひっしゅう　ひつよう　　3．おんたい　ねったい
  〔7〕1．しゅつじょう　しゅっぱつ　　2．はつばい　はっぴょう
  〔8〕1．ぶんぷ　はいふ　　2．ひれい　はんぴれい

Ⅳ　まとめ
  〔1〕1．よきん　2．ちゃくりく　3．あいよう　4．きょうゆう　5．よぼう
　　　6．げきぞう　7．げんきん
  〔2〕1．預金　激増　　2．愛用　着陸　　3．予防　共有　厳禁

第13課　日本での生活

Ⅰ　ウォーミングアップ
  1．ほしょうにん　2．しょうがくきん　3．ぶっか　せいかつひ　よきん
  4．よるがた　5．あいよう　つうがく　6．せかいかっこく　いっしょ　ゆたか

Ⅳ　練習問題
  〔1〕1．a　2．b　3．b　4．a　5．b　6．b　7．a
  〔2〕1．けんこう　2．しゅうしょく　3．きそく　4．こくせき　5．たいざい
　　　6．なれて　7．しゅうかん
  〔3〕1．たいざいきかん　2．ふきそく　3．しょせき　4．しゅうかんか
　　　5．にゅうりょう　6．しゅうしょくかつどう　7．ふけんこう　8．しゅうしょくなん

〔4〕1．○　2．×　3．○　4．○　5．×　6．○　7．×
Ⅴ　まとめ
〔1〕1．たいざい　2．なれる　3．りょう　4．こくせき　5．けんこう
　　6．しゅうしょく　7．しょくぎょう　8．きそく　9．きそくてき
〔2〕a
〔3〕1．滞在　慣　2．寮　国籍　3．就職　健康　規則
コラム
　　1．植物　2．輸出　輸入　3．中年　高年　4．離陸　着陸

第14課　手の動作

Ⅰ ウォーミングアップ
　　1．なげる　うつ　ころがす　うける　2．にぎり　もちあげる　3．おす　ひく　まわす
　　4．おやゆび　ひとさしゆび　5．ゆびをおって　かぞえる
Ⅳ　練習問題
〔1〕1．a　2．a　3．b　4．b　5．a　6．a　7．b　8．b　9．a
〔2〕1．まねいた　2．さがした　3．さぐって　4．だく（いだく）　5．いだく
　　6．かかえて　7．やぶられる　8．そうさ　9．ぎじゅつ　10．つかまえた
　　11．とらえた　12．ふれる　13．さわる　14．えがいた
〔3〕1．かがくぎじゅつ　2．まねく　3．てざわり　4．たんきゅう　5．やぶる
　　6．しょうたいけん
〔4〕1．×　2．×　3．○　4．○　5．○　6．×　7．×　8．○
〔5〕a
Ⅴ　まとめ
〔1〕1．まねく　2．さがす　3．さぐる　4．えがく　5．だく（いだく）
　　6．かかえる　7．ぎじゅつ　8．とらえる　9．つかまえる　10．そうさ
　　11．やぶる　12．ふれる　13．さわる
〔2〕a
〔3〕1．招　探　2．技術　抱　3．操作　描　4．捕　触　破

第15課　進歩

Ⅰ ウォーミングアップ
　　1．しんぽ　2．はつめい　3．かいはつ　4．しんか　5．こうじょう
　　6．けいざいせいちょう
Ⅳ　練習問題
〔1〕1．b　2．a　3．b　4．a　5．b　6．b　7．a　8．b　9．a
〔2〕1．もくひょう　2．どりょく　3．じょうたつ　4．しんてん　5．のびる
　　6．おいつく　7．かいぜん　8．あらためる　9．こえて　10．たっする
〔3〕1．たっせいかん　2．とうたつもくひょう　3．おいこして
　　4．ひょうじゅんたいじゅう　5．けいざいはってん
〔4〕1．○　2．○　3．×　4．×　5．×　6．×
〔5〕b
Ⅴ　まとめ
〔1〕1．のびる　2．どりょく　3．もくひょう　4．じょうたつ　5．はったつ
　　6．かいぜん　7．あらためる　8．はってん　9．おいつく　10．おいこす
〔2〕c
〔3〕1．目標　到達　達成　2．発達　発展　3．努力　伸　4．追　越
　　5．改　改善

第16課　修飾語1

Ⅰ ウォーミングアップ
1．ふとい　ほそい　2．こまかい　3．かるい　4．せまい　ひろい
5．かいてき　ひつよう　6．じゅうよう　たいせつ

Ⅳ　練習問題
〔1〕1．a　2．b　3．a　4．b　5．b　6．a　7．a　8．b
〔2〕1．やくにたつ　2．ゆうれつ　3．ゆうしゅう　4．すぐれた　5．きわめて
　　6．くわしく　7．いっしゅの　8．ようい　9．ふかのう　10．ゆうのう
〔3〕1．しょうさい　2．やくわり　3．しゅるい　4．かんいか
　　5．じんこうちのう　6．かどうしき　7．ふかけつ
〔4〕1．おもな　2．あきらか　3．ふめい　4．あらた　5．たよう
　　6．じゅうよう　7．しゅよう　8．てきせつ　9．てきした

Ⅴ　まとめ
〔1〕1．やくだつ　2．くわしい　3．ゆうしゅう　4．すぐれた　5．おとる
　　6．きわめて　7．かのう　8．ゆうのう　9．ようい　10．あるしゅの
〔2〕b
〔3〕1．詳　役　2．優秀　優劣　3．有能　4．種　極　5．容易　可能

第17課　学習の要点3

Ⅲ　練習問題
〔1〕1．a　2．b　3．a　4．b　5．a　6．b　7．a　8．a
〔2〕1．けんさ　2．はかい　3．ろうどうじんこう　4．ひろうかいふく
　　5．きょうじょかつどう　6．ぎじゅつえんじょ　7．せんそう
　　8．しゅうしんこよう　9．ていし　10．ちょうさ
〔3〕1．表現　2．開始　3．使用　4．増加　5．取得　6．応答
〔4〕労働　検査　戦争　救助　停止　支援　変更　破壊　疲労　雇用
〔5〕略
〔6〕1．e　じょうげ　2．d　3．c　ぞうげん　4．b　はっちゃく　5．a

Ⅳ　まとめ
〔1〕1．きゅうじょ　2．えんじょ　3．しえん　4．けんさ　5．ちょうさ
　　6．はかい　7．ろうどう　8．ひろう　9．こよう　10．ていし
　　11．せんそう
〔2〕1．検査　疲労　2．破壊　救助　3．労働者　雇用　4．戦争　援助　停止

第18課　状態

Ⅰ ウォーミングアップ
1．ようす　2．みかんせい　4．ちょうし　5．ていしちゅう　6．こうちょう

Ⅳ　練習問題
〔1〕1．b　2．b　3．a　4．a　5．b　6．b　7．a
〔2〕1．けんこうじょうたい　2．かつどうじょうきょう　3．いじょう
　　4．せいじょう　5．つねに　6．ちゅうと　7．とちゅう　8．こんらん
　　9．ふつう　10．みだれた
〔3〕1．じったい　2．たいど　3．いろん　4．いぶんか　5．こうつうしゅだん
　　6．だんかいてき　7．かいだんきょうしつ　8．まじりあう　9．げんじょう
　　10．こんどう　11．ひじょうしき　12．ふきゅう　13．らんざつ　14．らんぼう
　　15．ふだん

〔4〕1．a　2．a
Ⅴ　まとめ
〔1〕1．じょうたい　2．だんかい　3．いじょう　4．こんらん　5．とちゅう
　　 6．ふつう　7．じょうきょう
〔2〕c
〔3〕1．異常　普通　2．状態　不況　3．途中　段階　4．混乱　状況

第19課　二者の関係

Ⅰ　ウォーミングアップ
　1．かんれん　2．かんけい　3．さゆう　4．りょうしゃ　たいりつ
　5．きょうつうてん　6．ぜんたい　ぶぶん
Ⅳ　練習問題
〔1〕1．b　2．a　3．a　4．b　5．b　6．a　7．a　8．a　9．a
〔2〕1．えいきょう　2．ようそ　3．およぼした　4．ふくまれて　5．た
　　 6．にて　7．あたえた　8．ともなって　9．かたて
〔3〕1．かげ　2．るいじてん　3．えいきょうりょく　4．およぶ　5．ともなう
　　 6．げんきゅう　7．ふくむ　8．はんきょう
Ⅴ　まとめ
〔1〕1．えいきょう　2．あたえる　3．およぼす　4．にる　5．そのた
　　 6．かたほう　7．ようそ　8．ふくむ　9．ともなう
〔2〕d
〔3〕1．影響　与及　2．似　他　3．片方　伴　4．要素　含

第20課　広がり

Ⅰ　ウォーミングアップ
　1．ひろさ　2．おおきさ　3．りっぽうセンチメートル　5．せんもんぶんや
　6．はなれて　7．かこまれて
Ⅳ　練習問題
〔1〕1．b　2．a　3．a　4．b　5．b　6．a　7．a　8．b
〔2〕1．めんせき　2．だいきぼ　3．たりょう　4．はんい　5．ちいき
　　 6．きょり　7．かくだい　8．とりまく
〔3〕1．もはんかいとう　2．せっきょくてき　3．つみあげて　4．じゅうたくちいき
　　 5．ちきゅうきぼ　6．りゅういき　7．かんまつ　8．りょうどかくだい
　　 9．まいた　10．はかる
〔4〕1．とりまく　2．めんせき　3．きょり　4．ちいき　5．だいきぼ
Ⅴ　まとめ
〔1〕1．めんせき　2．きぼ　3．はんい　4．りょう　5．りょういき
　　 6．きょり　7．かくだい　8．とりまく
〔2〕a
〔3〕1．面積　量　2．取巻　規模　3．範囲　4．領域　拡大

第21課　学習の要点4

Ⅲ　練習問題
〔1〕1．a　2．b　3．b　4．a　5．a　6．a　7．b
〔2〕1．もうしこんだ　2．うめつくした　3．たちよる　4．つめこむ
　　 5．ほりさげ　6．とりあつかって

〔3〕1．取り消した　2．取り上げた　3．取り組んで　4．走り寄った
　　5．引き起こす　6．組み合わせて　7．付け加える　8．問い合わせる
　　9．打ち合わせ　10．積み重ねる　11．落ち着いた
〔4〕1．書き上げた　2．聞き返した　3．書き落とした　4．食べ切る
　　5．理解し得ない
〔5〕1．うらづける　2．うらぎる　3．めざす　4．ながびいて　5．てさぐり
　　6．みこみ　7．しくみ　8．めだった　9．ほそながい
〔6〕1．かしだし　2．たちいりきんし　3．うちあわせ
Ⅳ　まとめ
〔1〕1．もうしこむ　2．うめこむ　3．つめこむ　4．ほりさげる
　　5．つかいつくす　6．たちよる　7．とりあつかう
〔2〕1．埋込取扱申込　2．立寄読尽　3．詰込掘下

第22課　ゼミ

Ⅰ ウォーミングアップ
　1．もうしこんで　2．かだい　きょうみ　とりくんだ　3．ないよう　ようやく
　4．はっぴょう　きょうりょく　さくせい　5．しつぎおうとう　6．ほりさげた
Ⅳ　練習問題
〔1〕1．a　2．b　3．a　4．b　5．a　6．b　7．b　8．a
〔2〕1．りょうしろんえんしゅう　2．しどうきょういん　3．せきにん　ぶんたん
　　4．とうろん　5．さんこうぶんけん　6．ほそくせつめい　7．はんせいてん
〔3〕1．こうえん　2．せきにんかん　3．むせきにん　4．どうにゅう
　　5．しゅつえん　6．さんかしゃ　7．たんとう　8．ほこう　9．ほじょ
〔4〕1．d　2．c　3．b　4．a　5．e
〔5〕b
Ⅴ　まとめ
〔1〕1．えんしゅう　2．しどう　3．ぶんたん　4．はんせい　5．ほそく
　　6．さんこうぶんけん　7．さんか　8．せきにん　9．とうろん
〔2〕d
〔3〕1．指導　文献　演習　2．参加　分担　3．責任　補足　4．反省　討論

第23課　読む・書く

Ⅰ ウォーミングアップ
　1．せんもんしょ　ろんぶん　ほうこく　がくじゅつてき　よみもの
　2．ろんり　3．さんこうぶんけん　さがす　4．くべつ　5．たんご
　6．とうようしそうし　だいいっかん　げんしょ　にほんごやく
Ⅳ　練習問題
〔1〕1．a　2．b　3．a　4．b　5．a　6．b　7．b　8．a
〔2〕1．ぶんしょう　2．しゅってん　3．こうぞう　4．こうせい　5．ようし
　　6．ひっしゃ　7．すいそく　8．のべよ　9．さんしょう
〔3〕1．ひゃっかじてん　2．きじゅつ　こうじゅつ　3．じょうじゅつ
　　4．だいいっしょう　5．じじつ　6．しゃかいこうぞう　7．そくてい
　　8．たいしょうけんきゅう　9．こてん　げんてん　10．けんぞう　11．そくりょう
Ⅴ　まとめ
〔1〕1．ぶんしょう　2．すいそく　3．こうぞう　4．こうせい　5．しゅってん
　　6．ようし　7．ひっしゃ　8．さんしょう　9．のべる

〔2〕a
　〔3〕1．文章　構成　　2．構造　要旨　　3．筆者　推測　　4．参照　出典

第24課　原稿の作成
Ⅰ　ウォーミングアップ
　1．ぶんしょう　　2．はっぴょうしゃ　　3．いんよう　しゅってん　さんこうぶんけん
　4．かくしょう　　5．しゅうせい
Ⅳ　練習問題
　〔1〕1．b　2．b　3．a　4．b　5．a　6．a　7．b　8．b
　〔2〕1．げんこう　　2．せいり　　3．かんけつ　　4．かくかしょ　　5．かくにん
　　　6．ていせい　　7．いんさつ　　8．しゅっぱん
　〔3〕1．げんこうようし　　2．さいかくにん　　3．たしかめる　　4．みとめない
　　　5．ていせいかしょ　　6．ととのえて
　〔4〕1．てきかく　　2．にんしき　　3．ちょうせい　　4．しょはん　　5．せいけつ
　　　6．かしょ　　7．とうこうろんぶん　　8．いんさつぎじゅつ
Ⅴ　まとめ
　〔1〕1．げんこう　　2．せいり　　3．かくにん　　4．たしかめる　　5．かんけつ
　　　6．ていせい　　7．かしょ　　8．いんさつ　　9．しゅっぱん
　〔2〕c
　〔3〕1．原稿　整理　簡潔　　2．確認　箇所　訂正　　3．出版　　4．確　印刷

第25課　日本語ワープロ
Ⅰ　ウォーミングアップ
　1．げんこう　　2．でんげん　きどう　　3．ぶんしょ　　4．にゅうりょく
　5．かくだい　　6．いんさつ　　7．とじる　　8．じょうほう
Ⅳ　練習問題
　〔1〕1．b　2．a　3．b　4．b　5．b　6．a　7．b　8．a
　〔2〕1．せってい　　2．へんかん　　3．へんしゅう　　4．けんさく　　5．もじかざり
　　　6．もどす　　7．がぞう　　8．てんぷ
　〔3〕1．しんせつ　　2．ごかん　　3．とりもどす　　4．もどる　　5．へんしゅうしゃ
　　　6．ぶつぞう　　7．さくいん
　〔4〕1．ようし　たておき、よこがき　　2．ぜんかく　ぎょう　せってい　　3．はんかく
　　　4．かしょ　5．げんこう　じょうげ　さゆう　　6．ばんごう　だん
Ⅴ　まとめ
　〔1〕1．へんかん　　2．へんしゅう　　3．けんさく　　4．せってい　　5．もどす
　　　6．がぞう　　7．かざり　　8．てんぷ
　〔2〕c
　〔3〕1．変換　飾　設定　　2．戻　編集　　3．検索　　4．画像　添付

第26課　意見・評価
Ⅰ　ウォーミングアップ
　1．しじ　　2．まとをはずれて　　3．ぎもん　はんろん　いろん　　4．けんかい　のべた
　5．さんせい　はんたい　たちば　　6．せいせき　　7．いけん
Ⅳ　練習問題
　〔1〕1．a　2．b　3．b　4．b　5．a　6．a　7．b　8．a　9．a
　〔2〕1．かんそう　　2．ひょうか　　3．ひはん　　4．はんめい　　5．ひょうばん

6．しゅちょう　　7．してき　　8．かくしん　　9．こうてい　ひてい
〔3〕1．ひていてき　　2．ひっぱる　　3．こうひょう　　4．そうたいひょうか
　　　5．りそうてき　　6．かくかぞく　　7．はんべつ　　8．あんぴ
〔4〕1．d　　2．c　　3．a b（b a）　　4．e　　5．f
Ⅴ　まとめ
〔1〕1．かんそう　　2．ひひょう　　3．ひはん　　4．ひょうか　　5．しゅちょう
　　　6．してき　　7．かくしん　　8．こうてい　　9．ひてい
〔2〕c
〔3〕1．感想　批評　　2．主張　評価　　3．指摘　核心　　4．批判　肯定　否定

第27課　修飾語2

Ⅰ　ウォーミングアップ
　1．かんけつ　わかりやすい　　2．めいかく　　3．ひはんてき　　4．せっきょくてき
　5．ひていてき　　6．たいしょうてき
Ⅳ　練習問題
〔1〕1．b　　2．b　　3．a　　4．a　　5．a　　6．a　　7．b　　8．b　　9．a
〔2〕1．こんぽんてき　　2．どくそうてき　　3．しんせん　　4．どくじ
　　　5．いよくてき　　6．きちょう　　7．けんめい　　8．たんじゅん
　　　9．いっぱんてき　　10．するどい
〔3〕1．きちょうひん　　2．どくりつ　　3．どくがく　　4．そうさく　　5．じゅんど
　　　6．しょくよく　　7．こんげん　　8．ね　　9．いっぱん　　10．するどい
　　　11．たんどく
Ⅴ　まとめ
〔1〕1．きちょう　　2．けんめい　　3．どくとく　　4．どくじ　　5．しんせん
　　　6．どくそうてき　　7．いっぱんてき　　8．たんじゅん　　9．するどい
　　　10．こんぽんてき　　11．いよくてき
〔2〕c
〔3〕1．単純　賢明　　2．一般　新鮮　貴重　　3．意欲　独創　　4．根本　鋭

[第Ⅱ部]

第28課　序論

Ⅲ　練習問題
〔1〕1．b　　2．a　　3．b　　4．a　　5．a　　6．b　　7．a　　8．a　　9．a
　　　10．b
〔2〕1．しゃかいてきはいけい　　2．しょうてん　　3．じゅうらい　　4．こうさつ
　　　5．してん　　6．わくぐみ　　7．りゃくす　　8．ほうしん
〔3〕1．はいけい　　2．けいき　　3．ふうけい　　4．わく　　5．しょうりゃく
　　　6．りゃくご　　7．こげる　　8．したがって
Ⅳ　応用練習
　1．とりあつかう　　2．もくてき　　3．あきらかになっていない
　4．けんとうがひつようである　　5．きじゅつがある　　6．してん　きゅうめいする
　7．ていぎする　　8．じゅうようし　　9．たちば　　10．しょうてんをあわせて
　11．しょうてんをしぼって　　12．はいご　　13．かいめいする
　14．ほんけんきゅうのほうしん

Ⅴ　まとめ
〔1〕1．じょろん　2．してん　3．こうさつ　4．はいけい　5．しょうてん
　　　6．じゅうらい　7．わくぐみ　8．りゃくす　9．ほうしん
〔2〕a
〔3〕1．序　背景　方針　2．焦点　視点　考察　3．従来　枠組　4．略

第29課　実験・観察

Ⅲ　練習問題
〔1〕1．a　2．b　3．a　4．a　5．b　6．b　7．b　8．a　9．b
〔2〕1．てじゅん　2．かんさつ　3．ざいりょう　4．そうち　5．きかい
　　　6．ぶんせき　7．じょうけん　8．ひけんしゃ　9．じっし
〔3〕1．じっけんしせつ　ひつようじょうけん
　　　2．じどうしょうとうそうち　しょうおんそうち
　　　3．ひがい　4．しゅかんてき　きゃっかんてき　5．じんせいかん
　　　6．きかいてき　7．ひこようしゃ　8．しんそざい　9．ざいしつ　こうさつ

Ⅳ　応用練習
1．こうどうかんさつ　2．かんてん　ぶんせきをおこなった　3．じっしした
4．じっけんてじゅん　5．そうち　6．ざいりょう　7．ぶんせきをこころみた
8．かいせきをこころみた　9．ぶんせきをおこなった　10．じょうけんをかえて
11．ひけんしゃ　きろくした

Ⅴ　まとめ
〔1〕1．てじゅん　2．かんさつ　3．ざいりょう　4．そうち　5．きかい
　　　6．ぶんせき　7．じょうけん　8．ひけんしゃ　9．じっし
〔2〕d
〔3〕1．被験　2．手順　3．装置　機械　実施　4．条件　分析　5．観察　材料

第30課　調査

Ⅲ　練習問題
〔1〕1．a　2．b　3．b　4．a　5．a　6．b　7．a　8．a　9．b
　　　10．b
〔2〕1．たいしょう　2．むさくいちゅうしゅつほう　3．かせつ　4．こうりょ
　　　5．しつもんひょう　6．かいしゅう　7．くうらん　8．がいとう
　　　9．がいよう
〔3〕1．えんりょ　2．じんいてき　3．いじょうきしょう　4．ちゅうしょうてき
　　　5．いんしょうてき　6．ちゅうせん　7．らんがい　8．しゅうにゅうげん
　　　9．しゅうしゅう　10．がいとうしゃ　11．かてい　12．がいろん

Ⅳ　応用練習
1．じったいちょうさ　2．たいしょう　いしきちょうさ　ぶんせき　3．げんちちょうさ
4．ぶんけんちょうさ　5．かせつをたて　けんしょうする　6．かせつにもとづいて
7．めんせつちょうさ　しつもんしちょうさ　8．そうかにだんちゅうしゅつほう
9．たいしょうしゃ　10．かいしゅうりつ　こうりょにいれて

Ⅴ　まとめ
〔1〕1．たいしょう　2．かせつ　3．がいよう　4．むさくい　5．ちゅうしゅつ
　　　6．こうりょ　7．しつもんひょう　8．がいとう　9．らん　10．かいしゅう
〔2〕b
〔3〕1．対象　票　2．仮説　概要　3．無作為抽出　4．考慮　回収　5．欄　該当

第31課　数値

Ⅲ　練習問題
〔1〕1．a　2．b　3．b　4．a　5．a　6．b　7．a　8．b　9．a
〔2〕1．けいさん　2．ふくすう　3．ひとしい　4．さ　5．へいきん
　　　6．あまり　7．なんばい　8．かいしゅうりつ　9．すうち
〔3〕1．とうひょうりつ　2．たんじゅんけいさん　3．にじゅうよんとうぶん
　　　4．よはく　5．ふくごう　6．がくじゅつてきかち　7．ねあがり　8．ねだん

Ⅳ　応用練習
1．けいさん　さんしゅつ　2．すうち　3．ふくすうけい
4．さんわりじゃく　ごわりきょう　5．ひゃくろくじゅうまんにんあまり
6．へいきんすいみんじかん　7．ゆういさ　8．しようりつ　へいきんち

Ⅴ　まとめ
〔1〕1．さ　2．すうち　3．ふくすう　4．けいさん　5．ばい　6．りつ
　　　7．ひとしい　8．へいきん　9．あまり
〔2〕d
〔3〕1．数値　計算　差　2．複数　3．倍　等　4．率　平均　余

第32課　図表

Ⅲ　練習問題
〔1〕1．a　2．a　3．a　4．b　5．a　6．b　7．a　8．b　9．a
〔2〕1．よこじく　2．おおはば　3．じょうしょう　4．しめて　5．こえて
　　　6．みまん　7．のぞく　8．みたない　9．しゃせんぶ　10．どんか
〔3〕1．まんぞく　ふまん　2．どくせんきんしほう　3．はばひろい
　　　4．ちょうおんぱ　5．どんかん　6．こえた　ちょうかりょうきん
〔4〕1．a　b　2．D　3．A　4．C

Ⅳ　応用練習
1．じょうけんをみたす　2．しゃせんぶ　みまん　3．おおはばにのび　こえている
4．のびはどんか　5．はんすうちかくをしめ　はちわりにたっしている
6．のぞいて　ななわりにおよぶ　7．5パーセントたらず　0.5パーセントにとどまる
8．たいしょうからじょがいした

Ⅴ　まとめ
〔1〕1．しめる　2．じく　3．みたない　4．みまん　5．のぞく
　　　6．じょうしょう　7．おおはば　8．しゃせん　9．こえる　10．どんか
〔2〕a
〔3〕1．横軸　2．大幅　上昇　3．占　斜線　超　4．除　未満　5．鈍化

第33課　結果・考察1

Ⅲ　練習問題
〔1〕1．a　2．b　3．a　4．a　5．a　6．b　7．b　8．a　9．b
〔2〕1．そんざい　2．とうけいしょり　3．ごさ　4．いっち　5．れっきょ
　　　6．あげる　7．けいこう　8．とくしゅ
〔3〕1．でんとうてき　2．つうかとうごう　3．とくしゅきょういく　4．けいしゃち
　　　5．げらくけいこう　6．せいぞんかのう　7．れいとうほぞんぎじゅつ
　　　8．ひせんきょけん　9．ごじ　10．じょうほうしょり

Ⅳ　応用練習
1．そんざいすることがはんめいした　2．せいぞん　3．さい　4．ごさ

15

5．とうけいてきなごさ　6．とくしゅなケースをのぞいて　7．あげて　8．れっきょ
9．いっち　10．かんさつされた　11．ごよう　とうけいてきにゆういなけっか

Ⅴ　まとめ
〔1〕1．とうけい　2．しょり　3．そんざい　4．ごさ　5．いっち
　　　6．けいこう　7．あげる　8．れっきょ　9．とくしゅ
〔2〕b
〔3〕1．統計処理　誤差　2．特殊　存在　3．列挙　挙　4．傾向　一致

第34課　結果・考察2

Ⅲ　練習問題
〔1〕1．a　2．b　3．b　4．a　5．b　6．b　7．a
〔2〕1．よういん　2．こんきょ　3．だとう　4．むじゅん　5．はんだん
　　　6．かいしゃく　7．しさ　8．いちじるしく
〔3〕1．きいん　2．いんがかんけい　3．いみかいしゃく　4．だとうせい
　　　5．だんめんぞう　6．あらわした　7．しょうこ　8．ちょしゃめい　きょうちょ
　　　9．だきょうあん

Ⅳ　応用練習
1．よういんぶんせき　2．かんきょうよういん　3．はんだんきじゅん
4．かいしゃくできる　5．かいしゃくのちがい　6．むじゅんはない
7．むじゅんしない　8．りろんてきなこんきょ　9．しょうこ　10．いちじるしい
11．しさする　12．ごようぶんせき　13．かせつをうらづける　14．けんちょ
15．だとうせい

Ⅴ　まとめ
〔1〕1．こんきょ　2．よういん　3．はんだん　4．いちじるしい　5．かいしゃく
　　　6．むじゅん　7．だとう　8．しさ
〔2〕b
〔3〕1．解釈　根拠　2．判断　3．著　矛盾　4．妥当　5．要因

第35課　修飾語3

Ⅲ　練習問題
〔1〕1．a　2．a　3．b　4．a　5．b　6．b　7．b　8．a
〔2〕1．じょじょに　2．ぎゃく　3．ゆうえき　4．みっせつ　5．あっとうてき
　　　6．そしきてき　7．しんこく　8．きけん
〔3〕1．さかさ　2．あつりょく　3．たおれる　4．みっしゅう　5．りえき
　　　6．げんみつ　7．そしき　8．ぎゃっこう　9．じょこう　10．じこく
　　　11．けいざいきき　12．きけんじょうほう

Ⅳ　応用練習
1．あっとうてきなわりあい　2．いちじるしいのび　3．ゆうよう
4．めんみつなちょうさ　5．しんこくなもんだい　6．ただいな　7．めだった
8．いってい　10．おおはばなぞうか　のびがにぶくなって　11．たよう
12．たいしょうてき　13．たいけいてき　14．ぐたいてき

Ⅴ　まとめ
〔1〕1．ぎゃく　2．じょじょに　3．ゆうえき　4．みっせつ　5．げんみつ
　　　6．きけん　7．あっとうてき　8．そしきてき　9．しんこく
〔2〕b
〔3〕1．逆　徐々　2．密接　3．組織　圧倒　4．厳密　有益　5．危険　深刻

[第Ⅲ部]

第36課　対義語

Ⅰ　ウォーミングアップ
　1．a　2．e　3．d　4．c　5．b　6．f
Ⅳ　練習問題
　〔1〕1．a　2．a　3．b　4．a　5．a　6．b　7．a　8．a　9．a
　〔2〕1．しっぱい　2．じゅよう　3．かち　まけた　4．しゅくしょう
　　　5．しずみ　うく　6．きょか　7．きょうきゅう　8．ちぢめる
　〔3〕1．g　2．e　3．h　4．f　5．d　6．b　7．a　8．c
　〔4〕1．しゅうし　2．じゅきゅう　3．しょうはい　4．かちまけ　5．しんしゅく
　　　6．のびちぢみ　7．ぞうげん　8．しゅっけつ　9．いんが　10．うきしずみ
Ⅴ　まとめ
　〔1〕1．かつ　2．まける　3．やぶれる　4．ゆるす　5．ちぢむ　6．うく
　　　7．しずむ　8．じゅよう　9．きょうきゅう
　〔2〕1．勝負　2．浮沈　3．需要　供給　4．許　5．縮　6．失敗

第37課　形容詞の対義語

Ⅰ　ウォーミングアップ
　1．c　2．b　3．e　4．f　5．a　6．d
Ⅳ　練習問題
　〔1〕1．a　2．b　3．b　4．a　5．b　6．b　7．b　8．a
　〔2〕1．こい　2．うすい　あさい　3．あつく　うすい　4．おせん　のうど
　　　5．せいしんてき　6．こううん
　〔3〕1．c　2．d　3．a　4．g　5．f　6．e
　〔4〕1．幸福　2．単純／簡単　3．幸運　4．積極的　5．平等　6．不
　　　7．不　8．非　9．不　10．高　11．少　12．異　13．無
Ⅴ　まとめ
　〔1〕1．あさい　2．こい　3．うすい　4．あつい　5．きたない　6．まずしい
　　　7．せいしんてき　8．こうふく
　〔2〕1．浅　2．薄　濃　3．貧　精神　幸福　4．厚　薄　5．汚

第38課　同訓語

Ⅲ　練習問題
　〔1〕1．a　2．b　3．a　4．b　5．a　6．a　7．a　8．b　9．a
　〔2〕1．①a　②b　2．①a　②b　3．①a　②c　③b　4．①a　②c　③b
　　　5．①b　②a　③a　6．①c　②b　③a
　〔3〕1．たてる　たてる　2．なおし　なおす　3．わかれている　わかれた
　　　4．a．あける　b．あける　c．あける　5．a．あつい　b．あつい　c．あつい
　　　6．a．はかる　b．はかった　c．はかる
　　　7．a．あらわした　b．あらわせない　c．あらわさなかった
　〔4〕1．きんむ　2．だいたい　3．へんかん　4．じゅうなん　5．しゅうのう
　　　6．じょうしょう　7．かこう　8．そくりょう　9．けいそく　10．かいごう
　　　11．ひょうげん　12．きほん　13おんだん
Ⅳ　まとめ
　〔1〕1．なく　2．おくる　3．のぼる　4．つとめる　5．かたい　6．かたい

7．かえる　8．おさめる　9．やわらかい　10．やわらかい
〔2〕1．贈　勤務　2．両替　納　3．登　鳴　4．硬／固　柔軟

第39課　漢字の音読み

Ⅲ　練習問題
〔1〕1．しょうかい　さんしょう　しょうたい　しょうわ
　　2．たぼう　しぼう　しぼう　ぼうねんかい　3．ようきゅう　ちきゅう　きゅうじょ
　　4．きそく　すいそく　そくめん　5．せきにん　めんせき　せいせき
　　6．きまつ　きそ　こっき　7．とうひょう　もくひょう　ひょうりゅう
　　8．けんさ　じっけん　きけん　けんどう
　　9．こうぞう　こうぎ　こうにゅう　かいこう
　　10．ふくしゅう　ふくすう　くうふく　11．ていか　かいてい　ていたく
　　12．がくせいりょう　ちりょう　どうりょう
〔2〕1．d　2．c　3．b　4．d　5．a　6．a
〔3〕1．ようれい　れっきょ　2．かんこうきゃく　きんがく　3．いんしょう　がぞう
　　4．せいりょく　ねったい　5．もくじ　しせい　6．しょり　こんきょ
　　7．とうたつ　いっち
〔4〕1．a　2．b　3．a　4．a　5．b　6．b　7．b　8．b　9．a
　　10．b　11．c　12．b　13．a
〔5〕1．b　2．a　3．a　4．a　5．b　6．a　7．b　8．b　9．a
Ⅳ　まとめ
〔1〕1．こうがい　2．こうがい　3．かてい　4．つうか　5．きんがく
　　6．しせい　7．しぼう
〔2〕1．公害　死亡　2．姿勢　家庭　3．通貨　金額

第40課　和語・漢語

Ⅲ　練習問題
〔1〕1．a　2．a　3．b　4．b　5．a　6．a　7．a　8．b
〔2〕1．とる　①c　②a　③d　④b　⑤f　⑥e　2．やすむ　①a　②b　③c
　　3．わける　①e　②b　③c　④d　⑤a　4．つくる　①b　②e　③a　④c　⑤d
　　5．なおす　①d　②b　③a　④c　⑤e　6．みる　①d　②c　③a　④b
　　8．かえる　①a　②b　③c　④d
〔3〕1．b　2．c　3．d　4．a
Ⅳ　まとめ
〔1〕1．せいぞう　2．けんちく　3．きゅうそく　4．はいけん　5．しんさつ
　　6．さいよう　7．ちりょう　8．さつえい
〔2〕1．診察　治療　2．撮影　休息　3．新築　拝見　4．製造　採用

大学・大学院留学生の日本語⑤ 漢字・語彙編
PC：7007058